D1267776

Maroc

SYMBOLES

❶	**Informations touristiques**
♥	**Coup de cœur de la rédaction**

Sites, monuments, musées, œuvres

✶✶✶	**Exceptionnel**
✶✶	**Très intéressant**
✶	**Intéressant**

Hôtels

▲▲▲▲	**Hôtel de luxe**
▲▲▲	**Hôtel offrant un confort maximum**
▲▲	**Hôtel correct**
▲	**Hôtel simple**

Restaurants

◆◆◆◆	**Très bonne table, prix élevés**
◆◆◆	**Bonne table, service agréable, prix moyens**
◆◆	**Table simple, prix modérés**
◆	**Cuisine populaire, bon marché**

GUIDES BLEUS ÉVASION

L'édition originale de ce guide a été établie par **Élisabeth Morris**, les éditions suivantes ont été augmentées par **Florence Lagrange, Sophie Loizillon, Claire Maupas, Sabine Bosio, Daniel Férin, Essalih Boulid et Michèle Bijaoui.**

Les auteurs tiennent à remercier chaleureusement toutes celles et tous ceux qui, au Maroc comme en France, ont contribué à la mise à jour de la présente édition.

Direction : Cécile Boyer-Runge – **Direction éditoriale** : Catherine Marquet – **Responsable de collection** : Armelle de Moucheron – **Édition** : Marie Barbelet – **Lecture-correction** : Françoise Faucherre – **Informatique éditoriale** : Lionel Barth – **Documentation** : Sylvie Gabriel – **Maquette intérieure et mise en page PAO** : Catherine Riand – **Cartographie** : Fabrice Le Goff – **Fabrication** : Nathalie Lautout, Maud Dall'Agnola. **Couverture** réalisée par Quattro. *Avec la collaboration de Marie-Louise de Chantérac, Luc Decoudin, Élise Ernest, Denis Jacquemin, Christine Rivet.*

Crédit photographique

Régie exclusive de publicité : Hachette Tourisme, 43, quai de Grenelle, 75905 Paris Cedex 15. Contact : Valérie Habert ☎ 01.43.92.32.52. *Le contenu des annonces publicitaires insérées dans ce guide n'engage en rien la responsabilité de l'éditeur.*

Conformément à une jurisprudence constante (Toulouse, 14-01-1887), les erreurs ou omissions involontaires qui auraient pu subsister dans ce guide, malgré nos soins et les contrôles de l'équipe de rédaction, ne sauraient engager la responsabilité de l'éditeur.

Pour nous écrire : bleusevasion@hachette-livre.fr

Maroc

GUIDES BLEUS ÉVASION

Sommaire

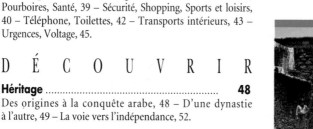

D É C O U V R I R

S U R   P L A C E

EN SAVOIR PLUS

CARTES ET PLANS

Toutes les informations nécessaires à la préparation et à l'organisation de votre séjour.

Ci-contre : dans un atelier de vannerie du Haut Atlas. Une image qui symbolise bien le Maroc : pays fort d'une population jeune et d'un artisanat vivant.

Ci-dessus : fenêtre ouvragée d'une kasbah de Msemrir, dans les gorges du Todra, dans le sud du Maroc.

EMBARQUER

QUE VOIR ?

Région par région

Des plages et des plaisirs de la mer sur environ 3 500 km de côtes aux joies de la montagne et de la randonnée dans les hautes vallées de la région de l'Atlas, des villes impériales aux médinas mystérieuses, du peuple arabe au peuple berbère, du désert de sable à l'extrême Sud…

Les multiples visages du Maroc dépaysent autant qu'ils séduisent tous ceux qui y séjournent. Par-delà cette diversité, le Maroc demeure un pays chaleureux comme ce verre de thé à la menthe que l'on ne manquera pas de vous offrir à la première halte…

Tanger, le Rif et la côte méditerranéenne

Tanger conserve de beaux restes de son passé cosmopolite. Sur la côte méditerranéenne, petits ports de pêche et stations balnéaires se succèdent. Le Rif qui ceinture cette région est un massif d'une grande beauté.

*TANGER *(p. 78)*. Refuge d'un petit monde cosmopolite et désabusé au lendemain de la Seconde Guerre mondiale, c'est la ville de la nostalgie, mais aussi la gardienne vigilante des 14 km de mer qui la séparent de l'Europe.

Le Maroc en bref

Porte monumentale de Beni-Mellal, Moyen Atlas. La mosaïque représente le roi Hassan II et le drapeau marocain avec l'étoile verte, symbole du régime chérifien, sur fond rouge.

➤ **SITUATION** : au nord-ouest du continent africain.

➤ **CLIMAT** : été chaud et sec, hiver doux et ensoleillé, précipitations au printemps et à l'automne.

➤ **CAPITALE** : Rabat.

➤ **LANGUE OFFICIELLE** : arabe classique.

➤ **LANGUES PARLÉES** : arabe dialectal, berbère, français, espagnol.

➤ **RELIGION** : islam sunnite.

➤ **RÉGIME POLITIQUE** : monarchie constitutionnelle de droit divin. Chef de l'État : Mohammed VI. Premier ministre : Driss Jettou.

➤ **MONNAIE** : le dirham (fin 2002, 10 DH = 1 € env.).

➤ **PASSEPORT** : oui.

➤ **VISA** : non.

➤ **DÉCALAGE HORAIRE** : lorsqu'il est midi à Paris, il est 11 h à Rabat en hiver et 10 h en été. ❖

---

*TÉTOUAN *(57 km S-E de Tanger, p. 86).* Une jolie cité dont la médina garde de nombreuses traces de la domination espagnole.

**LA CÔTE DES RHOMARA ET LES GORGES DE OUED LAOU. Une corniche sur la

mer à couper le souffle entre Tétouan et El-Jebha *(135 km, p. 86)* et un fleuve aux gorges vertigineuses *(47 km S-E de Tétouan, p. 86).*

**CHEFCHAOUEN *(55 km S de Tétouan, p. 89).* La ville aux maisons bleutées s'encastre dans la montagne rifaine.

**LES MONTS BENI-SNASSEN ET LES GORGES DU ZEGZEL *(60 km N-O d'Oujda, p. 92).* À quelques encablures de la frontière algérienne, des monts chauves, des vergers en terrasses et des gorges creusées de grottes.

**FIGUIG *(368 km S d'Oujda, p. 93).* Pour ceux qui ne craignent pas l'inconfort, une superbe oasis à l'extrémité orientale du Maroc, accessible de Oujda.

**LE JBEL TAZZEKA *(O de Taza, p. 94).* Un parc national au relief tourmenté de gouffres, de grottes et de gorges.

La côte atlantique

C'est le Maroc moderne, le pôle de son développement économique. Les atouts de cette région ? Un climat doux toute l'année, des plages de sable fin, les deux capitales du pays, Rabat et Casablanca, et des joyaux d'architecture militaire portugaise sur la côte, étonnamment préservés (Asilah, El-Jadida, Essaouira).

RABAT *(p. 100)*. La capitale du pays fait figure de sage provinciale. Un bijou : la **kasbah des Oudaïa* et ses jardins andalous. **Salé****, sa jumelle, avec son authentique **médina**, lui fait face sur l'autre rive du Bou Regreg.

*ASILAH *(211 km N de Rabat, p. 114)*. La cité s'enorgueillit de magnifiques remparts portugais du XVe s.

CASABLANCA *(97 km S-O de Rabat, p. 115)*. La métropole du Maroc mérite le détour pour son architecture coloniale des années 1930 et son incroyable **mosquée Hassan-II***.

*EL-JADIDA *(99 km S-O de Casablanca, p. 121)*. À mi-chemin entre Casablanca et Safi, une station balnéaire dont le port fortifié portugais veille sur l'Atlantique.

***ESSAOUIRA *(344 km S-O de Casablanca, p. 125)*. Bâtie sur une presqu'île rocheuse, cernée de remparts roses, l'ancienne Mogador portugaise, proche d'Agadir et de Marrakech, a tout pour séduire : une architecture élégante, une mer idéale pour les surfeurs et une atmosphère paisible.

Fès, Meknès et le Moyen Atlas

Dans cette région l'histoire du Maroc se lit à livre ouvert. Les ruines romaines et les villes impériales où se sont succédé les dynasties ont pour toile de fond le Moyen Atlas, arrosé et fertile. C'est là que l'Oum er-Rbia prend sa source.

FÈS *(p. 140)* fut incontestablement la capitale artistique, intellectuelle et religieuse du pays. Pour preuve ses nombreux monuments : **médersa Bou-Inania*, **palais royal***, **mosquée Karaouiyine****. Quant à sa **médina***** grouillante de vie, incroyable écheveau de ruelles coupées de passages couverts et d'escaliers, elle offre un spectacle coloré à ne pas manquer.

**MEKNÈS *(65 km O de Fès, p. 153)*. Cette ville d'un seul roi, Moulay Ismaïl, est restée figée dans sa splendeur.

*VOLUBILIS ♥ *(35 km N de Meknès, p. 159)*. Les ruines romaines les plus importantes du Maroc, sur lesquelles plane l'ombre de Juba II.

**MOULAY-IDRISS ♥ *(30 km N de Meknès, p. 161)*. Une petite ville blanche et calme qu'anime chaque année un gigantesque pèlerinage.

*LA FORÊT DE CÈDRES D'AZROU *(70 km S de Fès, p. 168)*. Non loin d'une station estivale réputée pour ses tapis, ce qui reste d'une vaste forêt qui couvrait autrefois tout l'Atlas.

*LES SOURCES DE L'OUM-ER-RBIA *(142 km S de Fès, p. 169)*. Au cœur du Moyen Atlas, d'importantes cascades marquent le départ du fleuve le plus long du Maroc.

Marrakech et sa région

Ville oasis s'étalant au cœur de la plaine du Haouz, Marrakech est admirablement située entre montagnes et océan. C'est une excellente base de départ pour aller chercher l'air frais aux bords de l'Atlantique ou vers les sommets du Haut Atlas.

MARRAKECH *(p. 177)*. Le minaret de la **Koutoubia** et les **remparts*** roses qui ceinturent la ville depuis le XIIe s. veillent sur son patrimoine historique. Le cœur de la **médina***** bat sur la **place Jemaa el-Fna*** et dans les souks. Hors les murs s'étend la ville moderne, le **Guéliz**, ancien quartier colonial, les ♥ **jardins de la Ménara*** ou de l'**Agdal** et la **palmeraie** hélas! menacée par une urbanisation croissante.

**LA ROUTE DU TIZI-N-TEST *(S de Marrakech, excursion d'une journée, p. 193)*. Elle grimpe à 2 000 m dans un paysage grandiose, tantôt boisé et peuplé, tantôt désertique.

**LA VALLÉE DE L'OURIKA *(33 km S-E de Marrakech, p. 195)*. L'oued Ourika serpente entre les flancs splendides du Haut Atlas contre lesquels s'imbriquent les maisons ocre en pisé.

*OUKAÏMEDEN *(75 km S de Marrakech, p. 198)*. À 2 650 m d'altitude, la meilleure station de ski du Maroc, que l'on rejoint en remontant au-delà de la vallée de l'Ourika.

LE COL TIZI-N-TICHKA *(100 km S-E de Marrakech, p. 200)*. Le plus haut col routier du Maroc. La **kasbah de Telouèt**, toute proche, fief de l'ancien pacha de Marrakech, le Glaoui, se niche dans un paysage de genévriers et de chênes verts.

LES CASCADES D'OUZOUD *(138 km N-E de Marrakech, p. 201)*. Une chute d'eau de 100 m de hauteur qui se jette dans un gouffre envahi par une végétation luxuriante. Non loin s'étend le lac artificiel du **barrage de Bin-el-Ouidane* *(p. 202)*.

**LA VALLÉE DES AÏT-BOUGUEMEZ *(212 km E de Marrakech, p. 202)*. Au cœur du Haut Atlas central, dominée par le massif du M'Goun, une vallée sauvage aux beaux villages en pisé.

Le Grand Sud

À Ouarzazate se croisent les chemins du Grand Sud marocain, un pays à la beauté âpre, fait de montagnes pierreuses et de désert. Les oasis des vallées apparaissent comme autant de miracles, tandis que les kasbahs, impérieuses fortifications de terre qui leur servaient de sentinelles, témoignent d'une architecture berbère originale.

OUARZAZATE *(204 km S-E de Marrakech, p. 214)*. L'étape de choix (bon équipement hôtelier) pour se rendre dans le Grand Sud. À voir, toutes proches, les anciennes **kasbahs du Glaoui** : Taourirt*, ♥ Tiffoultoute* ou **Tamdaght***.

**AÏT-BENHADDOU ♥ *(32 km N-O de Ouarzazate, p. 215)*. À quelques kilomètres au nord de Ouarzazate, un magnifique village de terre fortifié inscrit au patrimoine de l'humanité par l'Unesco.

LA VALLÉE DU DRÂA (*au S-O de Ouarzazate, p. 216*). De Ouarzazate à Mhamid (*253 km*), une route aux vastes paysages arides qui mène aux portes du désert. Les étapes: **Zagora, ancienne ville de caravane, **Tamegroute** et sa **bibliothèque de l'école coranique**, **Mhamid**, assoupie dans les sables. Là encore, de superbes villages de terre, comme celui de **Tinezouline***, par exemple.

LA ROUTE DES KASBAHS (*p. 222*). De Ouarzazate à Tinerhir, au sud-est de Marrakech, une succession de villages le long de la **vallée du Dadès*, où l'on peut admirer les plus beaux spécimens de kasbahs à **Skoura**, au **ksar de Bou-Thrarar***** près d'El-Kelaâ-des-M'Gouna ou à **Tinerhir***.

***LES GORGES DU DADÈS (*136 km N-E de Ouarzazate, p. 224*). Au départ de Boumalne-du-Dadès, sur la route des kasbahs, des parois vertigineuses enserrant un chaos minéral.

*TINERHIR (*53 km N-E de Boulmane-du-Dadès, p. 227*). Au bout de la route des kasbahs, une petite ville prospère au milieu de l'une des plus belles **palmeraies**** du Sud.

***LES GORGES DU TODRA (*p. 226*). Depuis Tinerhir, au bout de la route des kasbahs, un défilé extrêmement étroit et d'une hauteur impressionnante.

**LES GORGES DU ZIZ (*137 km E de Tinerhir, p. 227*). En amont d'Er-Rachidia, elles ouvrent la voie au Tafilalt, immense palmeraie qui fut le berceau de la dynastie alaouite.

**MERZOUGA (*50 km S d'Erfoud, p. 228*). La dernière oasis dans le sud-est du pays avant l'océan de dunes sahariennes.

Agadir et l'Anti-Atlas

Des kilomètres de sable fin et l'océan: l'idéal pour ceux qui aspirent à la détente dans une agréable cité balnéaire. Dans l'immédiat arrière-pays s'étend la riche plaine du Souss, plantée d'orangers, tandis qu'autour s'élèvent les premiers contreforts de l'Anti-Atlas.

AGADIR (*p. 239*). Ses plages, ses hôtels, ses activités sportives.

**TAROUDANNT (*80 km E d'Agadir, p. 243*). Cette perle du Sud est enserrée de magnifiques remparts qui témoignent de son passé tumultueux.

TAFRAOUTE (*107 km E de Tiznit, p. 248*). Ce bourg, niché dans un site montagneux spectaculaire, est à voir surtout en février quand les amandiers sont en fleur. Aux alentours, le **col du Kerdous*, les villages en pisé (**Adaï****), la ♥ **vallée des Ammeln**** (*p. 248*), tribu berbère, et celle d'**Aït-Baha***. ■

Si vous aimez...

L'ARCHITECTURE DE TERRE

Depuis des millénaires, les Berbères du Sud pratiquent l'art de construire villages et châteaux en pisé dont l'architecture allie l'impression de puissance et la surprenante fragilité du matériau *(p. 220)*.

Vous apprécierez tout d'abord l'enceinte de **Marrakech** *(p. 188)*, ainsi que **Aït-Benhaddou** *(p. 215)*, au cœur du Haut Atlas, le plus connu des villages de terre fortifiés ; non loin de là, en direction du col **Tizi-n-Tichka**, s'élève la belle kasbah de **Telouèt** *(p. 200)* ; à Ouarzazate, la kasbah de **Taourirt** a été partiellement restaurée *(p. 215)* ; mais surtout, suivez la **route des kasbahs** *(p. 222)*, le long de laquelle vous admirerez de superbes spécimens de cette architecture, en particulier à **Skoura** *(p. 222)*, aux environs d'**El-Kelaâ-des-M'Gouna** et à **Tinerhir** *(p. 225)*. La **vallée du Drâa** *(p. 214)* et la région du **Tafilalt** *(p. 227)* réservent également de belles surprises.

LES MOSQUÉES ET LES MÉDERSAS

Ce sont les monuments types de l'art islamique. Les plus beaux spécimens sont de style hispano-mauresque *(p. 54)*. Leur décoration intérieure, en cèdre sculpté, marbre, zelliges et stucs, varie à l'infini.

Au Maroc, les mosquées, lieux de culte d'où le *muezzin*, du haut du minaret, appelle les fidèles à la prière, sont fermées aux non-musulmans. Seule la mosquée du **mausolée de Moulay Ismaïl** à Meknès peut être visitée *(p. 157)*. Osez un coup d'œil par l'une des quatorze portes de la **mosquée**

Karaouiyine à **Fès** *(p. 150)* pour admirer les perspectives sur les cours intérieures. La **Koutoubia** de **Marrakech** *(p. 180)* et sa presque jumelle, la **tour Hassan** de **Rabat** *(p. 105)*, datent du XIIe s. Dans la lignée de ses illustres prédécesseurs, le roi Hassan II a fait construire une immense **mosquée à Casablanca** *(encadré p. 119)*, dont le minaret de 200 m est le plus haut du monde.

En revanche, les médersas, universités coraniques destinées à l'enseignement et à l'hébergement des étudiants, sont ouvertes au public. À **Fès**, ville de médersas s'il en est, on peut visiter celles de **Bou-Inania** *(p. 145)* et **el-Attarine** *(p. 149)*. À **Meknès**, la **médersa Bou-Inania** *(p. 158)*, désaffectée, offre une remarquable décoration de céramiques et de faïences émaillées. La **médersa Ben-Youssef** de **Marrakech** *(p. 187)*, qui compte 130 chambres, est la plus vaste du Maghreb.

LES JARDINS ANDALOUS

Ces jardins clos par des murs apparaissent comme des oasis de paix au milieu du vacarme des villes marocaines.

Pour prendre du repos, écouter les fontaines et sentir le parfum des fleurs, allez à **Meknès**, au **palais Dar-Jamaï** *(p. 158)*, une fantaisie florale. À **Fès**, rendez-vous au **palais Dar-Batha** *(p. 145)* dans ses allées dallées de carreaux noir et blanc. À **Chef-**

chaouen, la **kasbah** *(p. 90)* dissimule son jardin derrière de hauts murs crénelés. À **Marrakech**, admirez le bassin central du **palais el-Badi** *(p. 182)* et les cyprès, les bananiers, les orangers, le jasmin du **palais de la Bahia** *(p. 182)*.

LES SITES ANTIQUES

Premiers témoins d'une présence humaine ou vestiges du passage des Romains, ces sites témoignent encore abondamment de l'histoire antique du Maroc.

À **M'Soura** *(p. 113)*, entre Larache et Tanger, se dresse un cromlech de près de cent soixante-dix menhirs autour d'un tumulus de 55 m de diamètre. À **Fam-el-Hisn** (ou Foum-el-Hassan) et **Akka** *(p. 251)*, sur le versant sud de l'Anti-Atlas, des peintures rupestres attestent d'une présence humaine ancienne. La perle est **Volubilis** *(p. 159)*, au nord, qui dresse ses colonnes romaines dans un paysage de champs de blé. **Lixus** *(p. 113)*, près de Larache sur la côte atlantique nord, habitée depuis le néolithique, devint une prospère colonie romaine.

LES VILLES FORTIFIÉES

Fondées par les Portugais dès le milieu du XVe s. sur la côte atlantique, elles accueillaient leurs navires en route pour les Indes.

On entre dans la ville d'**Asilah** *(p. 114)* par une porte aux armes du roi du Portugal ; depuis les remparts d'**El-Jadida** *(p. 121)*, la vue est imprenable sur l'ensemble de la cité ; **Essaouira** *(p. 125)*, l'ancienne Mogador, fut construite au XVIIe s. sur des plans tracés par un Français.

L'ARCHITECTURE COLONIALE

La France a beaucoup bâti durant le protectorat sur le Maroc. À **Rabat** *(p. 100)* et à **Casablanca** *(p. 115)* restent de nombreux édifices publics (poste, palais de justice, etc.) et privés. Leurs cathédrales valent également le coup d'œil. À **Marrakech**, le quartier du Guéliz *(p. 190)* a été conçu par l'architecte Henri Prost, mais ses réalisations disparaissent pour faire place à des bâtiments plus modernes.

LE DÉSERT

Le Grand Sud marocain annonce le Sahara. Autour de **Zagora** *(p. 218)* s'étend à l'infini la plaine rocailleuse de la *hamada*. À 25 km au sud de **Zagora** *(p. 218)* ou à **Merzouga** *(p. 228)*, dans le sud-est du pays, les ergs, ces

immenses cordons de dunes sans cesse modelés par le vent, dressent leurs labyrinthes infranchissables. Seuls maîtres des lieux, les hommes bleus se réunissent une fois par semaine au marché de **Guelmim** *(p. 249)*.

LES OASIS

Telles un mirage sur l'étendue aride de la *hamada* rocailleuse ou comme blotties au pied des dunes, les oasis ont un avant-goût de paradis.

Marrakech *(p. 177)*, la plus somptueuse, surgit de la plaine désertique du Haouz. **Figuig** *(p. 93)*, à l'extrême-

Ifrane, dans le Moyen Atlas, s'étend une belle **forêt de cèdres** *(p. 168)*. Enfin, tout au nord, les **grottes d'Hercule** *(p. 82)* sur la côte atlantique près de Tanger, creusent étrangement le calcaire de la falaise.

est du pays, est une véritable mer de palmes. **Mhamid** *(p. 219)* est la dernière oasis sur l'oued Drâa avant qu'il ne se perde dans les sables. À **Tinerhir** *(p. 225)*, les seguias irriguent palmiers et oliviers. Les oasis du **Tafilalt** *(p. 227)* forment une vaste palmeraie de plus de sept cent mille arbres.

LES PLAGES

À la différence de la côte méditerranéenne, qui offre de charmantes stations balnéaires – entre **Tanger** et **Sebta** *(p. 83)*, ou bien **Al-Hoceima** aux criques abritées *(p. 91)* – la côte atlantique est dangereuse, à l'exception de quelques plages : **Agadir** et sa baie de rêve *(p. 241)* ; **Témara** et **Skhirat** *(p. 108)* au sud de Rabat ; **Mohammedia** *(p. 120)*, la station balnéaire au nord de Casablanca ; **Oualidia** *(p. 122)* au sud d'El-Jadida. Dans tous les cas, il faut éviter la marée descendante.

LES SITES GRANDIOSES

Le Maroc est riche en paysages d'exception. Le **jbel Tazzeka** *(p. 94)*, à l'est de Fès, offre un véritable chaos géologique. Les **cascades d'Ouzoud** *(p. 201)*, au nord-est de Marrakech dans le Moyen Atlas, s'élancent d'une une hauteur de 100 m. Les **gorges du Dadès** *(p. 224)*, canyon aux parois vertigineuses, et celles du **Todra** *(p. 226)*, défilé de falaises hautes de 300 m, s'ouvrent sur la route entre Ouarzazate et Tinerhir. Près de Tafraoute, dans l'Anti-Atlas, le relief tourmenté de la **vallée des Ammeln** *(p. 248)* s'adoucit en février grâce aux touffes blanches des amandiers en fleur. Entre Azrou et

LA RANDONNÉE

Pour découvrir des villages de terre accessibles seulement par des sentiers, les cultures étagées à flanc de montagne et l'hospitalité souriante des Berbères de l'Atlas, lacez vos chaussures de marche et endossez votre sac de toile *(p. 42)*. En été, choisissez les hauteurs du **massif du M'Goun** *(p. 202)* et du **Toubkal** *(p. 194)* dans le Haut Atlas ; en automne et au printemps, celles du **jbel Siroua** *(p. 231)* dans l'Anti-Atlas.

LES OISEAUX

Au Maroc, les amateurs d'ornithologie pourront s'adonner à leur passion favorite. Plusieurs réserves protègent les oiseaux : l'embouchure de l'**oued Massa** *(p. 246)* au sud d'Agadir ; la **vallée des Oiseaux** *(p. 224)* depuis **Boumalne-du-Dadès** sur la route des kasbahs ; le **lac asséché de l'erg Chebbi** *(p. 228)*, au pied des dunes de Merzouga ; enfin, au nord, la réserve de **Merja Zerga** *(p. 112)* entre Kénitra et Larache. Les meilleures saisons d'observation sont l'automne et le printemps.

LES SOUKS

Presque toutes les villes marocaines et jusqu'aux villages les plus modestes ont leur souk *(p. 66)*. Dans les grandes

villes, les corps de métier sont regroupés par quartier dans la médina.

À **Meknès**, choisissez le souk des olives *(p. 158)* : c'est là qu'elles sont les meilleures ; à **Marrakech**, le souk des teinturiers *(p. 187)*, où les laines de couleur vive sèchent sur des cannes de roseau ; à **Fès**, admirez le travail des potiers, des dinandiers et des tanneurs *(p. 148)* malgré l'odeur rebutante. À **Essaouira**, la spécialité est l'ébénisterie en bois de thuya *(p. 126)*.

LES MUSÉES DES ARTS ET TRADITIONS POPULAIRES

Ils sont souvent aménagés dans d'anciens palais. Visitez le musée **Dar-Batha** à Fès *(p. 145)* et la salle des broderies ; le **Dar-Jamaï** à Meknès *(p. 158)* pour ses peintures sur bois ; le musée des **Arts marocains** à Rabat *(p. 105)* qui reproduit un intérieur marocain d'autrefois ; le **Dar el-Makhzen** à Tanger *(p. 82)* où tout l'art marocain est représenté ; le **Dar Si-Saïd** à Marrakech *(p. 183)* et sa belle collection de bijoux berbères ; le **musée d'Art marocain** à Tétouan *(p. 88)* pour ses instruments de musique.

LA GASTRONOMIE

La cuisine marocaine sera toujours meilleure si vous êtes invité dans une famille *(p. 32)*. Les villes comptent de nombreux restaurants très fins, mais les prix sont assez élevés.

Outre **couscous** et **tajines** (ragoûts), goûtez absolument la **pastilla**, un feuilleté farci au pigeon et aux amandes. **Cornes de gazelle**, *ghriba* ou *m'hanncha*… : les douceurs se consomment plutôt dans les salons de thé.

LES FÊTES

De nombreuses fêtes nationales, locales ou religieuses ponctuent la vie quotidienne, mais les plus spectaculaires sont les moussems, pèlerinages sur le tombeau d'un saint, qui rassemblent des foules *(p. 31)*.

Le moussem d'Imilchil *(p. 235)* dans le Haut Atlas est l'occasion d'une importante foire agricole et permet de sceller de nombreux mariages, d'où son nom de «moussem des Fiancés». Celui de **Moulay-Idriss** *(p. 161)* célèbre le marabout le plus vénéré du pays. D'autres fêtes marquent la fin des récoltes, comme la **fête des Roses** à El-Kelaâ-des-M'Gouna au printemps *(p. 232)* et la **fête des Amandiers** à Tafraoute en février *(p. 248)*. ■

Programme

Le Maroc est une destination proche, rapidement accessible en avion et sans décalage horaire important. Le dépaysement à portée de main! De multiples formules de voyages sont possibles.

À vous de choisir

De nombreux circuits sont proposés par les professionnels du tourisme, du classique itinéraire en autocar à la location de voiture plus les réservations d'hôtel, pour un voyage individuel. Vous pouvez privilégier la formule séjour, avec des excursions à la journée dans les environs. Si vous êtes un amoureux de la nature et préférez découvrir un pays en marchant, les propositions des agences spécialisées sont variées et réalisables en toute saison.

Pour ceux qui disposent de peu de temps...

Un **week-end prolongé** au Maroc, c'est possible aujourd'hui grâce à la baisse des tarifs aériens. Dans ce cas, contentez-vous d'une seule ville et prenez le temps d'y flâner. Reste à choisir un bon hôtel avec piscine (les chaînes hôtelières marocaines ont généralement un bon rapport qualité/prix) et vous rentrerez détendu.

Marrakech est une ville idéale pour les courts séjours: elle offre des monuments à visiter, l'animation de

ses souks et de délicieux jardins où se promener. On peut aussi y séjourner **une semaine** et faire des escapades d'une journée aux alentours: dans la vallée de l'Ourika, à Oukaïmeden, aux cascades d'Ouzoud ou, au bord de l'Atlantique, à Essaouira et à Safi.

Un grand classique: la route des villes impériales

Cet itinéraire à travers le Maroc central sur un bon réseau routier permet la rencontre avec le passé du pays, les paysages du Moyen et Haut Atlas, la côte et ses ports pittoresques.

JOUR 1. Paris-Fès. Depuis le tombeau des Mérinides, vue d'ensemble sur la ville. **JOUR 2.** Journée à Fès, les médersas Bou-Inania et el-Attarine, la mosquée Karaouiyine et les souks. **JOUR 3.** Départ pour Beni-Mellal par Azrou et la forêt de cèdres. **JOUR 4.** De Beni-Mellal à Marrakech avec un détour aux cascades d'Ouzoud. **JOUR 5.** Journée à Marrakech, la place Jemaa-el-Fna et la médina. **JOUR 6.** De Marrakech à Safi, petit port célèbre pour son souk des potiers. El-Jadida et son admirable cité portugaise. **JOUR 7.** D'El-Jadida à Casablanca, le Maroc moderne. Rabat, la tour Hassan et la kasbah des Oudaïa. **JOUR 8.** De Rabat à Meknès, visite des monuments de Moulay Ismaïl le bâtisseur. **JOUR 9.** Meknès à Fès par la petite ville sainte de Moulay-Idriss et le site romain de Volubilis. **JOUR 10.** Dans la journée, retour Fès-Paris.

Un Maroc plus confidentiel : entre Méditerranée et Atlantique

Séparés par la chaîne du Rif, ce sont deux Maroc qui coexistent sur cet itinéraire moins fréquenté par les touristes. Un Maroc méditerranéen à l'influence espagnole encore visible et un Maroc plus traditionnel au cœur du pays. Tanger et son charme désuet est à la charnière des deux.

JOUR 1. Paris-Tanger. **JOUR 2.** Tanger-Tétouan et ses balcons à l'espagnole. Visite de la kasbah de Chefchaouen. Jusqu'à Al-Hoceima, la route suit l'arête faîtière de la chaîne du Rif. **JOUR 3.** Al-Hoceima, une journée de détente dans la Méditerranée. **JOUR 4.** Al-Hoceima-Oujda, par les gorges du Zegzel. **JOUR 5.** Oujda-Fès par la route du jbel Tazzeka. **JOUR 6.** Fès. **JOUR 7.** Fès-Meknès par Moulay-Idriss et Volubilis. **JOUR 8.** Meknès-Rabat. **JOUR 9.** Rabat-Tanger par Kénitra, la réserve ornithologique de Merja Zerga, Larache et le site antique de Lixus, la ville portugaise d'Asilah. **JOUR 10.** Tanger-Paris.

Pour bronzer intensément : Agadir et le Haut Atlas

La plaine du Souss couverte d'orangers, l'Anti-Atlas aux reliefs surprenants, le Haut Atlas par le plus haut col routier du Maroc, le Tizi-n-Tichka et ses villages agrippés à flanc de montagne, la splendeur royale de Marrakech, le charme d'Essaouira, un itinéraire haut en couleur et fort en émotions.

JOUR 1. Paris-Agadir, premier plongeon dans l'Atlantique. **JOUR 2.** Départ tôt le matin vers Tiznit et Tafraoute. **JOUR 3.** Tafraoute-Taroudannt, l'ancienne capitale du Souss. **JOUR 4.** Taroudannt-Ouarzazate par Taliouine.

JOUR 5. Ouarzazate-Marrakech par le col Tizi-n-Tichka. **JOUR 6.** Marrakech, visite de la ville. **JOUR 7.** Marrakech-Essaouira et ses remparts qui dominent la mer. **JOUR 8.** Essaouira-Agadir, par les belles plages de la côte atlantique. **JOUR 9.** Agadir-Paris.

Si vous souhaitez prolonger votre séjour par une ou deux journées de farniente à Agadir, faites-le plutôt à la fin de votre itinéraire.

L'appel du désert : la route des kasbahs et le Grand Sud

Une semaine de sensations fortes sur les pistes du Sud marocain, à la rencontre des reliefs sculptés par l'érosion, des oasis et des kasbahs de terre, sentinelles du désert. Mieux vaut disposer d'un véhicule tout-terrain.

JOUR 1. Paris-Ouarzazate, visite de la kasbah du Glaoui. **JOUR 2.** Ouarzazate, les kasbahs de la vallée du Dadès jusqu'à Boumalne-du-Dadès. Balade dans les gorges du Dadès. **JOUR 3.** Les gorges du Todra à pied et la palmeraie de Tinerhir. **JOUR 4.** Tinerhir, Erfoud et la vallée du Tafilalt. **JOUR 5.** Erfoud à Zagora par la piste d'Alnif et Tazzarine. **JOUR 6.** Balade jusqu'à Mhamid où commencent les dunes du Sahara. **JOUR 7.** Zagora-Ouarzazate. Détente au bord de la piscine. **JOUR 8.** Ouarzazate-Paris. ■

Le Maroc autrement

Il existe un autre Maroc que celui des brochures de papier glacé, des hôtels climatisés avec piscine et des circuits en autocar. Un Maroc qui ne demande qu'à se laisser apprivoiser, à condition de laisser de côté ses préjugés et d'oublier les horaires fixes.

Faire une pause

Boire un thé à la menthe sur la place Jemaa-el-Fna de Marrakeck *(p. 184)*, avec en toile de fond de somptueux palmiers se détachant sur les cimes enneigées de l'Atlas. Et si l'on est un brin poète : **prendre un café au ♥ Café Maure** de Rabat *(p. 105)* : la vue sur la mer y est imprenable. Tandis qu'en allant dîner tôt au ♥ **Café de France** qui domine la place Jemaa-el-Fna à Marrakech *(p. 184)*, on profite du soleil qui descend sur la ville avec, en contrebas, la place qui s'illumine de tous les lampions éclairant gargotes et bateleurs.

Une détente à ne pas manquer : **aller au hammam**. Ces bains publics souvent situés à proximité des mosquées ne sont pas sans rappeler les thermes antiques. Ils sont, en général, séparés en deux parties : l'une réservée aux femmes et l'autre aux hommes. On sort de ce bain de vapeur suivi d'un massage et d'une douche à l'eau froide profondément détendu et revigoré.

Les petites choses du quotidien

Pour **se soigner à la marocaine**, rendez-vous chez l'apothicaire dans les souks pour acheter des poudres colorées aux mille vertus curatives : le safran pour calmer les maux de ventre, la caroube comme antidiarrhéique, la belladone pour agrandir les yeux… Amulettes, gris-gris, philtres aphrodisiaques, il y en a pour tous les bobos. Mais attention aux réactions allergiques !

Quant aux coquettes, elles auront l'embarras du choix **pour se faire belles** : avec du khôl pour souligner les yeux, de la poudre rouge pour faire ressortir les pommettes et une pointe de *hargos* pour dessiner un grain de beauté noir au-dessus de la lèvre (produits à se procurer dans les souks). Plus hardi : confier ses mains et ses pieds à une spécialiste des décorations au henné.

Dormir dans un riad, maison traditionnelle s'ouvrant sur un patio intérieur, à **Essaouira** *(p. 132)* ou à **Marrakech** *(p. 206)* par exemple, offre une

Des femmes berbères décorent leurs mains au henné.

Intérieur d'un riad à Marrakech.

délicieuse occasion de pénétrer dans un intérieur à la marocaine.

Accepter l'invitation d'un thé à la menthe, même si c'est celle tout à fait intéressée d'un marchand de tapis ; l'hospitalité l'emportera *(p. 33)*. Pensez à retirer vos chaussures à l'entrée si c'est l'habitude de la maison.

En période de ramadan *(p. 34)*, **déambuler dans la médina** d'une grande ville à la tombée de la nuit, lorsque la sirène annonce la rupture du jeûne journalier. Tout le monde se bouscule à pied, à bicyclette, en mobylette pour rentrer se restaurer chez soi ou auprès de ces échoppes ambulantes servant de la *harira,* une soupe parfumée et très nourrissante *(p. 32)*, et des gâteaux enduits de miel (*haloua che-*

bakia) empilés sur des plateaux telle une pièce montée…

Pour les amateurs, **assister à la retransmission télévisée d'un match de football dans un café.** L'ambiance est garantie ! La sélection du Maroc pour la coupe du monde de football 1998 en France a décuplé les passions pour ce sport.

L'exotisme des traditions

Assister à la fête qui clôt la période de récolte des roses (en mai) à **El-Kelaâ-des-M'Gouna**, dans les gorges du Dadès *(p. 223)*. Toute la population s'y consacre. Séchées, les roses parfumeront l'atmosphère ; distillées, elles serviront à se rafraîchir ou entreront dans la composition de certaines pâtisseries.

Assister à la danse de la *guedra* à **Guelmim** *(p. 249)* le samedi au petit matin, avant le souk. Au centre d'un cercle de chanteurs accroupis, une danseuse voilée de noir entre progressivement dans le rythme du tambour. Son martèlement et les chants qui l'accompagnent s'accélèrent jusqu'à ce que la danseuse tombe épuisée. Spectaculaire !

Et encore...

Courir les galeries à Essaouira *(p. 133)*, haut lieu de rencontre des artistes marocains : galerie Frédéric Damgaard, galerie Harabida, association des arts plastiques, galerie Abdellah Oulamine, galerie Othello. Ou, pour les sportifs, **participer au marathon des sables** en avril : environ 220 km de course dans le Sud marocain *(p. 253)*. ∎

PARTIR

■ Quand partir ?

À chaque région son climat. Grâce à cette variété, le **Maroc se visite toute l'année**. L'**ensoleillement** est de huit heures par jour en moyenne annuelle, plus encore dans le Sud. Luminosité du printemps, chaleur de l'été, douceur de l'automne, fraîcheur de l'hiver tempérée par un soleil généreux : toutes les saisons ont leur charme dans ce pays d'Afrique méditerranéenne.

▶ **LE PRINTEMPS** convient le mieux à la réalisation de la plupart des **voyages itinérants** ; en avril et en mai, la nature est colorée et il ne fait pas trop chaud pour visiter les sites ou se promener dans les ruelles étroites des médinas.

Tableau des températures en °C

Mois	Janv.	Fév.	Mars	Avr.	Mai	Juin	Juil.	Août	Sept.	Oct.	Nov.	Déc.
AGADIR	14	15	17	18	19	21	22	22	22	20	18	14
AL-HOCEIMA	13	13	15	16	19	22	24	25	23	19	17	14
CASABLANCA	12	13	14	16	18	20	22	23	22	19	16	13
IFRANE	2	3	6	9	11	17	21	21	17	12	7	3
MARRAKECH	11	13	16	19	21	25	29	29	25	21	16	12
MEKNÈS	10	11	13	15	18	22	25	25	23	19	14	11
OUARZAZATE	9	11	15	18	22	27	30	30	25	19	14	9
TANGER	12	13	14	15	17	20	22	23	21	19	16	13
ZAGORA	12	14	18	22	27	31	35	34	28	23	18	13

➤ **L'AUTOMNE** est l'autre saison idéale pour un voyage de ce type.

➤ **EN ÉTÉ**, la **côte méditerranéenne** et la **côte atlantique nord** sont très agréables (la saison va de mai à septembre). Mais les plages sont surpeuplées en juillet et en août. Durant cette saison, il est préférable d'éviter la visite du Sud : les températures élevées rendent le séjour très éprouvant. En revanche, la **montagne** est très accueillante pour les randonnées.

➤ **L'HIVER**, saison de prédilection pour la visite du Sud, offre des températures douces. On profite de toute la journée sans souffrir des ardeurs du soleil. On peut s'adonner au **ski dans le Haut Atlas** ou à la **natation à Agadir**. Les nuits sont très froides, mais il y a toujours du soleil dans la journée.

Quelle que soit la saison, les **écarts de température** peuvent être considérables, surtout à l'intérieur du pays. Il peut geler en janvier dans l'Atlas, tandis qu'à Fès ou à Marrakech, dans les plaines, le thermomètre descend rarement au-dessous de 10 °C. Dans les régions désertiques de l'Oriental au Sahara on peut étouffer le jour et grelotter la nuit. Lyautey disait à juste raison que « le Maroc est un pays froid où le soleil est chaud ». Novembre et mars surtout connaissent de **fortes pluies** qui rendent les pistes boueuses et font déborder les oueds.

➤ **PRÉVISIONS MÉTÉO.** www.marocain.biz/Mar_Meteo.html.

Conseil

Si vous fixez la date de votre séjour en fonction d'une **fête** ou d'un **festival**, renseignez-vous auparavant auprès de l'Office national marocain du tourisme *(p. 28)*, car les cérémonies religieuses dépendent du calendrier musulman et leur date varie d'une année à l'autre *(p. 34)*. ❖

■ Comment partir ?

Par avion

COMPAGNIES AÉRIENNES

➤ **DEPUIS LA FRANCE.** Air France et **Royal Air Maroc** se partagent les lignes régulières entre la France et le Maroc. La durée moyenne des vols directs depuis Paris est de 2 h 45 pour Rabat, 2 h 55 pour Casablanca, 3 h 15 pour Marrakech et 3 h 35 pour Agadir. Lorsqu'il n'y a pas de vol direct on change d'avion à Casablanca d'où partent tous les vols intérieurs. Paris-Marrakech à partir de 355 € A/R taxes comprises.

Air France ☎ 0.820.820.820. www.airfrance.fr. Au départ de Roissy-Charles-de-Gaulle, 3 vols/j. pour Casablanca et 1 vol/j. pour Marrakech et Rabat. Depuis Lyon, 1 vol/j. pour Casablanca.

Royal Air Maroc (RAM) ☎ 0.820.821.821. www.royalairmaroc.com. Au départ d'Orly-Ouest : vols directs quotidiens pour Casablanca, Agadir et Marrakech ; 5 vols directs hebdomadaires pour Fès, 4 pour Tanger, 2 ou 3 pour Ouarzazate ; 2 vols hebdomadaires avec correspondance à Casablanca pour Essaouira. Nombreuses liaisons directes quotidiennes avec Casablanca de Bordeaux, Lyon, Marseille, Nice (sf mer.), Strasbourg (sf lun. et mer.), Toulouse (sf lun.).

➤ **DEPUIS LA BELGIQUE. Royal Air Maroc** ☎ (02) 219.24.50.46/48. Agence à Bruxelles : 46-48, place de Brouckère. De Bruxelles, vols directs pour Casablanca (quotidiens) et Tanger (mar. et sam.). Vols via Casablanca pour les autres villes.

➤ **DEPUIS LA SUISSE. Royal Air Maroc** ☎ (022) 731.77.53. Agence à Genève : 4, rue Chantepoulet. Vols directs de Genève pour Casablanca (t.l.j. sf mar.) et Marrakech (le dim.). Vols via Casablanca pour les autres villes.

SPÉCIALISTES DE LA VENTE DE BILLETS D'AVION

Ils proposent des places sur les **vols réguliers** des compagnies citées ci-dessus ou sur les **vols spéciaux** affrétés par certains voyagistes auprès de Royal

Air Maroc ou de compagnies charter telles qu'Euralair, Star Airlines, Corsair. La plupart de ces vols spéciaux vont à Marrakech, Agadir et dans une moindre mesure à Fès. Les prix sont **compétitifs** (environ 250 € A/R en basse saison, 390 en haute saison).

www.govoyages.com, ☎ 0.892.237.070 (0,34 € TTC/mn). Un des moteurs de recherche les plus compétitifs du marché. Propose des hôtels à acheter en même temps que son billet d'avion (tarif plus avantageux que séparément).

www.anyway.com, ☎ 0.892.893.892 (0,34 € TTC/mn). Pionnier de la vente de billets d'avion à prix négocié. Également hôtels et location de voiture.

www.degriftour.com. Réputé pour les belles occasions de dernière minute.

Nouvelles Frontières ☎ 0.825.000. 825. www.nouvelles-frontieres.fr. Vols Corsair principalement.

➤ **POUR COMPARER :** www.easyvoyage. com. Rassemble les offres d'Opodo, Anyway, Lastminute, Govoyages, Directours et Ebooker. Réservation dans chacun des sites.

En voiture

Entre Paris et Algésiras où l'on emprunte un ferry pour Tanger (voir ci-dessous), l'**itinéraire le plus court** passe par l'ouest via Bordeaux, Bayonne, Saint-Sébastien, Burgos, Madrid, Grenade et Malaga. Comptez environ 2 000 km (dont 1 600 km d'autoroutes) et 240 € d'essence et de péage. L'**itinéraire le plus roulant**, qui emprunte uniquement des autoroutes, pique au sud et longe la côte méditerranéenne via Lyon, Montpellier, Perpignan, Barcelone, Valence et Malaga. Comptez environ 2 300 km, 165 € d'essence et 65 € de péage.

Les **trains autos-couchettes** font gagner du temps. Ce service est assuré entre Paris et Madrid, Madrid et Algésiras ou Madrid et Malaga.

En autocar

Eurolines, en relation avec la compagnie nationale marocaine d'autocars (CTM), assure 3 départs par semaine depuis Paris. Le voyage **Paris-Casablanca** dure un jour et demi. Départ à 13 h les lun., mer. et sam. Arrivée le surlendemain à 3 h 30 du matin à Rabat et à 5 h à Casablanca. Comptez environ 200 € A/R. Cette formule n'est guère intéressante. Les charters coûtent le même prix mais beaucoup plus rapides ! **Eurolines**, gare routière internationale, 28, av. du Général-de-Gaulle, 93541 Bagnolet ☎ 0.892.89.90.91.

En bateau

PAR L'ESPAGNE

Liaisons quotidiennes Algésiras-Sebta (durée : 1 h 30), Algésiras-Tanger (2 h 30, départs toutes les heures), Malaga-Melilla (9 h de nuit), Almeria-Melilla (10 h de nuit). Comptez environ 23 € par personne et 72 € par voiture pour les traversées les plus courtes, 27 € par personne et 118 € pour les traversées les plus longues. **Transmediterranea** c/o Iberrail, 57, rue de la Chaussée-d'Antin, 75009 Paris ☎ 01.40.82.63.63. www.trans mediterranea.com.

PAR LA FRANCE

Liaison Sète-Tanger : 2 départs par semaine à 19 h, arrivée le surlendemain à 9 h (36 h de traversée). Comptez selon la saison 150 à 190 € la cabine de quatre couchettes et 185 € à 385 € le passage d'une voiture. Pour un départ en été, réservez 2 ou 3 mois à l'avance. **Comanav**, c/o SNCM Ferryterranée, 61, bd des Dames, 13226 Marseille Cedex 02 ☎ 04.91.56.32.00. www.comanav.co.ma.

En train

C'est une solution compliquée dont le coût, excepté en haute saison, est moins compétitif que celui de l'avion. De Paris-Montparnasse, un TGV pour Madrid avec changement à Irun. De Madrid, liaisons quotidiennes pour Algésiras (durée : 9 h de nuit). Liaison maritime avec Transmediterranea pour Tanger et Sebta (voir ci-dessus). Depuis Tanger, trains vers Rabat et Casablanca. **SNCF** ☎ 08.36.35.35.35. www.sncf.com.

■ **Organiser son voyage**

Le Maroc se prête à toutes les formules de séjour. Pour une découverte culturelle, on optera pour le circuit itinérant. Pour le farniente, le séjour fixe est conseillé. Marrakech ou Fès répondent à la fois aux envies de repos et de culture. Agadir (toute l'année) et la côte méditerranéenne (en été) offrent de merveilleuses possibilités de séjours balnéaires. Les sportifs opteront pour les randonnées dans l'Atlas ou les expéditions dans le désert. S'organiser seul ou utiliser les services d'un voyagiste est à la convenance de chacun. Dans le premier cas, on est plus proche de la réalité marocaine, mais le confort n'est pas forcément au rendez-vous. Le **voyage individuel à la carte** proposé par tous les voyagistes peut être la formule idéale.

Par soi-même

Partir sans l'aide d'un voyagiste en s'organisant soi-même sur place n'est pas une aventure périlleuse. Les routes sont bonnes et correctement signalées, les transports en bus sont efficaces, les hébergements sont nombreux quoique de qualité inégale, le français est parlé par la plupart des Marocains, enfin des offices de tourisme sont ouverts dans les grandes villes et les centres touristiques. Seule ombre au tableau, le harcèlement des touristes. L'État qui est intervenu pour y mettre bon ordre a obtenu des améliorations notables, mais le pari n'est pas gagné.

➤ **ACCÈS.** *Voir Comment partir ?, p. 22.*

➤ **HÉBERGEMENT.** www.terremaroc. com. Portail Internet consacré à la location de maisons d'hôtes, de villas et de riads. 130 adresses présentées avec photos à Marrakech, Essaouira, Ouarzazate et Agadir.

➤ **LOCATION DE VOITURE.** La plupart des sociétés internationales sont présentes au Maroc. Pas de négociation possible sur le prix, mais l'assurance d'un service assistance efficace. Comptez environ 500 € la semaine en kilométrage illimité pour une voiture de catégorie moyenne type Peugeot

306. Ce qui est plus cher que les tarifs négociés par les voyagistes. **Avis** ☎ 0.820.05.05.05. www.avis.fr. **Europcar** ☎ 0.825.352.352. **Holiday Auto** ☎ 01.45.15.38.68. wwwholidayauto.com.

Par l'intermédiaire d'un voyagiste

Un nombre important des tour-opérateurs proposent le Maroc où ils offrent une gamme complète de formules : séjours de détente, stages sportifs (le golf est à l'honneur) ou de remise en forme, séjours à la carte, circuits à thème (notamment les villes impériales ou le Maroc millénaire), randonnées pédestres, chamelières ou en Land Rover... Pour un circuit d'une semaine en autocar à travers les villes impériales, comptez, selon la saison, entre 650 et 850 € en pension complète (vol compris). Pour un autotour individuel en voiture de location avec étapes préréservées, comptez entre 350 et 450 € par personne pour une semaine sans les repas mais vol compris, ce à quoi il faut ajouter le prix de la voiture (400 € environ). À vous de choisir !

Accor Vacances ☎ 0.825.01.23.45. Séjours dans les hôtels Sofitel, Novotel et Mercure à Marrakech, Fès, Agadir, Essaouira, El-Jadida. Thalassothérapie et circuits.

Arts & Vie ☎ 01.40.43.20.21. www. artsvie.asso.fr. Circuits culturels dans les villes impériales ou le Grand Sud. Hébergement moyen de gamme.

Clio ☎ 01.53.68.82.82. www.clio.fr. Circuits culturels dans les villes impériales ou en terre berbère et dans le Sud marocain.

Club Méditerranée ☎ 0.801.802.803. www.clubmed.com. Villages à Agadir, Marrakech et Ouarzazate. Circuits.

Comptoir du Maroc ☎ 01.53.10.21.90. www.comptoir.fr. Spécialiste du Maroc. Voyages individuels à la carte sur des circuits inédits en voiture de location. Voyages sur mesure

pour groupes familiaux. Séjours en riads, expéditions en 4x4 dans le désert.

Jet tours ☎ 01.40.43.90.00. Une panoplie de brochures thématiques offrant des programmes variés : séjours et week-ends, clubs eldorador, voyages individuels à la carte, autotours et circuits accompagnés, hôtels plutôt haut de gamme, location de riads.

Look Voyages, www.lookvoyages.fr. Clubs Lookéa à Agadir et Marrakech, séjours en hôtels et riads, circuits.

Meditrad ☎ 01.42.68.05.50. Séjours à Marrakech et Agadir. Circuits dans le Sud.

Nouvelles Frontières ☎ 0.825.000.825. www.nouvelles-frontières.fr. Une gamme importante d'offres : billets d'avion, location de voiture, hôtels de toutes catégories, clubs « Paladien » à Marrakech et Ouarzazate, thalassothérapie, circuits et expéditions, circuits individuels.

Républic Tours ☎ 01.53.36.55.50. www.republictours.com. Spécialiste du Maroc. Clubs et hôtels pour séjours balnéaires, circuits en groupe et individuels.

Royal Tours ☎ 04.72.40.09.09. Spécialiste du Maroc. Séjours et week-ends dans les villes impériales, nombreux riads, circuits accompagnés et individuels au nord et au sud, randonnées pédestres, thalassothérapie.

Voyageurs dans le monde arabe ☎ 01.42.86.17.90. www.vdm.fr. Voyages individuels, circuits dans le Nord et le Sud, séjours et week-ends.

➤ POUR COMPARER. www.onparou.com. Un site utile où sont comparées les offres de 39 voyagistes parmi les plus importants du marché.

RANDONNÉES EN MONTAGNE ET EXPÉDITIONS DANS LE DÉSERT

Allibert ☎ 0.825.090.190. www.allibert-voyages.com. Randonnées pédestres et trekking dans le Haut Atlas (en été) et dans les massifs présahariens (en hiver).

Club Aventure ☎ 0.825.306.032. www.clubaventure.fr. Randonnées pédestres dans le Toubkal et sur la côte atlantique (en été), dans le jbel Sarhro et l'Anti-Atlas (en hiver).

Explorator ☎ 01.53.45.85.85. www.explo.com. Circuits en 4x4 dans le désert et randonnées pédestres, chamelières et muletières dans l'Atlas et l'Anti-Atlas.

Hommes et Montagnes ☎ 04.76.66.14.43. www.hommes-et-montagnes.fr. Ascension du Toubkal, randonnées chamelières ou muletières pour sportifs.

Tamera ☎ 04.78.37.88.88. tamera@asso.fr. Trekkings et randonnées chamelières, mais aussi vols en montgolfière au-dessus du désert et ski dans le Toubkal.

Terres d'aventure ☎ 0.825.847.800. www.terdav.com. Randonnées pédestres dans le Sud marocain (en hiver) et l'Atlas (en été).

SÉJOURS GOLF

Ces spécialistes organisent des séjours de deux jours et plus au bord de l'un des 14 parcours marocains. Leurs forfaits comprennent l'hôtel, les *green fees* et une voiture de location.

Golfs autour du Monde ☎ 01.53.43.36.36. www.golfautourdumonde.co. **Sofitel** ☎ 0.825.88.00.00. www.sofitel.co. **Sport Away** ☎ 0825.01.30.00. www.sport-away.co. **Tee off Travel** ☎ 04.99.52.22.00. www.teeofftravel.com.

■ Formalités

Argent

MONNAIE

Le **dirham marocain** (DH) est divisé en 100 centimes. Il y a des pièces de 5, 10, 20 et 50 centimes, de 1, 5 et 10 DH ainsi que des billets de 10, 20, 50, 100 et 200 DH. Fin 2002, 10 DH valaient environ 1 euro. Les billets de banque sont négociables partout, mais ils doivent être en parfait état. La monnaie marocaine ne peut être achetée en France (il est interdit de l'importer et de l'exporter). Mais l'importation des devises étrangères n'est pas limitée.

CHÈQUES DE VOYAGE

Les chèques de voyage limitent les risques de vol ou de perte. Ils pourront être convertis au fur et à mesure des besoins (dans les hôtels de bonne catégorie et certains magasins). Comparez les taux des bureaux de change et ne changez jamais au noir ! Les postchèques sont acceptés dans tous les bureaux de poste marocains. Il est possible d'en changer au maximum trois par jour, à raison de 2000 DH par postchèque

CARTES BANCAIRES

Les cartes de paiement internationales sont acceptées dans de nombreux établissements (hôtels et restaurants de bon standing, certains magasins et quelques stations-service situées dans les centres touristiques). La carte VISA est la plus répandue et la plus facile à utiliser. Prévoyez une commission de l'ordre de 2 % du montant.

Avec une carte bancaire internationale, vous pourrez retirer de l'argent au guichet des banques et dans les distributeurs automatiques de billets. Leur nombre a considérablement augmenté et presque toutes les banques en sont dotées. Prévoyez une commission forfaitaire de 4 € environ, plus 2 % du montant retiré.

En cas de perte ou de vol de votre carte bancaire, procurez-vous auprès de votre agence le numéro à composer de l'étranger qui permet de faire immédiatement opposition. Sinon, de France, appelez ☎ 0.836.69.08.80.

➤ **CARTES BLEUES VISA.** Numéro qui peut être appelé en PCV dans le monde entier ☎ 1.410.581.99.94. En France ☎ 0.800.901.179. www.visa.com.

➤ **CARTES AMERICAN EXPRESS** ☎ 01.47.77.72.00.

➤ **CARTES EUROCARD/MASTERCARD.** En France ☎ 01.45.67.84.84 vous communique le numéro de chaque banque. PCV accepté.

➤ **DINERS CLUB.** Au Maroc ☎ 0.810.314.159.

Passeport, carte d'identité

Un **passeport** en cours de validité est exigé. Dans le cadre d'un **voyage organisé en groupe**, les ressortissants de l'Union européenne et de la Suisse peuvent se contenter de la carte nationale d'identité en cours de validité. Les **mineurs** doivent être en possession d'un passeport ou apparaître sur celui de leurs parents. Le **visa** n'est nécessaire que pour les séjours dépassant trois mois. Dans ce cas s'adresser aux **services consulaires** du Maroc :

➤ **EN FRANCE.** 12, rue de la Saïda, 75015 Paris ☎ 01.56.56.72.00.

➤ **EN BELGIQUE.** 18, av. Von Volxem, Forest, 1190 Bruxelles ☎ (02) 346.19.66.

➤ **EN SUISSE. Ambassade,** Helvetiastrasse, 42, 3000 Berne ☎ (031) 351.03.62.

Assurance et assistance

Que vous vous organisiez par vos propres moyens ou par l'intermédiaire d'un voyagiste, les **assurances** (en cas d'annulation de voyage, de perte de bagages, d'accident ayant porté un préjudice matériel à autrui) et **assistances** (rapatriement, assistance médicale) ne sont jamais comprises dans le prix d'achat des prestations touristiques, à l'exception des circuits accompagnés effectués en groupe.

Certaines cartes **bancaires internationales** (Visa Premier, American Express Gold, Eurocard Gold...) couvrent les risques liés au voyage, mais dans une moindre mesure par rapport aux compagnies spécialisées dans le tourisme, et l'assurance-annulation est rarement couverte. Sachez que ces garanties ne peuvent jouer qu'à la condition de régler son voyage au moyen de la carte en question.

Des **compagnies d'assurance et d'assistance spécialisées dans le tourisme** proposent des contrats adaptés aux voyageurs, ainsi que des contrats dits « complémentaires », ne comportant que ce contre quoi l'on n'est pas assuré ailleurs. Ces polices sont en vente dans les agences de voyages.

Votre budget

Les tarifs varient beaucoup selon que l'on se trouve dans une grande ville ou dans un petit village.

Nous avons classé les **hôtels** en quatre catégories (*p. 36*): dans les hôtels ▲▲▲▲ (grand luxe), comptez 200 € minimum pour une chambre double (plus du double dans certains palaces); dans les ▲▲▲ (grand standing), entre 90 et 200 €; dans les ▲▲ (bon confort), entre 30 et 90 €; dans les ▲ (simples), moins de 30 €. Pour un **repas** sans boisson, prévoir selon la catégorie des restaurants: ♦♦♦♦ plus de 60 €; ♦♦♦ de 30 à 60 €; ♦♦ de 10 à 30 €; ♦ moins de 10 €. L'**essence** est légèrement moins chère qu'en France (environ 0,90 € le litre de super); le gas-oil coûte 0,53 € le litre. Le droit d'entrée dans les **musées** et les **monuments** s'élève à environ 1 €, sauf pour les ruines de Volubilis, à 2 €. Pour les services d'un **guide**, les prix sont fixes: 15 € la demi-journée, 25 € la journée. ❖

A.V.A (Assurances Voyages & Assistance) ☎ 01.48.78.11.88, fax 01.42.85.33.69. www.ava.fr. **Elvia** ☎ 01.42.99.02.99, fax 01.42.99.02.52. www.elvia.fr. **Europ Assistance** ☎ 01.41.85.85.41. www.assurvoyages.com.

Douanes

Chaque visiteur adulte a droit à l'achat de 200 cigarettes (ou 50 cigares ou 250 g de tabac), 2 l de vin, ou 1 l de boisson alcoolisée supérieur à 22°, 1000 g de café, 50 g de parfum, 1/4 l d'eau de toilette. On peut rapporter sans justificatif cadeaux et objets pour une valeur de 175 €. Au-delà il faut en principe payer les droits et taxes correspondants. Emportez les factures de vos appareils: elles peuvent vous être demandées. **Centre de renseignements réglementaires**, 84, rue de Hauteville, 75010 Paris ☎ 0.825.308. 263. www.finances.gouv.fr/douanes.

Voiture

Le **permis de conduire** à trois volets suffit pour les conducteurs des pays d'Europe occidentale. Les véhicules de tourisme sont théoriquement admis pour une durée de six mois, mais le poste frontière n'accorde généralement que deux mois. Pour une prolongation, s'adresser auprès des **services de l'administration des douanes** (av.

Annakhil, Centre des Affaires, Hay Riad, Rabat ☎ 037.71.78.00/01, fax 037. 71.78.14/15, www.douane.gov.ma/).

Le véhicule doit porter la plaque réglementaire de nationalité et appartenir à celui qui conduit, **carte grise** faisant foi. À défaut, le conducteur doit avoir en sa possession une **lettre d'autorisation du propriétaire**. Il est interdit de le vendre, de le louer ou de le prêter. En cas d'**accident** entraînant des dommages graves empêchant la voiture de rouler, elle doit être dédouanée à la ferraille. Cette opération peut être faite par votre société d'assistance. La **carte verte** (carte internationale d'assurance automobile) est valable au Maroc. Vérifiez que sur votre contrat d'assurance figure la mention « Maroc ». Lorsqu'on part avec son propre véhicule, il est très pratique de s'assurer auprès de l'**Automobile-Club**, Fédération française, 8, pl. de la Concorde, 75008 Paris ☎ 01. 53. 30.89.30, fax 01.53.30.89.29. www. automobileclub.org.

Bateaux

Pour les **bateaux de plaisance à moteur**, il faut avoir, outre les pièces exigées en France, un carnet de passage en douane et obtenir auprès du commissaire du port un permis d'escale valable 3 jours.

Animaux

Un certificat de bonne santé établi par un vétérinaire moins de dix jours avant le départ est exigé ainsi que le certificat de vaccination contre la rage (de moins de 6 mois).

■ Faire sa valise

➤ Vêtements. En hiver et au printemps les **différences de température** peuvent être importantes entre le jour et la nuit. Prévoyez donc des tenues légères, mais aussi un ou deux pullovers, une veste chaude ainsi qu'un vêtement de pluie (au printemps particulièrement).

L'**hiver** est frais, en particulier à Marrakech ; pull, veste en laine polaire, blouson coupe-vent sont de rigueur. Pour les **grosses chaleur**, emportez des vêtements amples et plutôt en coton. Respectez la sensibilité locale en évitant ce qui est provocant, moulant, trop décolleté, trop court, etc. N'oubliez pas votre maillot de bain, même en hiver, car la plupart des hôtels ont une piscine et la température est souvent clémente. Les **randonneurs** se muniront de solides chaussures de marche fermées, de grosses chaussettes de laines et d'un coupe-vent pour la montagne.

➤ Cartes. *Maroc*, carte Michelin 959. Pour circuler sur les pistes, il existe des cartes au 1/50000, 1/100000 et 1/250000 établies par l'IGN, mais disponibles uniquement au Maroc auprès de la **Division de la carte** (av. Hassan-II, km 4, route de Casablanca, Rabat, station Debagh ☎ 037. 29.50.34).

➤ Photo. Emportez une quantité suffisante de **pellicules** car leur coût est plus élevé au Maroc et vous risquez de ne pas en trouver partout. Vous pouvez les acheter hors taxe dans les boutiques de l'aéroport. Si vous allez dans le Sud, choisissez des pellicules de 100 ASA en raison de la luminosité intense ; si vous faites le tour des villes impériales, prenez des pellicules de 200 ASA, car il fait sombre dans les ruelles des médinas ! Un **pare-soleil** peut vous être utile. Enfin, prévoyez un sac hermétique pour protéger votre équipement de la poussière et du sable.

➤ Autre matériel. Une **lampe de poche**, indispensable pour les pannes d'électricité et la visite des grottes.

■ Santé

Vaccination

Aucun vaccin n'est exigé par les autorités marocaines. Il est cependant conseillé d'être à jour dans ses vaccins contre le tétanos, la poliomyélite et la fièvre typhoïde, maladies plus fréquentes en Afrique qu'en Europe. **Rens.** ☎ 0.836.68.63.64 (serveur vocal d'Air France). www.travelsante.com.

Médicaments

Outre vos médicaments habituels en quantité suffisante pour votre séjour, il est conseillé d'emporter un **antidiarrhéique** associant un ralentisseur intestinal et un désinfectant, car les changements de climat et de nourriture peuvent temporairement déranger le système digestif. Un **antispasmodique** (en cas de douleur digestive ou de douleurs abdominales) et un **antiémétique** (en cas de mal des transports et de vomissements) peuvent également être les bienvenus. Pensez à une **protection solaire** efficace. Sachez que l'on trouve dans les pharmacies pratiquement les mêmes médicaments qu'en France à la condition d'avoir les ordonnances.

■ S'informer

Offices du tourisme

➤ En France. **Office national marocain du tourisme (ONMT)**, 161, rue Saint-Honoré, 75001 Paris ☎ 01.42.60. 47.24/63.50. *Ouv. lun.-ven. 9 h-18 h, sam. 10 h-16 h.* Bureau d'artisanat marocain (même adresse) ☎ 01.49. 26.02.76.

➤ En Belgique. **ONMT**, av. Louise, 402, 1050 Bruxelles ☎ (02) 646.63.20.

➤ **En Suisse. ONMT**, Schifflande, 5, 8001 Zurich ☎ (01) 252.77.52.

➤ **Au Québec. ONMT**, 1800, place Montréal Trust, Mc Gill College av., 2450 Montréal ☎ (514) 842.81.11/12.

Musées, bibliothèques à Paris

Institut du monde arabe, 1, rue des Fossés-Saint-Bernard, 75005 ☎ 01.40. 51.38.38. *Ouv. t.l.j. sf lun. 10h-18h.* Le musée présente la civilisation musulmane et dispose d'une bibliothèque (☎ 01.40.51.38.22. *Ouv. mar.-sam. 13h-20h*) et d'un espace Image et Son.

Musée des Arts d'Afrique et d'Océanie, 293, av. Daumesnil, 75012 ☎ 01. 44.74.84.80. *Ouv. t.l.j. sf mar. 10h-17h30.* Au 2e étage, très belle collection de bijoux, de broderies, de céramiques et d'armes.

Musée du Louvre, 34, quai du Louvre (entrée par la Pyramide), 75001 ☎ 01. 40.20.51.51. *Ouv. t.l.j. sf mar. 9h-18h; nocturnes lun. et mer. pour certaines salles.* La section des arts islamiques (fin VIIIe-XIXe s.) présente des tapis, des poteries et différents objets d'art.

Le Maroc sur le web

➤ **Informations générales.** www. ambafrance-ma.org : site de l'ambassade de France. www.mincom.gov.ma : site du ministère de la Culture à Rabat. www.proxima.online.co.ma : portail d'adresses internet. www. wanadoo.net.ma : portail wanadoo. www.maroc-annuaire.net : annuaire téléphonique.

➤ **Informations touristiques.** www. tourisme-marocain.com : site de l'Office marocain du tourisme. www. shergui.com : carnets de route de voyageurs. www.abm.fr : site de l'association Aventure du bout du monde.

➤ **Culture marocaine.** www.maroc tunes.com : musiques du Maroc. www. festival-gnaoua.co.ma : site du festival gnaoua d'Essaouira. www.imarabe. org : site de l'Institut du monde arabe.

➤ **Médias.** www.maroc-hebdo.press. ma : édition électronique du *Maroc-Hebdo International.*

Librairies de voyages

➤ **À Paris. L'Harmattan**, 16, rue des Écoles, 75005 ☎ 01.40.46.79.11. www. editions-harmattan.fr. **IGN**, 107, rue La Boétie, 75008 ☎ 01.42.56.06.68. www.ign.fr. **Itinéraires**, 60, rue Saint-Honoré, 75001 ☎ 01.42.36.12.63. www.itineraires.com. **Ulysse**, 26, rue Saint-Louis-en-l'Île, 75004 ☎ 01.43. 25.17.35. www.ulysse.fr. **Voyageurs du Monde**, 55, rue Sainte-Anne, 75002 ☎ 01.42. 86.17.38. www.vdm. com.

➤ **En province. Bordeaux. La Rose des vents**, 40, rue Sainte-Colombe, 33000 ☎ 05.56.79.73.27. **Caen. Hémisphères**, 15, rue des Croisiers, 14008 ☎ 02.31.86.67.26. **Clermont-Ferrand. La Cartographie**, 23, rue Saint-Genès, 63000 ☎ 04.73.91.67.75. **Lyon. Raconte-moi la Terre**, 38, rue Thomassin, 69002 ☎ 04.78.92.60.22. **Marseille. Librairie de la Bourse**, 8, rue Paradis, 13001 ☎ 04.91.33.63.06. **Montpellier. Les Cinq Continents**, 20, rue Jacques-Cœur, 34000 ☎ 04. 67. 66.46.70. **Nantes. Géothèque**, 10 pl. du Pilori, 44000 ☎ 02.40.47.40.68. **Nice. Magellan**, 3, rue d'Italie, 06000 ☎ 04.93.82.31.81. **Strasbourg. Géorama**, 20-22, rue du Fossé-des-Tanneurs, 67000 ☎ 03.88.75.01.95. **Toulouse. Ombres blanches**, 50, rue Gambetta, 31000 ☎ 05.34.45.53.33. **Tours. Géothèque**, 6, rue Michelet, 37000 ☎ 02.47.05.23.56.

➤ **En Belgique. Anticyclone des Açores**, 34, rue Fossé-aux-Loups, 1000 Bruxelles ☎ (02) 217.52.46. **Peuples et Continents**, 11, rue Ravenstein, 1000 Bruxelles ☎ (02) 511.27.75. **La Route de Jade**, 116, rue de Stassart, 1050 Bruxelles ☎ (02) 512.96.54.

➤ **En Suisse. Librairie du Voyageur**, 8, rue de Rive, 1204 Genève ☎ (022) 810.23.33; 18, rue Madeleine, 1003 Lausanne ☎ (021) 323.65.56. **Travel Bookshop**, Rindermarkte 20, 8001 Zurich ☎ (01) 252.38.83. ■

QUOTIDIEN

ARPENTER LES CIMES
DU HAUT ATLAS ?
ASSISTER AUX MOUSSEMS ?
DÉGUSTER UN TAJINE
OU UNE PASTILLA ?
ACHETER DES BIJOUX
OU DES TAPIS BERBÈRES ?

**DE A À Z, VIVRE LE MAROC
AU QUOTIDIEN.**

UNE CUISINE GÉNÉREUSE P. 32

■ Arrivée

Vous trouverez dans les pages d'informations pratiques, aux rubriques Arrivée, toutes les informations utiles à votre arrivée dans les principales villes du Maroc: aéroports, gares…

Si vous arrivez en avion, vous pouvez rejoindre votre hôtel en prenant un **taxi**, en général «un grand taxi» (pour 4 ou 5 personnes).

Les aéroports disposent toujours d'un ou deux **bureaux de change** et d'**agences de location de voitures**. Il existe un parc automobile aux aéroports de Casablanca et de Marrakech. Dans les autres aéroports, si vous n'avez pas réservé de véhicule, il faudra attendre qu'on le fasse venir du centre-ville.

Vous trouverez des **bureaux d'information touristique** dans les aéroports d'Agadir, Casablanca, Marrakech et Tanger, et à la gare ferroviaire de Rabat.

■ Courrier

Les **bureaux de poste** ressemblent aux établissements français, mais le service est extrêmement lent. Il en résulte des délais souvent insupportables pour le touriste, en général pressé. Il est donc préférable d'acheter les **timbres** à la réception des hôtels ou dans les bureaux de tabac.

■ Cuisine

Spécialités marocaines p. 32.

Si vous êtes invité…

Vous avez accepté une invitation et vous arrivez chez vos amis: on vous offre à l'entrée du **lait** et des **dattes** en signe de bienvenue.

Avant de partager le repas, on se lave les mains avec une aiguière. On ne commence à manger qu'après avoir prononcé «*Bismillah*» («Au nom de Dieu»). Chacun puise alors dans le plat commun : si votre hôte détache un morceau de viande de sa main pour vous l'offrir, acceptez-le avec reconnaissance. Ne gâchez pas le **pain**, considéré comme un don de Dieu. On clôt le repas en rendant grâces : « *Hamdou'l'llah* ».

Les Marocains mangent avec les **trois doigts de la main droite** ; « la bénédiction de Dieu est sur la nourriture prise avec les doigts », dit un commentaire du Coran. On vous expliquera que seul le diable mange avec un doigt, les prophètes avec deux, le croyant avec trois et le glouton avec cinq. Ajoutons plus prosaïquement que la main gauche, dans les pays musulmans, sert à l'hygiène corporelle. Dans un intérieur traditionnel, les femmes ne partageront sans doute pas votre repas, mais une visiteuse pourra demander à les rencontrer.

Au restaurant

Les hôtels servent une cuisine internationale assez monotone dont les touristes en circuit se lassent, mais ils n'ont souvent pas la possibilité d'essayer autre chose. Certains, toutefois, font un effort de diversification en proposant des plats locaux ou un **restaurant marocain** de qualité qui fonctionne parallèlement à leur restaurant international.

Pour le touriste en séjour individuel qui désire consacrer une partie de ses loisirs à l'art de la table, nous avons sélectionné un choix de restaurants marocains. Pour des raisons de santé, il est préférable de se fier à une recommandation sérieuse. S'assurer que les prix sont mentionnés sur la carte pour éviter les surprises. Méfiez-vous : dans certains établissements, la TVA n'est pas incluse dans les tarifs indiqués.

En général, mieux vaut réserver, au cas où un groupe aurait jeté son dévolu sur le même établissement que vous. Enfin, à **Marrakech**, **Fès** ou **Meknès**, où les restaurants marocains se trouvent pratiquement tous dans la médina, faites-vous conduire en taxi, car ils ne sont pas faciles à trouver. Dans toutes les grandes villes, il y a de bons restaurants servant une cuisine française, italienne ou espagnole.

■ Fêtes et jours fériés

Les jours de **congé hebdomadaire** varient selon les professions et les régions. Les employés des administrations et des banques sont en congé le samedi et le dimanche. Les commerçants musulmans ferment leurs boutiques le vendredi et les israélites, le samedi. Quant aux ouvriers des petites

Suite du texte p. 34 ➤

Le ramadan

Le jeûne du ramadan (nom du 9e mois du calendrier hégirien islamique) constitue l'un des cinq piliers de l'islam *(p. 68)*. Pendant le ramadan, le musulman jeûne de l'aube au coucher du soleil : il doit alors se dispenser de manger, de boire, de fumer, s'abstenir de tout plaisir sexuel et de tout plaisir des sens. Durant ce mois le plus sacré chez les musulmans, la vie s'arrête presque complètement. C'est une épreuve difficile, surtout lorsqu'elle tombe en plein été. Évitez donc de manger, de boire ou de fumer en public, et ne vous irritez pas d'éventuels contretemps : le service dans les hôtels est souvent ralenti et, durant la journée, les magasins situés hors des centres touristiques peuvent être fermés. Si l'atmosphère est parfois pénible dans la journée, les gens profitent davantage des nuits où la fête règne partout : repas de famille, visites d'amis...

La fin du ramadan est marquée par la fête de rupture du jeûne **Aïd el-Fitr** appelée également « la petite fête » **Aïd es-Seghir**. ❖

Une cuisine généreuse

Pour vous initier à la cuisine marocaine, déambulez parmi les échoppes du souk : épices, olives, fruits et légumes sont une fête de senteurs et de couleurs. L'hospitalité des Marocains fera le reste : toute occasion sera bonne pour vous inviter à partager leur repas.

Brochettes, tajines, couscous...

La cuisine marocaine marie les **influences orientale, méditerranéenne, hispanique et berbère**. À la campagne, les collations sont assez frugales : soupes de tomates ou de féculents, *kesra* (pain rond), plus rarement brochettes *(kebab)* et abats *(boulfaf)* grillés sur de petits barbecues *(canoun)*.

En ville, il faut saisir l'occasion de se faire inviter à une fête : le repas commence par une **bstila** (pastilla), summum de l'art culinaire marocain : des feuilles de brik croquantes et légères, farcies avec de la chair de pigeon, des œufs et des amandes, le tout relevé de cannelle et de safran ; il se poursuit par un **tajine**, du nom du plat vernissé et pointu, dans lequel mijote des heures durant un ragoût d'agneau, de poulet ou de poisson, agrémenté d'olives, d'amandes ou de pruneaux, d'oignons ou de citrons confits, etc. Si les convives sont nombreux, un **méchoui** est offert : un agneau entier cuit à la broche et saupoudré de cumin *(camoun)*... Le **couscous** est en général le plat du vendredi. Pour les cérémonies, il est servi avec une sauce aux oignons confits, aux raisins secs et aux amandes grillées.

Parmi les spécialités, citons aussi les **brochettes** de bœuf ou de poulet préalablement mariné, et la *harira*, soupe parfumée et très nourrissante à base de mouton, de tomates et de lentilles ou de pois chiches (le plat de base en période de ramadan). Le meilleur **poisson** de l'Atlantique vient de Safi. Mais rien n'égale les grillades de la

La longue cuisson à l'étouffée des tajines mélange les saveurs et les parfums et donne aux mets une texture fondante. Attention ! le tajine est généralement servi brûlant.

côte méditerranéenne (merlans, rougets, calamars, espadons et crevettes). La cuisine marocaine est plus épicée que pimentée. Servir de la harissa avec le couscous est une tradition tunisienne.

Le pain complet rond qui accompagne les repas s'appelle la *kesra* ; à la campagne, il est pétri à la maison et cuit au four collectif. Les **olives**, partout présentes, et les **oranges**, succulentes, comptent aussi au rang des mets courants au Maroc.

Des **pâtisseries** à base d'amandes pilées et de miel complètent les repas : les **cornes de gazelle** (pâte d'amande parfumée à la fleur d'oranger, dans une fine croûte de pâte feuilletée), la *m'hanncha*, en forme de serpent, et la *ghriba*, gâteau à base de semoule et de pâte d'amande. Des crêpes à la semoule arrosées de miel sont servies au petit déjeuner.

Eau, vin et thé à la menthe

Ne buvez jamais l'**eau du robinet**, mais de l'eau minérale plate (*Sidi Harazem, Sidi Ali et Ciel*) ou gazeuse (*Oulmès* ou *Bonaqua*), de la **limonade**, ou des **jus d'orange**, d'**amande** et d'**avocat**, servis dans les cafés et les *mahlabet* (sorte de crèmeries). Les Marocains consomment une **bière** locale légère. On trouve, pour plus cher, des bières importées.

La plupart des **vins marocains**, produits dans les régions de Boulâouane, Meknès et Berkane à partir des cépages de cabernet, cinsault et grenache plantés sous le protectorat, sont de bonne qualité. Leur titrage en alcool est plutôt élevé (12° minimum). Parmi les rouges, citons les cabernet, ksar, guérouane, benimtir, amazir et thaleb ; parmi les rosés : l'oustalet, le guérouane et le fameux gris de Boulâouane ; parmi les blancs : ksar ou valpierre.

La boisson nationale est sans conteste le **thé à la menthe**, qui fut introduit au Maroc au XIXe s. par... les Anglais ! La cérémonie se déroule à la fin du repas : le maître de maison ébouillante la théière où l'on a placé les feuilles de thé vert et jette cette première infusion amère. Il ajoute les deux ou trois variétés de menthe nécessaires, le sucre, et arrose le tout d'eau bouillante. Le thé est transvasé plusieurs fois avant d'être servi, chaud et léger. Quelques feuilles de verveine, des boutons de fleurs d'oranger, une petite branche d'absinthe en modifient le goût, selon la saison. ■

entreprises, ils se reposent généralement le jour du «souk» (marché) de leur localité et en profitent pour faire leurs provisions.

Fêtes nationales

Aux fêtes laïques occidentales s'ajoutent les fêtes spécifiquement marocaines. Les jours fériés officiels sont le **Jour de l'An**, le **11 janvier**, anniversaire du manifeste de l'Indépendance, le **1er mai**, fête du Travail, le **30 juillet**, fête de l'accession au trône de Mohammed VI, le **14 août**, allégeance de l'Oued Eddahab, le **20 août**, fête de la Révolution, du Roi et du Peuple, le **21 août**, fête de la Jeunesse, le **6 novembre**, anniversaire de la Marche verte, et le **18 novembre**, fête de l'Indépendance (retour d'exil de Mohammed V).

Fêtes locales

Elles ont toutes un caractère agricole et sont accompagnées de manifestations folkloriques. Au rang des plus importantes figurent:

➤ **EN FÉVRIER**. La **fête des Amandiers** à Tafraoute, au sud-est d'Agadir *(p. 248)*.

➤ **EN MAI**. La **fête des Roses** à El-Kelaâ-des-M'Gouna, près de Ouarzazate *(p. 232)*.

➤ **EN JUIN**. Le **Festival national de folklore** à Marrakech *(p. 209,* la date est imprévisible et il n'a pas toujours lieu) et la **fête des Cerises** *(p. 166)* à Sefrou, près de Fès.

➤ **EN JUILLET**. La **fête du Miel** à Imouzzèr-des-Ida-Outanane, au nord d'Agadir, qui offre l'occasion d'assister à des danses *ahouach*.

➤ **EN OCTOBRE**. La **fête des Dattes** à Erfoud *(p. 233)*, la **fête des Pommes** à Midelt et la **fête du Cheval** à Tissa, près de Fès, dont les fantasias sont très appréciées par la population locale et les touristes.

➤ **EN DÉCEMBRE**. La **fête des Olives** à Rafsaï, au nord de Fès.

Fêtes religieuses

Les dates des grandes fêtes religieuses varient en fonction du calendrier musulman. L'**année hégirienne** comporte douze mois lunaires: elle est donc écourtée de onze jours par rapport à notre calendrier, entraînant peu à peu un décalage du ramadan. L'Hégire, date du départ du Prophète de La Mecque pour Médine (en 622), marque l'an I du calendrier musulman.

Informez-vous auprès de l'Office national marocain du tourisme *(p. 28)*, qui vous fournira les dates précises des fêtes de l'année en cours.

➤ **LE 1ER MOHARRAM** (le mois sacré) est le début de l'année musulmane. La veille, une prière a lieu dans les mosquées, à laquelle assiste le gouverneur de chaque province. En 2003, le 4 mars. En 2004, vers le 21 février.

➤ **LE 10 MAHARRAM OU L'ACHOURA**, jour de la **Zakat** (aumône, impôt) prélevée sur la fortune pour la redistribuer aux pauvres. L'Achoura commémore également un événement historique douloureux pour les chiites: l'assassinat à Karbala de Hussein, fils du 4e calife Ali et de Fatima, fille du prophète Mahomet. La veille, on applique du henné sur les mains et les pieds des petites filles. Le jour même, on mange un couscous fait avec de la viande séchée *(guédid)* qui provient du mouton de l'Aïd el-Kébir. Les enfants reçoivent des cadeaux, surtout des vêtements neufs (caftans, djellabas, babouches) et des tam-tam.

➤ **LE RAMADAN** débute à la nouvelle lune. La date précise n'est fixée qu'au dernier moment lorsque la lune nouvelle a été aperçue. Malgré les calculs astronomiques, on ne peut donc prévoir à l'avance le jour exact. Il est décalé de onze jours environ chaque année par rapport au calendrier grégorien. En 2003, le 27 octobre. En 2004, vers le 15 octobre. *(Encadré p. 31.)*

➤ **L'AÏD ES-SEGHIR** clôture le jeûne de ramadan. À cette occasion, les plus jeunes rendent visite aux membres plus âgés de la famille. Les hommes, surtout, sont habillés très élégamment car les femmes sont occupées par la préparation de la soupe à la semoule d'orge (la *tchicha*) et des gâteaux et crêpes au miel. La prière de l'aube a

Les moussems

Sur le chemin du moussem des Fiancés à Imilchil, l'un des plus importants du Maroc.

À côté des fêtes religieuses observées à l'échelon national, les Marocains célèbrent environ huit cents moussems chaque année. Le moussem désigne une célébration de la fête d'un saint: pèlerinages, retrouvailles, festivités, échanges commerciaux, manifestations folkloriques représentent de véritables événements sociaux. Si certains moussems dépendent du calendrier lunaire, la plupart ont lieu à date fixe.

L'un des plus célèbres est sans aucun doute celui d'**Imilchil**, qui se tient à 2 000 m d'altitude, dans le Haut Atlas *(p. 235)*. En juin, le moussem de **Guelmim-Asrir** *(p. 250)* rassemble les «hommes bleus» du désert, avec leurs dromadaires. En août ont lieu les moussems de **Sidi Ahmad Ou Moussa du Tazerwalt** dans le sud-ouest marocain et de **Moulay Abdellah**, près d'El-Jadida *(p. 122)*. En septembre, on peut assister à celui de **Sidi Ahmed el-Bernoussi** *(encadré p. 174)*, à 15 km au nord de Fès et, surtout, à celui de la ville sainte de **Moulay Idriss** *(p. 161)*, au nord de Meknès, qui fait venir des coins les plus reculés du royaume une foule considérable de pèlerins. ❖

lieu en présence du gouverneur au Msallah (sorte de mosquée à ciel ouvert qui comprend un mirhab et des nattes).

➤ **L'AÏD EL-KEBIR OU AÏD EL-ADHA**, célébré 70 jours après la fin du ramadan, marque la fin du pèlerinage à La Mecque et fête le sacrifice du prophète Abraham qui immola un mouton au lieu de sacrifier son fils Isaac. Après la prière collective de l'Aïd,

chaque chef de famille égorge un mouton selon les normes de la tradition musulmane. En 2003, le 12 février. En 2004, vers le 1er février.

➤ **LE MOULOUD**, le **12 Rabi al-Awwal** (le premier printemps) du calendrier hégirien célèbre la naissance du prophète Mahomet. C'est à la fin du XIIe s. que cette fête n'est plus interdite. Elle a été instaurée au Maroc en 1292 par le roi Mérinide Yahya ben Abdel-Haq.

À Meknès, les festivités sont plus importantes qu'ailleurs : elles durent une semaine et commémorent en même temps le saint el-Hadi-ben-Aïssa, chef de la confrérie des Aïssaoua. En 2003, le 14 mai. En 2004, vers le 3 mai.

■ Hébergement

Nous avons classé les hôtels en 4 catégories (▲ à ▲▲▲▲). Pour les tarifs, voir l'encadré Votre budget *p. 27.*

L'infrastructure hôtelière marocaine est très inégale. Il existe un grand nombre d'hôtels de catégorie supérieure, mais peu d'hôtels de moyen standing.

Le classement officiel n'est pas assez strict et se révèle fantaisiste dans certains cas. On note des différences de standing parfois considérables entre des hôtels d'une même catégorie, la qualité des prestations et la nourriture pouvant varier énormément selon que l'hôtel est récent ou relativement ancien.

➤ **VILLAGES DE VACANCES.** Le **Club Méditerranée, Fram, Eldorador-Jet Tours** ou la formule **hôtel-club** de certaines chaînes fonctionnent bien et garantissent des prestations de confort et de détente qui font souvent défaut ailleurs. Le séjour se réserve auprès d'une agence de voyages avant le départ.

➤ **RÉSIDENCES TOURISTIQUES.** La location de studios ou d'appartements se développe à Agadir, à Essaouira et à Marrakech. C'est une solution au rapport qualité/prix avantageux lorsque l'on est en famille ou entre amis.

➤ **LOCATION DE RIADS.** Maison traditionnelle s'ouvrant sur un patio intérieur, le riad offre une occasion de pénétrer dans un intérieur à la marocaine. Pouvant accueillir de 2 à 12 personnes, les riads sont équipés, pour la plupart, de tout le confort souhaitable et loués avec le personnel de maison. La présence d'une cuisine permet de prendre ses repas sur place et de découvrir la cuisine familiale marocaine. Certains riads assurent les transferts à l'aéroport.

➤ **AUBERGES DE JEUNESSE.** Il y a au total 13 auberges de jeunesse au Maroc, notamment à Casablanca, Rabat, Tanger, Fès et Marrakech. Une nuit coûte entre 25 et 50 DH. Il faut avoir la carte d'adhérent des FUAJ (env. 15 € pour les plus de 26 ans et 11 € pour les moins de 26 ans). **FUAJ**, centre national, 27, rue Pajol, 75018 Paris ☎ 01.44.89.87.27. www.fuaj.org. Pour plus de renseignements, contactez la **Fédération royale marocaine des auberges de jeunes**, parc de la Ligue arabe, BP n°15998, Casa-Principale, 21000 Casablanca ☎ 022.47.09.52, fax 022.22.76.77.

➤ **CAMPINGS.** Beaucoup de **terrains** sont équipés d'installations sanitaires insuffisantes et mal entretenues. Très rares sont ceux qui peuvent être conseillés. Le camping sauvage est vivement déconseillé pour des raisons de sécurité.

■ Heure locale

Le Maroc vit à l'heure GMT. Lorsqu'il est midi à Paris, il est 11 h à Rabat en hiver et 10 h en été.

■ Horaires

➤ **LES BUREAUX DE POSTE** principaux sont ouverts sans interruption de 8 h 30 à 18 h 30 ; les autres ferment entre 12 h et 15 h.

➤ **LES BANQUES** sont ouvertes, en principe, du lundi au vendredi de 8 h 15 à 11 h 30 et de 14 h 15 à 16 h 30 en hiver (le vendredi, certaines ferment plus tôt le matin et rouvrent plus tard l'après-midi), de 8 h 15 à 14 h 30 en été et de 9 h à 15 h pendant le ramadan.

➤ **LES MAGASINS** ferment à l'heure du déjeuner et le dimanche. Les échoppes des **souks** citadins sont généralement ouvertes sans interruption et ferment souvent le vendredi, jour de prière, ainsi que les jours de fêtes religieuses. Les souks hebdomadaires commencent tôt le matin et ferment en début d'après-midi.

➤ **LES MUSÉES** sont généralement ouverts les jours de la semaine de 9 h à 12 h et de 14 h 30 à 18 h. Mais attention ! ils sont **fermés le mardi**. Toutefois, ces horaires ne sont donnés qu'à titre indicatif, car ils peuvent varier pour des raisons locales. Renseignez-vous sur place, certains musées étant provisoirement fermés pour travaux.

➤ **LES PHARMACIES** sont ouvertes du lundi au samedi, à peu près aux mêmes heures que les magasins. Vous trouvez des pharmacies de garde dans les grandes villes. Leurs horaires diffèrent d'une ville à l'autre *(voir les pages d'informations pratiques à la rubrique Adresses utiles)*.

➤ **LES REPAS.** Dans les hôtels et les restaurants, le déjeuner est servi entre 12 h et 14 h 30, et le dîner entre 19 h et 21 h.

➤ **LE VENDREDI, JOUR DE PRIÈRE,** la visite des grandes **médinas** – Fès, Marrakech, Meknès… – est souvent décevante, car nombre d'échoppes et de souks sont fermés. En revanche, les portes des **mosquées** sont ouvertes pour accueillir les fidèles et il est ainsi plus facile d'en apercevoir l'intérieur.

■ Informations touristiques

L'**Office national marocain du tourisme** (ONMT) possède un réseau de délégations régionales dans les principaux centres touristiques. Mais il arrive parfois qu'il y ait « des ruptures de stock » au niveau de la documentation. L'accueil et la compétence du personnel sont, en général, de bonne qualité. Cependant, il faut souvent insister pour obtenir ce que l'on souhaite.

Les **syndicats d'initiative** peuvent fournir des renseignements d'ordre plus local. De très bonnes **agences de voyages** s'occupent également des réservations d'hôtels et de moyens de transport, organisent des excursions et se chargent de la réception des touristes à l'aéroport. Il peut s'avérer astucieux de combiner les informations obtenues de part et d'autre.

■ Internet

Les **cybercafés** sont très nombreux et situés un peu partout, pas seulement dans les villes nouvelles. Ils sont souvent ouverts jusqu'à 23 h ou minuit. Comptez en moyenne entre 10 et 15 DH pour une heure de connexion.

■ Langue

Le **français** est parlé, plus ou moins bien, par une grande partie de la population, principalement celle qui est en contact avec les touristes. Les enseignes publicitaires, les cartes des restaurants et la signalisation routière sont en français. Le centre de Fès fait exception, de nouvelles plaques ayant été apposées exclusivement en arabe. Il est bon, en tout cas, de connaître quelques mots d'arabe *(p. 259)*, ne serait-ce que pour faciliter les contacts amicaux.

Implanté au Maroc vers la fin du VIIe s. après la conquête arabe, l'**arabe** est la langue officielle selon la constitution de 1996. C'est la langue littéraire classique, considérée comme la langue sacrée du Coran. Elle n'est pratiquée que par **5 % de la population.** La majorité des Marocains s'expriment dans une variété de **dialectes arabes ou berbères**. Si l'arabe fut imposé par l'islam, le berbère-amazigh, la langue la plus ancienne de l'Afrique du Nord, est utilisé par une grande partie de la population. Les dialectes berbères varient selon les régions et se répartissent en trois grands groupes : le tarifit au nord, le tamazight à l'ouest du Moyen Atlas et le tashelhit au sud-ouest. Uniquement parlés, ils ont donné naissance à une littérature orale abondante.

■ Médias

➤ **JOURNAUX.** Les grandes villes et les centres touristiques reçoivent le lendemain de leur parution les principaux **quotidiens et magazines français**. Ils sont moins chers qu'en France. La plupart des journaux marocains, publiés en version arabe et en version

Suivez le guide

Les médinas sont les villes anciennes, par opposition aux villes nouvelles nées sous le Protectorat. Y flâner constitue l'un des grands plaisirs d'un voyage au Maroc, cependant il est facile de se perdre dans l'écheveau des ruelles et des venelles dont les noms sont rarement indiqués. Les services d'un guide officiel sont bienvenus.

Beaucoup de jeunes se proposent comme guides improvisés. Ils n'acceptent que très difficilement un refus poli, ce qui finit souvent par lasser le touriste qui cède pour avoir la paix. Ces **guides clandestins** n'ont souvent qu'une idée en tête : vous conduire dans les bou-

Les guides officiels portent la djellaba, le vêtement traditionnel.

tiques où ils toucheront une commission si vous achetez quelque chose. C'est leur gagne-pain, et ils s'y emploient avec acharnement. Ils ne vous feront presque jamais voir l'essentiel ni découvrir les monuments d'art hispano-mauresque que recèlent les grandes médinas.

Mieux vaut demander les services d'un **guide officiel**, que vous trouverez dans les grands hôtels (réservez à l'avance) ou les agences de voyages réputées qui emploient des guides dont elles ont testé la compétence. Assurez-vous que votre guide a une **carte officielle** (rouge, verte ou bleue selon qu'il est guide national, local ou auxiliaire) et un badge ; les numéros de la carte et du badge doivent concorder. Convenez d'avance avec lui du circuit que vous voulez effectuer et du temps que vous désirez consacrer à la visite. Les prix sont fixes : 150 DH (env. 15 €) la demi-journée, 250 DH (env. 25 €) la journée.

Une **police touristique** circule dans les médinas et contrôle les guides, ce qui a grandement amélioré la situation. ❖

française, sont partisans : *Le Matin du Sahara* reflète les vues du Palais, *L'Opinion* est le quotidien du parti nationaliste de l'Istiqlal, *Al-Bayane* est le journal du PPS, le parti communiste, et *Libération* est l'organe de l'Union socialiste des forces populaires. Seul *Le Quotidien* tente une

voie plus indépendante. Tous ouvrent largement leurs colonnes aux sujets locaux et au sport. La presse hebdomadaire (*Maroc Hebdo*, *La Vie économique*, *Le Journal hebdomadaire*…) traite surtout des grands dossiers nationaux, dans les domaines politique, économique et social. En l'espace de deux ans, un très grand nombre de nouveaux titres sont apparus dans les kiosques. Pour vous faire une idée des dernières tendances en matière de culture, de tourisme ou de mode, vous pouvez consulter des magazines comme *Femmes du Maroc, Citadine, Maisons du Maroc, Médina…*

➤ **RADIO.** La station nationale (**RTM**) émet en arabe et en français. **Radio méditerranée internationale**, une station privée installée à Tanger, couvre l'actualité mondiale en français et en arabe. Chaque grande ville possède son relais et son créneau horaire sur les ondes nationales. Dans le nord du pays, on capte des stations espagnoles ou françaises.

➤ **TÉLÉVISION.** Il existe deux chaînes de télévision nationales, **TVM** (publique) et **2 M** (semi-publique), mais l'invasion des paraboles est en train de bouleverser le paysage audiovisuel marocain. **TV5** permet de suivre les programmes et les informations de l'Hexagone.

▉ Politesse

Vous êtes dans un pays musulman, dont l'un des impératifs est la **discrétion vestimentaire**. Évitez les shorts (hommes ou femmes), les minijupes ou les décolletés provocants. Pour la visite des sanctuaires, il convient de porter une tenue décente et de se couvrir les épaules.

Certaines règles de politesse sont liées à l'**hospitalité**. Pas toujours désintéressé dans les centres touristiques, le sens de l'hospitalité va droit au cœur dans les villages reculés et, notamment, chez les Berbères de l'Atlas. Si un Marocain vous invite à prendre le thé ou à partager un repas, c'est pour marquer la sympathie que vous lui inspirez ; il est donc naturel d'accepter. Pensez que cet honneur, pour des familles modestes, représente souvent une dépense importante. S'il s'agit d'un commerçant avec lequel vous avez fait affaire, c'est sa façon de vous remercier, et il est préférable de ne pas l'offenser en refusant son invitation.

La **visite des mosquées**, au Maroc, est interdite aux non-musulmans. Il est possible en revanche de pénétrer dans les **médersas** (écoles coraniques).

Respectez la période de jeûne, pendant le **ramadan**, en évitant de boire, de manger ou de fumer de façon ostentatoire *(encadré p. 31).*

De plus, ne prenez jamais de **photo** d'un Marocain et surtout d'une Marocaine sans lui en demander la permission. En cas de refus, n'insistez pas.

▉ Pourboires

La pratique du pourboire *(bakchich* ou *fabor)* est enracinée dans la **tradition marocaine** ; c'est presque toujours une nécessité économique. La tendance générale est de donner peu et souvent : 2 DH au « gardien de voitures » qui accourt dès que vous vous garez, un peu plus à celui qui veille fidèlement à l'entrée des hôtels (surtout si vous découvrez qu'il a lavé votre voiture… sans vous en demander la permission, bien sûr), 5 à 10 DH au porteur qui se charge de vos bagages ou au guide de musée, 10 % au chauffeur de taxi, de 10 à 15 % dans les restaurants si le service n'est pas inclus, autrement entre 5 et 10 DH selon l'importance de la note. Munissez-vous de menue monnaie et ne comptez pas trop sur les hôtels pour vous la fournir…, la demande est telle qu'ils en manquent fréquemment ! Ne récompensez que les services rendus.

▉ Santé

Buvez beaucoup et mangez salé pour éviter la déshydratation. Cependant, n'abusez pas des boissons glacées, même s'il fait très chaud et ne buvez que de l'**eau minérale** décapsulée devant vous. Si vous devez utiliser de l'eau douteuse, désinfectez-la à l'aide d'un antiseptique, type Hydroclonazone. Évitez les viandes peu cuites, pelez fruits et crudités. Emportez un antiseptique intestinal.

Même si vous en avez très envie, évitez de vous **baigner dans des eaux stag-**

nantes, réservoirs, lacs, étangs, surtout dans le Sud où il existe des foyers de bilharziose urinaire, maladie véhiculée par des vers microscopiques hébergés par des mollusques d'eau douce.

Si vous avez besoin d'un **médecin** ou d'un hôpital, cela ne posera pas de problème dans les villes ; à la campagne, ce sera plus difficile. Si possible, contactez votre consulat, qui vous conseillera sur le choix d'un médecin ou d'un hôpital ou appelez **SOS Médecins**. *Pour les services d'urgence et les hôpitaux, reportez-vous aux pages d'informations pratiques.*

Enfin, nous vous recommandons de souscrire un contrat d'assistance-rapatriement : c'est le meilleur moyen de s'assurer des vacances sans souci *(p. 26).*

Sécurité

Les **gardiens de voitures** tirent une certaine fierté de l'accomplissement de leur travail et leur présence est un facteur positif pour les touristes. Encore faut-il leur faciliter la tâche en ne laissant rien de visible à l'intérieur des véhicules : enfermez tout ce qui peut être objet de tentation dans le coffre.

Lorsque vous vous promenez dans une médina, faites attention à vos sacs et à vos appareils photo.

Les Marocains font preuve d'une imagination débordante pour vous aborder et tenter de vous vendre quelque chose. Une invitation à partager le thé de l'amitié peut être un moyen de vous déballer quelques tapis ou quelques bijoux. À vous de vous défendre ! Soyez circonspect dans vos rencontres : il peut s'agir aussi de **drogue**, et il faut savoir que certains revendeurs peuvent être de connivence avec la police.

Les **femmes voyageant seules** devront veillez à ne pas créer de malentendu. Bannissez les tenues vestimentaires légères ou les regards qui pourraient être compris comme une invitation. Adressez-vous de préférence aux femmes. Cela étant, vous serez sans doute l'objet de sollicitations, souvent pressantes. Soyez ferme, et n'hésitez pas à vous adresser à une personne âgée qui saura intimer le respect à vos courtisans. Enfin, proscrivez auto-stop, camping sauvage et promenades nocturnes…

Shopping

Au Maroc, l'artisanat est une tradition nationale qui contribue à définir l'identité de chaque région. Le choix d'articles proposés est très grand : **armes**, **bijoux** *(p. 162),* **cuirs**, **ferronnerie**, **poterie** *(p. 163),* **tapis** *(p. 196),* **vêtements traditionnels** *(p. 65).* Mais dans un pays où le niveau de vie est relativement bas, le métier noble de l'artisan est parfois usurpé par ceux qui cherchent désespérément à augmenter leur maigre revenu, et cette situation est malheureusement trop souvent exploitée par des commerçants peu scrupuleux. Aussi la **qualité des objets artisanaux** varie-t-elle énormément ; il faut donc être très renseigné au préalable pour ne pas être déçu dans ses achats. Les grandes villes touristiques ont un **centre artisanal** et/ou une **coopérative contrôlés par l'État**. Là, les prix sont fixes et on ne marchande pas ; par ailleurs, les articles comme les tapis ont un label de qualité et d'origine *(p. 197).*

Les **objets anciens** sont de plus en plus rares. Vous pouvez encore trouver quelques bijoux anciens dans les souks du Grand Sud ou chez les antiquaires de la rue Smarine, dans la médina de Marrakech, ou encore dans le quartier des Habous à Casablanca.

Sports et loisirs

Sa diversité géographique et climatique fait du Maroc un lieu privilégié pour la pratique de nombreux sports, et la formule « séjour sportif » séduit un nombre croissant de touristes.

L'art du marchandage

Si vous préférez acheter dans les médinas pour avoir le plaisir de marchander et de faire une «bonne affaire», rendez-vous d'abord dans les centres d'artisanat, pour vous familiariser avec les prix «justes» et les rapports qualité/prix. Puis, lorsque vous aurez été invité à entrer dans plusieurs boutiques, «pour le plaisir des yeux», jetez votre dévolu sur un objet et partez à sa conquête. Le marchandage est un art subtil qui occupe une bonne partie du temps que les Marocains consacrent aux échanges commerciaux. N'ayez pas l'air de vous intéresser vraiment à l'article que vous avez l'intention d'acheter. Lorsque le prix a été annoncé par le vendeur, fixez-vous une limite et offrez une somme bien inférieure à cette limite. En effet, si vous voulez avoir la satisfaction de faire une bonne affaire, vous ne devez pas pour autant priver le commerçant de sa propre satisfaction! Lorsque le prix atteint la limite fixée, restez ferme et affectez l'indifférence en faisant mine de partir au besoin et en déclarant que vous achèterez l'article dans une autre boutique où il est moins cher. Dans la majorité des cas, si la limite est raisonnable, un marché sera conclu assez vite. ❖

➤ **ALPINISME.** On peut le pratiquer dans les massifs du Toubkal ou du M'Goun. Le **Club alpin français** gère cinq refuges dans le Toubkal. **Rens. CAF,** BP 6178, Casablanca ☎ 022.27.00.90, fax 022.29.72.92.

➤ **CHASSE.** Le Maroc abonde en gibier et la chasse est ouverte d'octobre à fin juin (sauf avril). Sa pratique n'est permise aux étrangers que dans les secteurs classés «chasse touristique». Les permis sont délivrés par l'administration des Eaux et Forêts. La réserve la plus importante est celle d'**Arbaoua**, au nord de Rabat, qui couvre 35 000 hectares (*p. 112*). D'autres terrains de chasse sont accessibles aux étrangers: à Ben Slimane près de Casablanca et aux environs d'Oualidia, d'Agadir et de Marrakech. L'importation des armes à canon rayé est interdite. Il en va de même pour l'exportation du gibier, sauf dérogation des Eaux et Forêts. Il existe dans chaque ville une agence de la chasse et de la pêche. **Rens. Ministère des Eaux et Forêts** ☎ 037.76.25.65 ou **Fédération royale marocaine de chasse** à Rabat ☎ 037.70.78.35.

➤ **ÉQUITATION.** Plusieurs hôtels-clubs et le Club Méditerranée disposent de centres d'équitation à Agadir, Ouarzazate et Al-Hoceima. Le tourisme équestre se développe, notamment dans l'Atlas. Les grandes villes possèdent des clubs équestres ouverts aux visiteurs. **Rens. Fédération royale marocaine des sports équestres**, à Rabat ☎ 037.75.44.24, fax 037.75.47.38.

➤ **GOLF.** Le golf était le sport favori du roi Hassan II; aussi le Maroc s'est-il doté de parcours splendides. Le plus célèbre est le **Dar es-Salam** à Rabat, qui compte deux 18-trous et un 9-trous. Il y a aussi des 18-trous à El-Jadida, Marrakech, Mohammedia et Tanger, et des 9-trous à Agadir, Cabo Negro, Casablanca, Fès, Meknès et Ouarzazate. Rabat accueille en automne des rencontres internationales. **Rens. Fédération royale marocaine de golf**, à Rabat ☎ 037.75.59.60, fax 037.75.10.26.

➤ **PÊCHE.** Les côtes marocaines sont très poissonneuses et la **pêche en mer** est libre. En revanche, la **pêche en eau douce** est réglementée (permis délivré par les Eaux et Forêts, *voir Chasse,* *p. 41)*. De fin mars à début octobre, on peut pêcher la truite dans les lacs et rivières du Haut Atlas et de mai à février le brochet dans le Moyen Atlas. La **pêche sous-marine** est pratiquée à Casablanca, Essaouira, Agadir et sur la côte méditerranéenne.

➤ **RANDONNÉE PÉDESTRE.** C'est la meilleure façon de découvrir le Maroc hors des sentiers battus. De mai à octobre, dans le Haut Atlas et l'Anti-Atlas, tous les sentiers sont praticables et les sommets accessibles. Vous pourrez également les parcourir à **dos de mulet**. De France, des randonnées sont organisées par plusieurs agences spécialisées *(p. 25)*. À Rabat, le **Centre d'information sur la montagne** (CIM) vous fournira la liste des agences spécialisées et les adresses des accompagnateurs de montagne et des gîtes d'étape. **Rens. CIM**, ministère du Tourisme, 64, av. Fal-Ould-Oumeïr, Agdal, Rabat ☎ 037.77.06.86.

Une **Association nationale des guides et accompagnateurs en montagne**, sur la route du Toubkal, vous fournira guides et informations (**ANGAM**, BP 47, Asni ☎ 044.44.49.79, fax 044.44. 05.22). Il existe un bureau des guides en montagne pour chacun des sommets ou versants à découvrir *(voir pages d'informations pratiques)*.

Deux **publications** pourront vous aider à préparer vos circuits : *Tourisme en montagnes et au désert*, guide de renseignements pratiques publié par le ministère du Tourisme marocain, et *Randonnées pédestres dans le massif du M'Goun*, une brochure publiée par Édisud (Aix-en-Provence) et les éditions Belvisi (Casablanca), qui contient des renseignements pratiques et des itinéraires de grande randonnée. Également *Pistes du Maroc* de J. Gandini (Extrem'Sud éditions). Sur les 5 tomes prévus, 3 sont déjà parus : *Haut et Moyen Atlas* ; *Le Sud, du Tafilalt à l'Atlantique* ; *De l'Oued Draâ à la Seguiet el-Hamra*.

➤ **SKI.** On pratique le ski alpin à **Oukaïmeden**, belle station du Haut Atlas à 2 650 m d'altitude, à 72 km au sud de Marrakech. Ouverte de fin décembre à fin avril, elle est équipée d'un télésiège et de six téléskis. **Mischliffen**, dans le Moyen Atlas, à 80 km au sud de Fès, ne possède que trois remonte-pentes, mais elle est située au cœur d'une admirable forêt de cèdres, à 2 000 m d'altitude. Sachez cependant qu'il a très peu neigé ces quatre dernières années.

➤ **SPORTS NAUTIQUES.** Les plages de l'Atlantique, souvent très dangereuses, sont propices au **surf** et à la **planche à voile**, en particulier autour d'Essaouira, où se déroulent chaque année des concours internationaux, à Dar-Bouazza *(20 km au S de Casablanca)*, à la plage des Nations (Rabat), à celles de Safi et de Sidi-Bouzid (El-Jadida). Il existe une école de surf à Oualidia. Tous les hôtels de catégorie supérieure possèdent au moins une **piscine**.

➤ **TENNIS.** Beaucoup d'hôtels et tous les villages du Club Méditerranée ont au moins un court de tennis. À Agadir, des établissements organisent des stages intensifs et des tournois.

■ Téléphone

Le téléphone est automatisé. Les **cabines téléphoniques** (à pièces et parfois à cartes) et les **téléboutiques** *(ouv. 8 h-20 h, avec téléphone et fax)* sont très répandues.

Les hôtels majorent le coût des communications et parfois n'ont pas de ligne directe dans les chambres. Du samedi 12 h 30 au lundi 7 h, le coût des communications internationales est réduit de 40 %. Sur le réseau intérieur, appelez entre 20 h 30 et 7 h pour bénéficier de cette réduction.

■ Toilettes

Les toilettes à l'occidentale sont dans les hôtels et les grands restaurants ; autrement, elles sont « à la turque » et, selon la coutume, il n'y a pas de papier hygiénique.

Téléphone, mode d'emploi

➤ **POUR TÉLÉPHONER DANS LE PAYS.** Composez directement le numéro à 9 chiffres de votre correspondant.

➤ **POUR OBTENIR L'ÉTRANGER DEPUIS LE MAROC.** Composez le 00 puis l'indicatif du pays (France 33, Belgique 32, Suisse 41, Canada 1) et le numéro de l'abonné sans le 0 initial.

Au Maroc : rens. téléphoniques ☎ *160 ; rens. internationaux* ☎ *120.*

➤ **POUR OBTENIR LE MAROC DEPUIS L'ÉTRANGER.** Composez le 00, suivi du 212 (indicatif du pays), puis du numéro de votre correspondant sans le 0 initial.

Rens. téléphoniques internationaux depuis la France ☎ *32.12.* ❖

■ Transports intérieurs

Louer une voiture

Les **compagnies internationales** (Avis, Hertz, Budget, Europcar) sont représentées au Maroc ; vous pouvez donc réserver avant le départ une voiture qui vous attendra à l'aéroport. C'est le système adopté par les agences de voyages dans leur formule « le Maroc à la carte ». L'**âge minimal** pour louer un véhicule est habituellement de 21 ans avec plus de 2 ans de permis.

Les loueurs disposant d'un grand choix de modèles, prenez la voiture la mieux adaptée au réseau routier marocain et à votre itinéraire. La majorité des routes étant très étroites, préférez une petite voiture. Actuellement, c'est la Fiat Uno, fabriquée au Maroc, qui est la plus répandue. Sachez néanmoins qu'elle n'est guère appropriée pour faire de la piste. Si vous avez cette intention, optez pour une voiture plus résistante ou, mieux, louez à plusieurs un véhicule tout-terrain.

Au moment de prendre livraison, vérifiez les freins, l'éclairage, les pneus (y compris la roue de secours) ; assurez-vous que les papiers sont en règle et que vous avez une liste avec l'adresse et le numéro de téléphone de toutes les agences de votre loueur. En cas d'incident ou de panne vous aurez ainsi un recours utile, car les garages ne sont pas toujours compétents.

Essence

Dans les villes, les **stations-service** ne manquent pas ; elles acceptent rarement les cartes de paiement. Chaque bourgade a son poste à essence, mais il arrive parfois que celui-ci soit en rupture de stock (pour le super le plus souvent). Faites le plein avant chaque étape.

Conduire sur route

La qualité des routes marocaines est très inégale. Les **axes principaux** sont en général bons et certains tronçons sont même excellents, surtout dans l'ouest du pays. On n'est tout de même jamais à l'abri des mauvaises surprises ! Les **routes secondaires** sont la plupart du temps étroites et mal entretenues : elles sont ondulées et déchiquetées sur les bas-côtés, ce qui pose un réel problème, lorsque l'on croise un camion ou un car. Il est préférable dans ce cas de ralentir et de se ranger en douceur pour ne pas entamer les pneus. Les nids-de-poule, fréquents, parfois profonds, ne sont jamais signalés. Dans les **montagnes**, les éboulements ne sont pas rares ; les oueds endommagent fortement les routes au moment de leurs crues, et il arrive parfois qu'une section soit coupée pour cause d'inondation ; il faut alors repartir d'où l'on vient pour chercher une déviation.

La **vitesse** est limitée à 100 km/h sur les routes, à 120 sur les autoroutes et entre 20 et 60 dans les agglomérations.

Des routes dangereuses

Les ânes longent les bas-côtés de la route, mais leurs cavaliers la traversent souvent sans prévenir…

Le code de la route est modelé sur le code international, mais attention ! le signal du stop est parfois écrit en arabe seulement. Soyez vigilant et prêt à faire face à l'imprévisible. Les Marocains sont fantaisistes et ne font pas toujours signe lorsqu'ils tournent ; ils n'observent jamais la ligne continue, n'allument pas leurs feux de position quand la nuit tombe et s'arrêtent sans prévenir. Évitez de rouler la nuit : charrettes, animaux, cyclistes et piétons sont autant d'obstacles invisibles, car ils ne sont généralement pas éclairés. Des pirates d'autoroute sévissent aussi quelquefois sous les étoiles. ❖

La **Gendarmerie royale marocaine** effectue de nombreux barrages sur les routes mais plus généralement à l'entrée des villes ou des villages. Ralentissez à leur hauteur ; dans la majorité des cas, ils vous font signe d'avancer, sinon, ils procèdent à une vérification des papiers du véhicule et éventuellement des vôtres (*voir Formalités p. 25*).

Conduire sur piste

Les pistes non carrossables ne sont pas recommandées aux voitures de tourisme : même si une piste paraît praticable, elle peut très bien se détériorer quelques kilomètres plus loin. Aussi vaut-il mieux ne s'y engager qu'avec un véhicule adapté. Renseignez-vous auparavant sur l'état des pistes. Réali-

sez des étapes n'excédant pas 300 km par jour et emportez toujours de l'**eau minérale**. Prévoyez également **deux roues de secours**, un bidon d'**essence**, de la **nourriture** et des **couvertures** – c'est un strict minimum. En outre, si vous vous aventurez dans le **désert**, n'oubliez pas l'équipement indispensable en cas de panne : pièces de rechange, plaques de désensablement, pelle… Il est plus prudent d'y partir à deux voitures, et de prévenir les autorités locales du périple.

Que vous rouliez fenêtres ouvertes ou fermées, vous serez toujours envahi de **poussière** dans l'habitacle ou dans le coffre : protégez donc ce qui doit l'être, en particulier votre matériel photo.

Les taxis

Les «**petits taxis**» se trouvent uniquement dans les villes. Leur couleur diffère d'une ville à l'autre. Ils portent sur le toit une plaque avec la mention «petit taxi». Si le compteur ne fonctionne pas, le prix de la course, bien que peu élevé, doit être négocié avant le départ. On ne peut pas monter à plus de trois personnes.

Les «**grands taxis**», ou taxis collectifs, effectuent les liaisons interurbaines; le tarif, fixé d'avance, est légèrement supérieur à celui des autocars. On s'y entasse à six personnes et le véhicule, généralement une grosse berline, ne part que lorsqu'il est plein. On peut réserver un taxi entier après avoir discuté les conditions avec le chauffeur.

Autres moyens de transport

➤ **EN AVION.** La compagnie **Royal Air Inter** assure des liaisons régulières entre les principales villes et la correspondance avec les vols internationaux; Casablanca est le centre de ce réseau. Les villes reliées entre elles sont Agadir, Al-Hoceima, Casablanca, Dakhla, Essaouira, Fès, Laâyoune, Marrakech, Ouarzazate, Oujda, Rabat, Tanger, Tan-Tan et Tétouan. Renseignements auprès des agences de voyages locales.

➤ **EN TRAIN.** Inférieur à 2 000 km, le réseau de l'Office national des chemins de fer (**ONCF**) ne peut être considéré comme un outil touristique adéquat. Mis à part les trains rapides climatisés, qui fonctionnent bien sûr sur l'axe Marrakech-Casablanca-Rabat-Meknès-Fès, les autres services sont assez lents. Mais les prix sont très bas et des réductions sont accordées aux étudiants (possibilité d'utiliser la carte Inter Rail) et aux groupes (minimum six personnes). Un horaire des trains est disponible sur demande à l'ONMT.

➤ **EN AUTOCAR.** Deux grandes sociétés d'autocars (**CTM** et **SATAS**) et plusieurs compagnies privées ont tissé un réseau complexe à travers tout le pays. D'une façon générale, les services sont

---

Noms des axes routiers

La dénomination des axes routiers est en cours de changement : les routes principales deviendront des routes nationales (à un ou deux chiffres), les routes secondaires des routes régionales (à trois chiffres) et les routes tertiaires des routes provinciales (à quatre chiffres). *La présente édition ne tient pas compte de ces modifications.* ❖

---

lents (comptez 4 h entre Marrakech et Agadir, 3 h entre Essaouira et Agadir), bondés et peu confortables. Les compagnies privées offrent des tarifs plus intéressants, mais leurs autocars voyagent souvent en surcharge. Il est conseillé de réserver sa place et de faire enregistrer ses bagages. Pour les petits parcours, préférez le taxi collectif *(voir plus haut).*

■ Urgences

En cas d'accident, contactez d'abord le consulat *(voir les pages d'informations pratiques des principales villes)* puis la gendarmerie. Restez calme et ne quittez surtout pas le lieu de l'accident.

➤ **POLICE** ☎ 19.

➤ **GENDARMERIE ROYALE** (hors agglomération) ☎ 117.

➤ **POMPIERS, AMBULANCE** ☎ 15. Sachez être patient…

➤ **SECOURS ROUTIERS** ☎ 177.

■ Voltage

Pratiquement tous les hôtels de bonne catégorie sont équipés de prises de 220 volts, identiques à celles que l'on utilise en France. Les plus anciens fonctionnent encore au 110 volts. ■

Ci-contre : dans les campagnes
berbères, les maisons en pierre
ou en terre se fondent dans le paysage.
Seules contrastent les teintes vives
des vêtements de leurs habitants.

Ci-dessus : les fenêtres ouvragées
comme de la dentelle brisent
l'austérité de cette architecture.

DÉCOUVRIR

HÉRITAGE

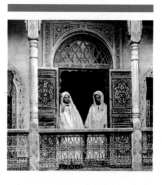

Les premières traces de présence humaine près de Casablanca remontent au **paléolithique inférieur**. L'Afrique du Nord, soumise à un climat tropical, est alors peuplée de lions et d'éléphants qui disparaîtront à la formation du Sahara. Le Maroc, pris en tenaille entre la mer et le désert, forgera son histoire et sa culture à la rencontre de ces deux mondes.

Des origines à la conquête arabe

Tandis que le pays s'assèche à la fin du paléolithique, des **tribus venues du Proche-Orient** – les ancêtres des Berbères – s'installent par vagues. Elles laissent des témoignages intéressants comme le cromlech de M'Soura, ou les gravures rupestres de Foum-el-Hassan, de Oukaïmeden et de Figuig.

Une terre mythique

C'est avec la mythologie grecque que le Maroc entre dans l'histoire. Située aux confins du monde connu par les Grecs, cette terre excite leur imagination. Sur le chemin du jardin des Hespérides où il doit cueillir les pommes d'or, **Hercule** sépare deux montagnes, Calpé en Europe et Abyla en Afrique, creusant ainsi le détroit de Gibraltar. Baptisés «Colonnes d'Hercule», le rocher de Gibraltar et le mont Acho qui lui fait face, à quelques kilomètres de Sebta (Ceuta), en portent d'ailleurs le souvenir. Plus tard, le héros terrasse Antée, un géant qui massacrait les voyageurs et avait donné le nom de sa femme à la ville qu'il avait fondée, **Tingis** (Tanger). Un autre géant, **Atlas**, est, quant à lui, métamorphosé en une chaîne de montagnes pour avoir refusé l'hospitalité à Persée, fils de Zeus.

Phéniciens, Carthaginois et Romains : la prospérité

Vers le XIe s. av. J.-C., le mythe fait place à l'histoire. Les **Phéniciens** fondent des comptoirs sur le pourtour méditerranéen et s'aventurent au-delà des Colonnes d'Hercule pour s'installer à Lixus, près de Larache. Cinq siècles plus tard, les **Carthaginois** s'établissent à leur tour à Tingis (Tanger), Zilis (Asilah) et Sala (Salé). Ils font prospérer le commerce des parfums, des tissus et de l'or et vendent de la pourpre, extraite du murex proliférant sur les côtes marocaines.

Mais l'influence de **Rome** se manifeste très vite. Lorsqu'Octave succède à César, il confie toute la région à un fidèle **prince berbère** élevé à Rome et marié à Cléopâtre Séléné, fille de Cléopâtre et d'Antoine. Ce prince prend le pouvoir sous le nom de **Juba II** et fait du comptoir phénicien de Iol en Algérie (Cherchell, aujourd'hui) la capitale d'un royaume qui s'étend jusqu'à la Tunisie : le **royaume berbère de Mauritanie**.

En 40 apr. J.-C., Caligula fait assassiner le fils de Juba II, Ptolémée, et la révolte éclate. L'empereur Claude reprend le contrôle et, en 44 apr. J.-C., divise le royaume en deux **provinces romaines** : la Mauritanie césarienne et la Mauritanie tingitane, avec Tingis comme capitale.

C'est le début de trois siècles d'essor. Le **commerce** se développe vers Sala et Volubilis. Rome est friande d'huile d'olive et de *garum*, une sauce à base de poisson, que l'on nomme ailleurs « *nuoc-man* ». L'empire fait aussi venir de Mauritanie des hommes pour les légions et des animaux pour les arènes.

Au IIIe s., la **menace barbare** oblige Rome à se replier sur la Méditerranée. Les Berbères retournent alors à leur organisation traditionnelle en chefferies rivales. À la chute de Rome, Byzance tente à son tour d'occuper ces terres libres mais sans succès durable. Ce sont d'autres peuples qui vont envahir le Maroc au VIIe s.

La conquête arabe

La conquête du Maroc par les Arabes fut lente et difficile. La première expédition daterait selon la légende de 684 ou 685. Elle aurait été dirigée par **Oqba ibn Nafi'**, dit « Sidi Oqba », le fondateur de Kairouan en Tunisie. Il se serait dirigé jusqu'au bord de l'océan Atlantique et, prenant Allah à témoin de son impossibilité à aller plus loin, aurait jeté son cheval dans les flots. En réalité, c'est à partir de 703 qu'un autre conquérant, **Moussa ibn Noceir**, s'implante au nom de l'islam. Beaucoup de tribus berbères se convertissent et l'arabe remplace le latin comme langue officielle. En 711, **Tarik ibn Ziad**, chef berbère converti, franchit le détroit, envahit l'Espagne et en chasse les Wisigoths. En débarquant sur le sol espagnol, il donne son nom à la montagne qui lui fait face, le jbel Tarik, le futur Gibraltar.

Mais l'autorité religieuse imposée par le calife depuis sa lointaine Arabie est sans relâche contestée. Des dissidences se font jour, dont la plus importante est le **kharidjisme**, tendance dure de l'islam. Plusieurs **royaumes indépendants** se constituent. Celui que dirige **Idriss ibn Abdellah** est à l'origine de la première grande dynastie qui marque l'histoire du pays, celle des Idrissides. C'est le début d'une histoire faite de querelles de famille qui s'étale sur dix siècles…

D'une dynastie à l'autre

Les Idrissides, 788-975

Selon l'historiographie marocaine, **Idriss Ier**, l'arrière-petit-fils d'al-Hassan, fils du quatrième calife Ali, après avoir pris part à une révolte avortée au Hedjaz contre les Abbassides en 786, dut s'enfuir en Égypte et se réfugier en Afrique du Nord où il fut accueilli par une tribu berbère dans la région du Zerhoun. Plusieurs chefs berbères de Zénata, région du nord du Maroc, le reconnaissent *imam* (« chef dirigeant »). Il est considéré selon la légende comme le fondateur du Maroc.

Après son assassinat en 792, son fils **Idriss II** lui succède. Si ce dernier n'est pas le fondateur de Fès, qui devient la capitale des Idrissides (c'est son père Idriss Ier qui en avait entrepris la construction en 789), il en est le véritable créateur en la développant sur l'autre rive du fleuve, la dotant ainsi d'une excellente situation géographique. À sa mort, ses fils se disputent le pouvoir. Le pays est alors morcelé.

Les Almoravides, 1055-1147

Un prédicateur issu d'une tribu berbère du Sahara, **Abdellah ibn Yassin**, fonde une forteresse (*ribat*) sur une île au large de la Mauritanie. Sous son autorité, les *mourabitun* («ceux qui habitent les forteresses») pratiquent une stricte observance des principes islamistes. De guide spirituel, Abdellah ibn Yassin se transforme en chef de guerre et remonte vers le nord avec ses hommes, les moines soldats. Partout où il passe, il fait briser les instruments de musique et fermer les tavernes. Quand il meurt au champ de bataille en 1059, sur le Bou Regreg, son cousin **Youssef ben Tachfine** reprend la lutte et arrive à Marrakech dont il fait sa capitale en 1062 *(p. 178)*.

Mais il faut aller encore plus au nord et défendre l'Espagne musulmane des envies de reconquête des rois chrétiens. À se disperser ainsi, les Almoravides finissent par s'essouffler et, en 1147, doivent céder Marrakech aux Almohades.

Les Almohades, 1147-1269

Le fondateur du mouvement des Almohades («ceux qui affirment l'unicité de Dieu»), **Ibn Toumert**, est un pur Berbère, contrairement aux diverses généalogies chérifiennes qui lui furent attribuées. Après des études en Orient, devenu ascète et réformiste, il prend la tête d'un mouvement de masse en se proclamant *mahdi* («chef charismatique attendu»). Son lieutenant et successeur, **Abd el-Moumen**, étend sa domination de l'Andalousie au reste du Maghreb. Le règne d'**Abou Youssef Yacoub el-Mansour** (1184-1199) marque l'apogée de la dynastie. Les Almohades, grands bâtisseurs, dressent les remparts de Rabat, construisent la Koutoubia à Marrakech, favorisent les arts et la culture. Mais l'empire est trop vaste: au nord, ils doivent laisser les rois de Castille et d'Aragon reprendre Valence, Cordoue et Séville; au Maroc même, ils luttent contre la puissante **tribu zénète des Beni Merine**, nomades berbères originaire de la Moulouya. En 1269, le nouveau chef mérinide Abou Youssef Yacoub assiège Marrakech et s'empare de la ville.

Les Mérinides, 1269-1465

Abou Youssef Yacoub (1259-1286) repart en conquête au Maroc et en Espagne. Il fonde une ville nouvelle, **Fès el-Jédid**, qui comprend pour la première fois un quartier réservé aux juifs, protégés par le sultan. Mais les Mérinides n'ont pas une base ethnique suffisante pour résister aux autres tribus. Un nouveau processus de décomposition interne se met en route.

En Espagne, quatre opérations militaires restent sans succès. Les rois catholiques reprennent Grenade en 1492 et sonnent le glas de la domination mérinide. À la puissance retrouvée des Espagnols, s'ajoutent des visées plus expansionnistes d'un souverain portugais: **Henri le Navigateur**, en effet, installe des comptoirs à Ksar-es-Seghir, Asilah, Tanger et, plus loin, à Safi.

Les Saadiens, 1525-1659

En lutte contre cette présence portugaise, une famille originaire d'Arabie et installée dans la vallée du Drâa va réagir. Désignés «chefs de la guerre sainte», les Saadiens prennent Agadir, place forte portugaise, en 1541. Lisbonne est contrainte d'évacuer toutes ses positions au Maroc, sauf Mazagan (El-Jadida). Les Saadiens achèvent leur conquête du Maroc en 1554. Dernier sursaut portugais, la bataille des

Les Berbères

Dérivé du grec *barbaroi*, du latin *barbari* et de l'arabe *barbar*, leur nom désigne les populations parlant le berbère (qui signifie « étranger »). Les Berbères s'appellent entre eux par leur nom de tribu (arifit, tarifit, achelhi, tachelhit...) et au Maroc, ils utilisent le terme *amazigh* (plur. *imazighen*) qui veut dire « homme libre ».

Depuis l'Antiquité, les historiens ont hésité sur l'origine des Berbères : étaient-ils des autochtones, des Orientaux, ou encore des Égéens ? Certains évoquent leur parenté avec les Basques, les peuples caucasiens, les Celtes, les Indiens... Quant aux Arabes, ils voient en eux des orientaux cananéens ou himyarites (les habitants du Yémen).

Les Berbères les plus anciennement installés au Maroc sont les Rifains au nord et les Chleuhs au sud.

Au Maroc, les Berbères représentent 45 % de la population. Ils se divisent en trois groupes principaux : les **Rifains** et les **Beni-Znasen**, au nord ; les **Znagas** (*sanhaja*) et les **Braber**, dans le Moyen Atlas ; les **Chleuhs** à l'ouest du Haut Atlas et de l'Anti-Atlas ainsi que dans la plaine du Souss. Mentionnons également les **Jbala** au nord de Fès et les **Haratin** – les noirs ou métis (sing. *Hartani*) – population sédentaire du sud de Ouarzazate et de l'oued Drâa.

Depuis les années 1990, plusieurs publications berbérisantes sont nées tandis que des associations culturelles et artistiques se créent, revendiquant la reconnaissance de l'identité berbère. En août 1991, six associations berbères ont signé une « charte relative à la langue et à la culture tamazightes au Maroc ». ❖

Trois-Rois, en 1578, voit périr trois souverains près de l'oued Makhzen (Ksar-el-Kebir) : le roi du Portugal, Don Sébastien, son allié, El-Moutaouakil, et le sultan Abd el-Malek. Les Marocains, malgré l'âge d'or inauguré par **Ahmed el-Mansour** (1578-1603), dit « Ed-Dehbi » (le Doré), ne savourent que peu de temps leur victoire : la dynastie saadienne s'écroule, rongée par les querelles.

Les Alaouites, de 1659 à nos jours

Les Alaouites, comme les Saadiens, sont des *chorfa* (« descendants du Prophète, originaires du Tafilalt »). Les premiers Alaouites cherchent déjà à affirmer leur autorité contre des tribus rivales. En 1693, l'unité du pays est réalisée grâce à **Moulay Ismaïl** (1672-1727), qui installe sa capitale à **Meknès** et dote le Maroc d'une armée de 150 000 hommes. Après sa mort, l'un de ses petits-fils signe en 1787 le premier traité avec les États-Unis d'Amérique : le commerce est actif. Au milieu du XIXᵉ s., les puissances occidentales commencent à s'intéresser à l'Afrique du Nord. La France occupe Alger et envoie au Maroc une mission dirigée par le **comte de Mornay** et **Eugène Delacroix** *(p. 84)*. Le peintre en rapporte de magnifiques carnets de croquis, et le diplomate obtient l'assurance que le Maroc n'interviendra pas dans les affaires algériennes. Promesse fragile : prétextant un soutien du sultan du Maroc au rebelle algérien Abd el-Kader, les Français franchissent la frontière algéromarocaine en 1844 et gagnent la **bataille d'Isly**. L'intervention de la France encourage les autres pays à se partager l'Afrique du Nord (conférence d'Algésiras, en 1906) : c'est le début de la **colonisation**. Meurtres de colons et incidents avec la population locale poussent l'armée française à occuper Oujda, puis Casablanca.

Moulay Ismaïl exerça un pouvoir absolu. Il consolida l'empire chérifien et modernisa l'État.

La voie vers l'indépendance

Le protectorat, 1912-1956

Le 30 mars 1912, le **traité de Fès** instaure un protectorat français sur la plus grande partie du Maroc ; en novembre, la convention de Madrid reconnaît le protectorat espagnol dans le nord du pays. Le général **Lyautey**, *(encadré p. 115)* nommé « résident général », se heurte à la révolte que mène Abd el-Krim dans le Rif *(encadré p. 75)* ; il finit par être supplanté par Pétain. En 1927, **Sidi Mohammed ben Youssef**, futur Mohammed V, est proclamé sultan. Il compte profiter du protectorat pour sauvegarder la

monarchie tout en favorisant l'émergence du sentiment nationaliste. Le Comité d'action marocain, le premier parti, est formé. Les manifestations se multiplient pour soutenir le souverain qui, très populaire, va jusqu'à décréter la « grève du sceau », empêchant la promulgation de tous les textes ; ce bras de fer avec l'administration française se termine le 15 août 1953 par l'arrestation du sultan et de son fils, futur Hassan II, envoyés en exil en Corse, puis à Madagascar. C'est le tollé au Maroc et en Europe ; les résidents se succèdent sans parvenir à ramener l'ordre.

En France, la perte de l'Indochine et le début de la guerre d'Algérie sont très mal vécus ; l'idée d'un divorce à l'amiable fait son chemin dans l'opinion publique. En novembre 1955, à La Celle-Saint-Cloud, la France signe une déclaration dans laquelle s'établit la pleine **indépendance du Maroc**, octroyée le **2 mars 1956**.

L'Espagne renonce à son tour à ses prérogatives dans le Nord, ne gardant que Sebta (Ceuta) et Melilla. Le sultan fait un retour triomphal et devient roi sous le nom de **Mohammed V**.

L'indépendance

En 1961, Mohammed V meurt au cours d'une opération chirurgicale. Son fils **Hassan II** prend sa suite. Si la libération est achevée, il reste à faire entrer le pays dans le jeu des nations. La constitution, adoptée en 1962 et amendée en 1972, crée un parlement élu en partie au suffrage universel direct. Les partis sont reconnus, mais le roi et Commandeur des croyants conserve l'essentiel des pouvoirs. Cette monarchie puissante irrite : en juillet 1971 et en août 1972, deux ten-

Le Sahara occidental

Le Sahara occidental, vaste région s'étendant au sud de Guelmim, était une **possession espagnole** depuis la fin du XVᵉ s. L'indépendance proclamée, le Maroc le revendique pour des raisons ethniques, économiques et géographiques.

En 1975, pour marquer sa souveraineté sur ce territoire, le roi Hassan II décide de l'occuper pacifiquement en y envoyant 350 000 volontaires qui franchissent la frontière le 6 novembre. C'est la « **Marche verte** ». L'**accord de Madrid** entre l'Espagne, la Mauritanie et le Maroc entérine la victoire du Maroc et permet de redéfinir la frontière. Mais le **Front Polisario** s'y oppose. Créé en 1973, ce mouvement indépendantiste, appuyé par l'Algérie, mène une lutte ouverte contre le Maroc. En 1976, il proclame la constitution de la République arabe sahraouie démocratique (RASD), reconnue par une cinquantaine de pays. En 1980, la RASD est admise à l'Organisation de l'unité africaine (OUA), ce qui entraîne le départ du Maroc. En 1982, le Maroc reprend l'exploitation des phosphates à Boukra, au sud-est de Laâyoune, l'un des gisements les plus importants du monde à 120 km seulement de la mer. C'est l'un des enjeux de ce conflit.

Le principe d'un **référendum d'autodétermination** préconisé par l'ONU a été accepté en 1991 par les deux parties, mais la date en est constamment repoussée. Officiellement, le point de discorde réside dans la définition du corps électoral. Le Maroc, quant à lui, a opté en 1999 pour la « troisième voie », qui consisterait à donner à ces « provinces du Sud » une certaine autonomie sous tutelle marocaine, dans le cadre d'une politique de régionalisation. Cette solution irait dans le sens d'une décentralisation générale du royaume. ❖

---

tatives de putsch échouent. Leurs auteurs sont tués ou jetés en prison.

Le conflit avec le Sahara occidental *(encadré ci-dessus)* va peser sur le développement du pays : le Sud est suréquipé au détriment du Nord ; il épuise les finances nationales dans une course à l'armement et provoque des frictions avec les voisins. Mais le pari est de jouer sur la stabilité politique afin d'accroître la crédibilité économique. Dès 1989, le Maroc entreprend sa **modernisation** : ouverture sur le monde, appel aux investisseurs étrangers, privatisations, programmes de grands travaux, tout cela au prix d'un endettement considérable. En 1996, une nouvelle constitution est adoptée par référendum. Elle institue un régime dit « bicaméral » qui fait de la Chambre des représentants une assemblée élue au suffrage universel. En 1997, l'opposition remporte les élections et, en mars 1998, pour la première fois, le socialiste **Abderrahmane Youssoufi**, devient chef du gouvernement.

Le 23 juillet 1999, Hassan II décède et son fils **Mohammed VI** lui succède. Tout en continuant la politique paternelle de **démocratisation du régime**, le nouveau souverain opère un changement politique à l'égard des partis traditionnellement opposés au régime. Trois exemples illustrent bien cette démarche : en 1999, le retour de l'opposant Abraham Serfaty de son exil forcé et le limogeage du ministre d'État de l'Intérieur, Driss Basri, et, en 2000, la levée de l'assignation à résidence sur Abdeslam Yassine, chef charismatique du mouvement islamiste. ■

L'architecture hispano-mauresque

Au VIIIᵉ s., les envahisseurs arabes introduisent dans les pays conquis des traditions artistiques imprégnées de l'influence orientale. Cette influence va très vite générer dans l'Espagne musulmane une étincelle d'originalité, lui apportant un nouveau souffle. Au XIᵉ s., les Almoravides, maîtres de l'Andalousie, contribuent à la naissance de l'art hispano-mauresque au Maroc.

Trois éléments le caractérisent: l'**arabesque** (entrelacs de feuillage stylisé) la **calligraphie** (utilisant comme décoration l'écriture des versets du Coran) et le **motif géométrique de forme octogonale**. La combinaison de ces éléments donne des dessins multipliables à l'infini. Il n'y a aucune représentation humaine dans l'art musulman.

La mosquée Hassan-II de Casablanca (ci-dessus), dernière-née des grandes mosquées de l'islam associe tradition et modernité

Almoravides, Almohades et Mérinides

En 1062, quand ils fondent Marrakech, les Almoravides sont au faîte de leur puissance. Ils se lancent vers l'est et atteignent Tlemcen et Oran, puis filent vers le nord et occupent l'Espagne. Pendant vingt ans, le Maroc et l'Espagne font partie du même empire et les deux cultures s'influencent.

Les **Almoravides** sont de **grands bâtisseurs**: on leur doit la Koubba à Marrakech, la mosquée de Tlemcen, une partie de la Karaouiyine à Fès.

Après eux, les **Almohades** ajoutent la mosquée de la Kasbah à Marrakech, celle de Séville en Andalousie, ainsi que la mosquée Hassan à Rabat (inachevée: on voit aujourd'hui l'ordonnancement de ses colonnes devant le mausolée de Mohammed-V).

Les **Mérinides** n'ont pas le même génie de la construction; en revanche, ils soignent la **décoration** des sanctuaires et des médersas (foyers universitaires) qu'ils édifient dans la plupart des grandes villes. Les **musulmans chassés d'Espagne** par la Reconquista, au XVᵉ s., apportent leur savoir-faire; l'art hispano-mauresque s'enrichit, on travaille le **bois précieux** et les **pierres fines**.

Ce détail de la médersa Ben-Youssef de Marrakech (à g.) est une combinaison des trois éléments décoratifs fondamentaux de l'art islamique: la calligraphie, les arabesques, les motifs géométriques qui composent les zelliges.

Vestige de l'art almohade, la tour Hassan de Rabat (ci-dessous) s'allège en façade, grâce à ses arcs aveugles et à ses fenêtres géminées, ornées de motifs losangés.

Murailles austères et intérieurs fastueux

Colonnes de pierre, de marbre ou de porphyre, galbées ou graciles, surmontées de chapiteaux pyramidaux ornés de feuilles d'acanthe ou de volutes à l'antique caractérisent l'architecture hispano-mauresque. Clin d'œil à la géométrie,

L'art mérinide se caractérise par la luxuriance de la décoration intérieure et la légèreté que le jeu des arcs réussit à lui donner. La médersa El-Attarine de Fès en est un magnifique exemple.

Bab Bou-Jeloud à Fès (à dr.) ouvre sur la médina. Dans l'arc outrepassé, on aperçoit le minaret de la médersa Bou-Inania.

Détail d'une cour intérieure de la médina de Fès el-Bali : les ornements à stalactites sont des motifs récurrents de l'art islamique.

l'**arc outrepassé**, supérieur au demi-cercle, allège les structures. Un **auvent de cèdre sculpté** recouvert de tuiles vernissées vertes surmonte fréquemment la porte d'entrée des monuments. La **décoration est luxuriante** : bois travaillé et peint, stuc ciselé, zelliges tapissant le fût des colonnes ou le fond des bassins, pas un centimètre carré n'est laissé libre. Toutes ces richesses se dissimulent derrière l'épaisse muraille de bâtiments trapus, aux tours massives. Il faut pousser la porte quand on le peut (beaucoup de monuments religieux sont en effet interdits aux non-musulmans) et s'émerveiller… ■

Les repères de l'histoire

Au Maroc	Dates	Dans le monde
Les Berbères peuplent le Maroc.	Av. J.-C. 2000	Thèbes, capitale de l'Empire égyptien.
Comptoirs phéniciens sur les côtes.	XIe s.	L'Assyrie domine le monde méditerranéen.
Comptoirs carthaginois.	VIe s.	Démocratie athénienne.
Royaume berbère de Mauritanie.	IVe s.	- 399 : mort de Socrate.
	Apr. J.-C.	
44 : la Mauritanie devient province romaine.	Ier s.	La Gaule romaine.
Recul de l'occupation romaine.	IIIe s.	Incursions barbares à Rome.
684-685 : première invasion arabe.	VIIe s.	680 : le chiisme en Irak.
711 : invasion de l'Espagne par les Arabes.	VIIIe-IXe s.	732 : Charles Martel repousse les Arabes à Poitiers.
789 : fondation de Fès par Idriss Ier.		800 : Charlemagne sacré empereur romain d'Occident.
1062 : fondation de Marrakech par les Almoravides.	XIe s.	Les Normands débarquent en Sicile.
1184-1199 : règne de Abou Youssef Yacoub el-Mansour et apogée des Almohades.	XIIe s.	IIIe croisade et élection du pape Innocent III, le plus puissant du Moyen Âge.
1269 : Abou Youssef Yacoub s'empare de Marrakech.	XIIIe s.	VIIe croisade en Égypte.
Apogée des Mérinides.	XIVe s.	Guerre de Cent Ans.
Les Portugais s'établissent sur les côtes.	XVe s.	Épopée de Jeanne d'Arc.
1492 : chute du royaume de Grenade.		1492 : Christophe Colomb découvre le Nouveau Monde.
1578 : la bataille des Trois-Rois.	XVIe s.	Règne de Charles Quint.
1578-1603 : règne d'Ahmed el-Mansour, dit « le Doré ».		1577-1580 : premier tour du monde de l'Anglais Francis Drake.
Dynastie Alaouite depuis 1659.	XVIIe s.	1626 : les Hollandais fondent la Nouvelle-Amsterdam (future New York).
1672-1727 : règne de Moulay Ismaïl.	XVIIe-XVIIIe s.	1638-1715 : règne de Louis XIV.
1844 : victoire de Bugeaud à la bataille d'Isly.	XIXe s.	1869 : canal de Suez.
1912 : institution du protectorat. Rabat, capitale du Maroc.	1900 1950	1906 : conférence d'Algésiras : les Français dominent le Maroc.
1912-1925 : Lyautey, résident général.		1914-1918 : Première Guerre mondiale.
1943 : conférence de Casablanca entre Roosevelt, Churchill, de Gaulle.		1939-1945 : Seconde Guerre mondiale.

1953 : exil de Mohammed V.

1956 : indépendance du Maroc, qui devient membre de l'ONU.

1961 : intronisation du roi Hassan II.

1969 : accord commercial avec la CEE.

1975 : la «Marche verte». Accords de Madrid : l'Espagne cède le Sahara occidental au Maroc et à la Mauritanie.

1976 : rupture des relations diplomatiques entre le Maroc et l'Algérie qui soutient le Front Polisario au Sahara occidental.

1988 : rétablissement des relations diplomatiques avec l'Algérie.

1990 : violentes émeutes à Fès, Nador et Tétouan contre la misère.

1992-1993 : création d'un ministère des Droits de l'homme.

1994 : entrée du Maroc dans le GATT. Création de L'Organisation mondiale du commerce à Marrakech.

1996 : nouvelle Constitution qui institutionnalise la Région, la cour des Comptes et le Conseil économique et social.

1997 : victoire de l'opposition aux élections parlementaires.

1998 : Abderrahmane Youssoufi, leader de l'Union socialiste des forces populaires, chef du gouvernement.

1999 : mort d'Hassan II, le 23 juillet. Son fils Mohammed VI lui succède.

2001 : processus d'Agadir qui prévoit l'établissement d'une zone de libre-échange entre certains pays du sud de la Méditerranée.

2002 : mariage de Mohammed VI avec Lalla Salma. Driss Jettou nommé premier ministre.

1951
1970

1971
1980

1981
1990

1991
2001

1953 : guerre d'Indochine. Mort de Staline.

1954-1962 : guerre d'Algérie.

1956 : les troupes de l'Armée rouge à Budapest.

1957 : traité de Rome et création de la CEE.

1961 : construction du mur de Berlin.

1975 : accords d'Helsinki.

1979 : proclamation de la république islamique d'Iran.

1989 : création de l'Union du Maghreb arabe (UMA) entre le Maroc, l'Algérie, la Tunisie, la Libye et la Mauritanie.

1990 : réunification de l'Allemagne.

1991 : guerre du Golfe.

1992-1993 : sommet de la Terre à Rio. Ouverture des frontières européennes.

1997-1998 : crise économique et financière en Asie et en Russie.

1999 : la parité de l'euro est établie.

2000 : nouvelle Intifida dans les Territoires occupés.

2001 : attentats du 11 septembre à New York et à Washington. ∎

El-Maghreb el-Aqsa ou « **le pays de l'extrême couchant** » : en nommant ainsi ce pays, l'envahisseur arabe voulait signifier qu'aucune terre n'existait au-delà. Si le Maroc a les pieds ancrés dans le continent noir, il ne lui appartient ni géographiquement ni politiquement. C'est au-delà de « l'extrême couchant », vers l'Europe, qu'il se tourne résolument pour son développement.

Une économie en mutation

Le Maroc fait partie de ces pays qui attirent les Européens pour y délocaliser leurs activités, à l'image des Américains avec leur voisin du Sud. Mais délocaliser revient souvent à produire moins cher ailleurs, sans qu'il y ait transfert de technologie. Le Maroc doit donc compter sur ses propres potentialités.

Les ressources du sous-sol

Représentant 1/10 des exportations totales du Maroc, le **phosphate** est la première richesse du pays. Le Maroc en est le **3e producteur** et le **1er exportateur mondial**. Les principaux gisements se trouvent à Khouribga (au sud-est de Casablanca) et à Boukra (dans le Sahara occidental). Les usines de Safi transforment le phosphate en acide phosphorique. Toutefois, les difficultés sont nombreuses : comme pour toutes les matières premières, les cours fluctuent ; la concurrence de la Tunisie, autre producteur de phosphate au Maghreb, se manifeste ; enfin,

Carte d'identité

➤ **Situation** : au nord-ouest du continent africain, à 15 km de la pointe espagnole de Tarifa.

➤ **Frontières** : à l'est avec l'Algérie (1 350 km), au sud avec la Mauritanie (650 km), au nord avec les enclaves espagnoles de Sebta (Ceuta) et de Melilla (12 km).

➤ **Côtes** : au nord, sur 500 km de côte rocheuse et découpée, la Méditerranée où la baignade ne présente aucun danger. À l'ouest, sur 3 000 km, l'Atlantique aux rouleaux souvent dangereux.

➤ **Superficie** : 710 850 km^2 (dont 252 000 pour le Sahara occidental).

➤ **Point culminant** : jbel Toubkal dans le Haut Atlas à 4 167 m.

➤ **Climat** : été chaud et sec, hiver doux et ensoleillé, précipitations au printemps et à l'automne.

➤ **Population** : env. 30 millions d'hab. : 31 % de moins de 15 ans, 61 % entre 15 et 60 ans et près de 8 % de plus de 60 ans. Accroissement moyen annuel de la population : 2,06 % (France : 0,4 %). Taux d'urbanisation : 56 %. Densité de la population : 42 hab./km^2 (France : 103). Analphabétisme : 50,5 % (moyenne nationale ; le taux est plus fort en milieu rural, en particulier pour les femmes).

➤ **Capitale** : Rabat (env. 1,4 million d'hab. avec Salé).

➤ **Villes principales** : Casablanca, capitale économique (env. 3,5 millions d'hab.). Fès, capitale intellectuelle (env. 1,2 million d'hab.). Marrakech, capitale du Sud (env. 900 000 hab.).

➤ **Groupes ethniques** : arabe (55 %), berbère (45 %).

➤ **Langue officielle** : arabe classique.

➤ **Langues parlées** : arabe dialectal, berbère (trois dialectes : tarifit, tamazight et tashelhit), français, espagnol.

➤ **Religion** : islam sunnite.

➤ **Régime politique** : monarchie constitutionnelle de droit divin.

➤ **Chef de l'État** : Mohammed VI depuis juillet 1999.

➤ **Premier ministre** : Driss Jettou depuis octobre 2002.

➤ **Monnaie** : le dirham (fin 2002, 10 DH = 1 € env.).

➤ **Principales ressources** : traditionnellement, l'agriculture (agrumes et légumes), aujourd'hui, l'agro-industrie (sucreries, brasseries), l'élevage, les pêcheries, la mécanique et l'électronique (filiales de Peugeot et de Thomson) et le textile (l'un des principaux fournisseurs de la France, de plus en plus concurrencé par les pays asiatiques, d'où une légère baisse des exportations en 2002), les phosphates (3e producteur et 1er exportateur mondial).

➤ **Tourisme** : c'est la 2e source de devises du pays après les transferts des Marocains vivant à l'étranger. ❖

Un trésor nommé « eau »

Canal d'irrigation dans la vallée du Drâa, au sud-est de Ouarzazate.

La recherche de l'eau a toujours été le souci premier des Marocains : une propriété ne vaut rien si elle ne possède pas son puits. L'alimentation en eau courante est loin d'être générale, et il n'est pas rare de voir en ville les enfants chargés de bidons en plastique se rendre à la source. À la campagne, les femmes se retrouvent autour des points d'eau pour la lessive qu'elles étendent sur les figuiers de Barbarie. Cependant, ces scènes auront tendance à disparaître dans les années à venir, un programme de raccordement rural au réseau d'eau potable ayant été mis en place en 1995. En six ans, 48 % des populations ciblées (4,5 millions de personnes) en ont bénéficié dans 10 000 villages. Les efforts se poursuivent pour parvenir à 80 % en 2010.

Cette eau si rare et si précieuse vient de l'Atlantique et de la Méditerranée, poussée par les vents d'ouest et du nord, et bute sur l'Atlas et le Rif. Au-delà des montagnes, l'est du pays connaît un climat continental, marqué par d'importants écarts de température. Le Sud saharien est soumis au régime des vents secs : c'est de là que vient le chergui, qui couvre parfois certaines régions de France d'une mince pellicule de sable roux.

Soixante barrages de plus d'un million de mètres cubes d'eau de capacité ont été construits dans le royaume. Mais avec un potentiel de 14 milliards de mètres cubes d'eau stockés et 50 % des terres cultivables irriguées, le Maroc n'est toujours pas à l'abri des caprices de la météo et donc de sécheresses désastreuses. ❖

le phosphate sert à fabriquer des engrais, ce qui provoque les réticences de clients de plus en plus sensibles aux campagnes de protection de la nature. Le Maroc importe 85 % de ses produits énergétiques et dépense ainsi le quart de ses recettes d'exportation. La production du gisement de **gaz naturel** d'Essaouira est faible : le gaz est donc importé et mis en bouteilles. Le gazoduc Maghreb-Europe reliant l'Algérie à l'Espagne traverse le détroit de Gibraltar à Tanger, procurant au Maroc de substantielles royalties.

On extrait également du fer dans le Moyen Atlas et à Tiznit, du manganèse dans l'Anti-Atlas, du zinc et du plomb dans l'Atlas, de l'argent et du cuivre dans le sud du pays.

L'agriculture à l'épreuve de la modernité

L'agriculture représente un septième de la richesse nationale. Les **conditions climatiques** souvent difficiles, la **sécheresse** (seule 1/6 de la surface agricole utile est irrigable grâce à la politique des barrages), l'extrême **morcellement des propriétés** et le peu de moyens dont disposent la majorité des paysans, entraînent la persistance de méthodes archaïques qui produisent des **rendements** extrêmement réduits. Quelques **machines agricoles modernes** tournent dans les plaines à blé du Rharb et du Souss et on assiste au lancement de **cultures expérimentales** comme celle du thé dans la vallée du Loukos, vers Larache, ou les cultures sous serres (bananes, tomates, poivrons), qui pourraient permettre de stabiliser les revenus des agriculteurs et freiner l'exode rural. Cependant, ces améliorations sont très lentes.

L'État, conscient du phénomène d'accroissement de la paupérisation rurale, a lancé de **grands chantiers** qui visent à corriger les disparités entre la campagne et la ville. Les domaines concernés sont, outre l'**alimentation en eau potable** (*encadré ci-contre*), l'**électrification** des campagnes, la construction de 5 000 km de **routes** et de 6 000 km de pistes pour désenclaver les villages, la lutte contre les effets de la **sécheresse**, l'amélioration de la **santé** avec la construction ou la rénovation de centres médicaux, et le doublement du taux de **scolarisation** (il est passé de 40 % en 1996 à 82 % en 2000).

L'économie

Le taux de croissance du PIB est de 3 % depuis le début des années 1990 (là où un minimum de 5 % était

nécessaire pour créer les emplois tant attendus). Or, on ne peut tout expliquer par les années de sécheresse, les effets du 11 septembre 2001 ou le climat pré-électoral de la fin 2002. S'il est clair que l'État doit continuer à assurer sa mission de service public, il n'est pas normal, dans une économie qui se veut une économie de marché, qu'il demeure le plus gros investisseur. En effet, outre l'esprit rentier qui prévaut chez beaucoup d'investisseurs marocains, les **investisseurs étrangers**, découragés par les difficultés administratives et le manque de garanties quant à la pérennité de leurs entreprises, limitent leurs engagements au Maroc au profit d'autres pays.

L'**ouverture vers l'Europe** apparaît toutefois comme un facteur très positif : le Maroc veut gagner le pari des accords de libre-échange avec l'Union européenne, les États-Unis et les pays sud-méditerranéens, ce qui lui permettrait de conforter son rôle d'axe incontournable entre les trois continents. En attendant, les « **MRE** » (**marocains résidant à l'étranger**) continuent à rapatrier des milliards de dirhams chaque année. Une évolution importante s'est produite : de consommateurs, ils sont devenus investisseurs et, en 2002, les dépôts ont enregistré une hausse d'environ 44 %...

Le tourisme et autres facteurs de développement

Le secteur du tourisme emploie près de **200 000 personnes** et apporte au Maroc 1/5 de ses recettes budgétaires. Mais l'image du pays et les événements extérieurs influent sur ce chiffre : en 1991, les conséquences de la guerre du Golfe ont ainsi fait perdre au Maroc un demi-million de visiteurs. Si en 2000, **deux millions et demi** de touristes se sont rendus au Maroc, l'effet « 11 septembre » s'est considérablement fait sentir en 2002. Le flux touristique est inégalement réparti et profite surtout à **Marrakech** et à **Agadir**.

Suite du texte p. 64 ➤

La plus occidentale des terres d'Orient

Le Maroc est particulièrement favorisé par la nature. L'influence de l'Atlantique et de la Méditerranée, la présence de la haute barrière montagneuse de l'Atlas diversifient le climat. Le Sahara crée au sud une autre limite naturelle, isolant le Maroc du reste de l'Afrique.

Les grandes régions physiques

Le **Rif** est le premier croissant montagneux venant de la cordillère Bétique du sud de l'Espagne et se prolongeant en Algérie par le Tell. Il culmine au jbel Tidirhine, à 2 448 m. La région est très humide: il peut y tomber 1 000 mm d'eau (deux fois plus qu'à Paris). Cette barrière montagneuse longue de 25 km entre Tanger et Melilla rend la côte difficilement accessible. Région de culture traditionnelle du kif, elle a vu les plantations se développer face à la demande internationale, les paysans trouvant là un moyen de décupler leurs maigres revenus.

L'**Atlas** est le deuxième croissant, qui s'étire du massif des Aurès aux chaînons de la dorsale tunisienne. Il est formé de trois plissements parallèles: le plus imposant est le **Haut Atlas**, avec le jbel Toubkal, le plus haut sommet d'Afrique, qui atteint 4 167 m. Au nord, le **Moyen Atlas** culmine au jbel Bou Naceur, à 3 340 m; au sud, l'**Anti-Atlas**, moins élevé (jbel Aklim, 2 531 m), domine les premières palmeraies. De ces montagnes, véritables réserves d'eau, naissent les oueds qui creusent de larges vallées jusqu'à l'Océan.

Le **Rharb** est la plus riche des vallées marocaines. Elle s'étend entre Larache et Rabat. Grenier à blé du pays, le Rharb est irrigué par l'**oued Sebou**, seul fleuve permanent du Maghreb. On y cultive la canne à sucre, le riz et le coton. La vallée se prolonge à l'est par la **trouée de Taza**, entre le Rif et le Moyen Atlas, passage obligé vers l'**Oriental** et la région d'Oujda.

L'Atlantique à Asilah, au sud de Tanger. Sur la côte océane, longue de près de 900 km, les brumes et la brise sont fréquentes.

Le relief du Haut Atlas fait alterner hauts plateaux, pics et massifs trapus. La chaîne compte douze sommets de plus de 4 000 m, couverts par endroits de neiges éternelles.

Les cigognes viennent hiverner longuement au Maroc. Du Nord au Sud, elles nichent sur les créneaux des remparts ou les pointes des minarets.

Dans l'Oriental, les pluies, arrêtées par le Moyen Atlas, se font rares. L'Oriental consacre ses sols pauvres à l'élevage des ovins. Seule la plaine alluvionnaire de la **Moulouya** produit des céréales et fait l'objet d'un important aménagement hydraulique. Jusqu'à la frontière algérienne s'étendent de vastes plateaux presque inhabités. Plus au sud, les **oasis des vallées du Ziz** et du **Drâa** fixent en hiver une population semi-nomade.

Le **Souss** est la plus méridionale des plaines marocaines. D'Agadir aux premiers contreforts de l'Atlas, d'immenses orangeraies et des cultures maraîchères fournissent à l'économie du pays l'essentiel de ses exportations agroalimentaires.

Lézards, faucons, chênes verts, arganiers

Une oasis dans la vallée du Drâa.
Le palmier-dattier, arbre nourricier, protège aussi des ardeurs du soleil les arbres fruitiers et de petits champs de légumes et de céréales.

La variété des reliefs favorise la prolifération des espèces : singes, sangliers, renards, loutres dans le Nord ; gazelles, fennecs, cobras, lézards aux couleurs flamboyantes dans le Sud. Dans la région de Figuig, proche de l'Algérie, vous assisterez peut-être à une chasse au faucon, héritage antique des princes du désert…

La multiplicité des microclimats permet à toutes sortes de **plantes** de s'épanouir : chênes verts, pins et cèdres en altitude, chênes-lièges et thuyas en moyenne montagne, oliviers sauvages, lentisques et arbousiers dans les zones défrichées. Dans le Sud, l'arganier offre l'hospitalité aux chèvres et le palmier-dattier signale la présence de l'eau. Les oueds asséchés voient fleurir dans leur lit, en mai, les lauriers-roses et les tamaris. Quant à l'alfa, il s'accommode des sols arides de l'Oriental. Au Maroc, le déboisement est une cause dramatique d'érosion et de modification de l'environnement. Le reboisement s'opère avec des variétés d'eucalyptus à pousse rapide. ■

L'erg Chebbi
à Merzouga, au sud du Tafilalt, est la plus grande mer de sable du désert marocain. Les dunes peuvent atteindre 150 m de hauteur.

La riche plaine du Saïs,
autour de Fès et de Meknès, encadrée par les montagnes du Moyen Atlas, est plantée de céréales, d'oliviers et d'arbres fruitiers.

Le problème essentiel reste l'équipement du pays en hôtels de catégorie moyenne qui répondraient aux besoins du tourisme individuel, générateur de devises pour le pays. Le projet de développement hôtelier, prévu pour 2010, devrait élargir la capacité d'accueil à plus de 10 millions de personnes avec, en particulier, un gros effort fait dans le domaine du tourisme balnéaire.

Enfin, trois autres secteurs ne doivent pas être négligés : **la pêche**, qui représente un secteur important, grâce aux 3500 km de côtes (le Maroc est le 2e producteur mondial de conserves de sardines, ce qui constitue l'une des principales sources de conflit avec l'Espagne), **l'industrie manufacturière** (agroalimentaire, textile, cuir, biens d'équipement), qui emploie 15 % de la population active, et enfin un **artisanat** d'une très grande richesse et qui se renouvelle en permanence.

La solidarité en question

Pour Mohammed VI, le développement et la solidarité sont indissociables de tout progrès démocratique. L'État a d'ailleurs conclu des accords de partenariat avec des fondations ou associations créées par la société civile. On assiste ainsi aujourd'hui à un véritable plébiscite de cette société civile, qui a su, à travers la création de plus de **50 000 associations**, prendre en charge la défense des **droits humains**, des **droits des femmes**, de l'**environnement**, de la **culture** et œuvrer dans le domaine particulièrement sensible de l'**analphabétisme**. Des fondations dont l'essentiel des actions consistaient à œuvrer dans le domaine social s'engagent désormais dans la voie du **développement durable** : à côté de la création de foyers et de résidences pour jeunes, la Fondation Mohammed-V s'implique dans la formation professionnelle, la modernisation des outils de travail, et la transformation des produits locaux en vue de leur commercialisation.

Autre domaine sensible : l'**emploi**. En permettant la remise au travail de milliers de personnes, la Fondation Zakoura est l'ONG qui aura le plus fait dans ce domaine.

Le peuple marocain

La population

Si elle a doublé en l'espace de trente ans, passant de 15 à 30 millions d'habitants en 2001, la population marocaine a aussi subi de profonds changements. En premier lieu, on assiste à une **baisse importante de la natalité** (3 enfants en moyenne pour une femme contre 6 à la fin des années 1970) ; paradoxalement, ce phénomène n'a pas eu de conséquences sur la taille de la famille (la moyenne nationale se situe toujours aux environs de 5,5 personnes par famille) : cela s'explique par le retard de l'âge du premier mariage (de 17 ans en 1960 à 28 ans en 2000), une cohabitation prolongée due à la difficulté d'accès au logement, conséquence de la crise économique et de son corollaire, le chômage, et par l'**augmentation de l'espérance de vie**. Si les jeunes de moins de 15 ans ne représentent plus que 31 % de la population (contre 46 % dans les années 1970), les plus de 60 ans représentent aujourd'hui 7,4 % de la population avec un pourcentage qui sera identique à ceux de l'Europe et des États-Unis dans une vingtaine d'années.

Enfin, la population s'est **urbanisée**. 56 % des Marocains vivent en ville, un chiffre dû en partie à l'exode rural qui a provoqué l'élargissement du périmètre urbain, mais aussi au taux de progression naturelle de la population qui s'entasse dans des bidonvilles.

Un tissu social complexe

Berbères dans le Sud (*encadré p. 51*), **Arabes** dans le Nord et les cités, population noire des **Haratin** (issus d'anciens esclaves affranchis) dans

Suite du texte p. 66 ▶

Les traditions vestimentaires

*L*a tradition se lit dans l'habillement. Outre l'omniprésence du blue-jean, dont le port sacrifie à d'autres modes, les motifs et les textures signent une appartenance ethnique ou régionale.

En **ville**, les vêtements tournent autour de déclinaisons de la *djellaba* (long vêtement de dessus à manches) ou du *caftan* (robe d'origine persane couvrant les chevilles, boutonnée devant et fendue sur le côté).

À la **campagne**, l'habillement signale l'appartenance tribale ou régionale. Les Rifaines superposent des petites couvertures rayées nouées sur les hanches (*fouta*), jettent sur leur dos des serviettes éponge et se coiffent de larges chapeaux de paille ornés de pompons aux couleurs vives. Les femmes du Tafilalt et de la vallée du Drâa portent le voile noir, le *haïk*, remonté très haut sur le visage, ne découvrant qu'un œil. Celles d'Essaouira se drapent dans un lourd haïk blanc couvrant le corps et la tête. Les femmes Aït-Haddidou jettent sur leurs épaules la *hendira*, couverture noire rayée de couleur.

Les **Arabes** sont voilées, les **Berbères** se parent de bijoux d'ambre et d'argent. Le tatouage sur le front et le menton, souvent un dessin géométrique, éloigne le mauvais sort.

Dans l'extrême Sud et au Sahara, les « **hommes bleus** » doivent leur nom à la couleur de leur tunique (*gandoura*) teintée à l'indigo. Un turban (*litam*) rabattu sur le visage les protège des vents de sable. ■

La *djellaba*, blanche ou brune, sur laquelle les paysans mettent en hiver un burnous en laine, est le vêtement le plus populaire.

La *hendira*, portée par les femmes berbères du Sud.

Le *litham*, turban teinté à l'indigo des hommes du Sud.

l'extrême Sud... La diversité ethnique est encore perceptible.

Elle a pour conséquence une grande **diversité linguistique**. L'arabe classique est parlé par une élite minoritaire. Les nombreux dialectes gênent la compréhension d'une région à l'autre. Le français est largement utilisé dans l'administration et les affaires, tandis que l'espagnol résiste dans le Nord.

Les modes de vie diffèrent eux aussi. Dans le Sud subsistent des **tribus nomades** se déplaçant avec leurs troupeaux et habitant de grandes tentes brunes *(khaïma)* faites de couvertures tissées en poil de chèvre ou de dromadaire. Dans l'Atlas, une population semi-nomade se replie dans les villages en hiver. Quant aux citadins, ils oscillent entre le respect de certains rites et l'occidentalisation de leur comportement.

Le souk, haut lieu de la vie sociale

L'organisation du travail répond à des traditions sociales. **À la campagne**, les grosses tâches comme les labours incombent aux hommes, tandis que les femmes se chargent de la fenaison, des moissons, du ramassage du bois, des soins au bétail... Les très jeunes enfants gardent les troupeaux, souvent au détriment de leur scolarisation.

Le moment fort de la semaine est le jour du **souk**, marché qui se tient le matin au croisement de routes importantes ou dans un lieu clos à la sortie d'un bourg. Des bâches sont tendues, parfois un abattoir en dur a été construit. On y vend les produits de la ferme, on y achète les ustensiles indispensables. Les hommes en profitent pour se faire couper les cheveux, rendre visite au «dentiste» (un arracheur de dents qui expose ses trophées sur un drap à même le sol...), et surtout, bavarder. Le souk est un lieu de rencontres et de commerce. Les femmes descendent à pied des villages avoisinants, les hommes prennent les

ânes ou les charrettes tirées par des mulets et en longues cohortes affluent. Ces marchés prennent le nom du jour où ils se tiennent – *souk el-arbaâ* désigne un marché du mercredi (quatrième jour de la semaine).

En ville, le souk est un regroupement d'artisans ou de commerçants par corporation dans un quartier. Celui des dinandiers ou des tanneurs à **Fès**, celui des teinturiers à **Marrakech** ou des ébénistes sous les remparts d'**Essaouira** sont les plus connus.

Femme en terre d'islam

Au Maroc, la femme n'est l'égale de l'homme ni en fait ni en droit; seule la filiation par les hommes est considérée comme légitime selon le Coran. Elle n'existe que comme fille, épouse et mère. Sa vie est limitée au foyer et à la procréation. En matière de succession, une femme hérite deux fois moins qu'un homme. Juridiquement, le témoignage d'un homme vaut celui de deux femmes. En outre, le droit légalise la polygamie sous condition d'autorisation de la première épouse.

En 1958, un code de statut personnel inspiré des prescriptions coraniques, la *moudawana*, fut adopté. La femme est désormais soumise à vie à la tutelle du père, puis à celle du mari auquel elle doit obéissance.

Cependant, lentement mais sûrement, **la condition de la femme évolue**. En 1993, le roi annonce les modifications de la *moudawana* proposées par une commission royale, mais tous les amendements n'ont pas conduit aux changements souhaités par les féministes.

En 1999, le secrétariat d'État chargé de la protection sociale, de la famille et de l'enfance publie un projet de loi de 215 mesures (fruits d'une année d'échanges entre associations féministes, chercheurs, défenseurs des droits de l'homme) pour l'intégration de la femme: alphabétisation, scolarisation des filles, formation professionnelle, suppression de la polygamie, abolition de la répudiation, instaura-

Le judaïsme marocain

La communauté juive marocaine ne compte plus, de nos jours, que quelques milliers de membres (contre 300 000 en 1947), vivant dans les grandes villes et principalement à Casablanca, où a été ouvert, il y a peu de temps, un musée du Judaïsme marocain *(p. 118)*.

De nombreux facteurs expliquent le départ des juifs vers Israël, la France ou le Canada mais la communauté marocaine reste, néanmoins, la plus importante des pays arabes. On trouve des traces de la présence juive dans de nombreuses villes du Maroc (Sefrou, Azzemour, El-Jadida, Tétouan...) et la Fondation du patrimoine culturel judéo-marocain a entrepris, depuis peu, d'assurer la restauration de certains d'entre eux (la synagogue Danan, à Fès, par exemple). Simon Lévy, auteur de *Essais d'histoire et de civilisation judéo-marocaines*, en est, en grande partie, le maître d'œuvre. ❖

tion du divorce judiciaire... Le débat est relancé : islamistes et *oulémas* s'opposent aux propositions de réforme de la *moudawana* qu'ils jugent contraire à la loi islamique. Le 12 mars 2000, deux grandes manifestations ont lieu à Casablanca et à Rabat, respectivement contre et pour un nouveau statut de la femme. En sa qualité de Commandeur des croyants, Mohammed VI tranchera le débat en prenant en compte les finalités des engagements internationaux en la matière.

Monarchie et islam

Au lendemain de l'indépendance du Maroc, la monarchie est devenue le pilier central du pays où le roi incarne à la fois une autorité spirituelle et politique, qu'il exerce conformément à la Constitution : « le Royaume du Maroc est un État musulman », et selon l'article 19, « le roi [...] représentant suprême de la nation, symbole de son unité, garant de la pérennité et de la continuité de l'État, veille au respect de l'islam et de la constitution... ». Ce pouvoir religieux date de l'avènement de la dynastie alaouite en 1659. Celle-ci a fondé son empire sur l'adoption du modèle classique du califat et sur l'origine chérifienne des Alaouites considérés comme des descendants de Mahomet par sa fille Fatima.

Le calife est le vicaire du Prophète, chef de la communauté musulmane ; le pouvoir revient à Dieu, seul législateur par excellence, et cette fonction doit être aussi attribuée au prophète envoyé auprès de la communauté.

Dans la tradition sunnite de rite malikite adoptée au Maroc, le roi est également tenu par les liens d'allégeance (*bai'a*) que lui prête le peuple marocain. Pourtant, cette légitimité spirituelle et la création d'un ministère des Affaires religieuses n'ont pas empêché l'émergence d'une opposition. En effet, des organisations islamiques contestent le monopole religieux de la monarchie.

Depuis les années 1970, plusieurs facteurs sont à l'origine de cette mouvance : bouleversement des rapports sociaux traditionnels par les médias, ruralisation des villes (exode rural en période de crise ou de sécheresse), montée du chômage, pauvreté, etc. Ainsi, très tôt, le mouvement islamiste a exprimé son refus du système politique en proposant le retour à l'islam pour redonner un fondement sacré à la société.

Dès lors, il ne s'agit plus de moderniser l'islam (démarche des réforma-

Les cinq piliers de l'islam

Prière de l'Aïd el-Kebir dans le palais du sultan au début du XXe s.

L'islam, « soumission à Dieu », se fonde sur le **Coran**, livre transmis au dernier des Prophètes, Mahomet (Mohammed), dans lequel Allah a dicté son message, et sur la **Sounna**, qui énumère les obligations réglementant les institutions (famille, mariage, divorce, État...). Le Coran s'étudie dans les écoles coraniques, où les enfants psalmodient des *sourates* (chapitres) du livre saint.

Les cinq règles fondamentales du croyant ont été édictées par Mahomet :

– la **profession de foi** *(chahadda)* affirme qu'il n'y a pas de Dieu autre qu'Allah et que Mahomet est son messager ;

– la **prière** *(salat)* : les cinq prières canoniques quotidiennes portent le nom de l'heure à laquelle elles doivent être accomplies. Prière de l'aube *(al-sobh ou al-fajr)*, du milieu du jour *(al-zuhr)*, de l'après-midi *(al-'asr)*, du coucher du soleil *(al-maghrib)*, du soir *(al-'isha)*. La *salat* est précédée d'ablutions purificatrices. Le croyant prie tourné en direction de La Mecque. Le vendredi midi a lieu la prière collective ; les commerçants ferment boutique et l'on écoute jusque dans la rue le prêche des imams ;

– l'**aumône légale** *(zakat)* : *zakat* signifie « être pur » au sens de vertu ou de purification, avant de prendre le sens de charité et de don. Le *zakat* est un impôt prélevé sur les musulmans fortunés au profit des pauvres et de la communauté ;

– le **jeûne** *(saoum)* s'observe pendant le ramadan, neuvième mois de l'année hégirienne. Les musulmans pubères doivent s'abstenir de manger, de boire, de fumer et d'avoir des relations sexuelles du lever au coucher du soleil. Le jeûne est alors rompu avec un bol de *harira*, soupe épaisse à base de tomates, de lentilles (ou de pois chiches) et de petits morceaux de viande. La fin du ramadan est marquée par l'Aïd es-Seghir (« petite fête »), jour de grâce et de pardon ;

– le **pèlerinage à La Mecque** *(hajj)* doit être accompli par ceux qui en ont les moyens. Le pèlerin peut se faire appeler *hadj*. Des entreprises paient parfois le voyage à leurs employés méritants.

L'islam interdit en outre le vol, le prêt à intérêt, l'usure, la consommation de porc et d'alcool. ❖

teurs musulmans), mais bien d'«*isla-miser la modernité*» selon la formule d'Abdessalam Yassine, il y a près de vingt ans.

La vie culturelle

La vie culturelle marocaine se fait l'écho des diversités linguistiques et ethniques du pays, comme des différences de niveau de vie et d'appartenance sociale.

La **culture des couches aisées**, outre sa parenté avec la culture occidentale, se caractérise par un bouillonnement intense dans tous les domaines : la presse, qui aborde tous les sujets de société ; la littérature (en témoignent les bibliothèques de plus en plus courantes au sein des familles) ; la peinture (cet art que l'on peut considérer comme neuf au Maroc s'est beaucoup développé en quelques décennies) ; le cinéma, qui joue un rôle essentiel dans l'évolution sociale ; et le théâtre, qui se renouvelle grâce à des hommes comme Tayeb Saddiki ou Nabyl Lahlou. La **culture populaire** n'est pas en reste et la télévision joue un rôle majeur dans sa diffusion, avec les programmes en arabe dialectal (théâtre, sitcom) et les émissions venant du monde entier, grâce aux antennes paraboliques qui fleurissent partout. Ce phénomène touche également les campagnes, où domine encore la culture orale traditionnelle.

La littérature

Mohammed Aziz Lahbabi (*Les Chants d'espérance*, 1952), philosophe, poète et nouvelliste, est le précurseur de la **littérature marocaine en langue française**. Son contemporain **Ahmed Sefrioui** obtient le Grand Prix littéraire du Maroc en 1949 pour son premier livre, *Le Chapelet d'ambre*. En 1954, il raconte son enfance à Fès dans *La Boîte à merveilles*. Quant à **Driss Chraïbi**, dès 1954, il s'attaque à la société marocaine avec des textes au vitriol, comme *Le Passé simple* (1954), roman devenu un classique. C'est un texte violent, une révolte contre le

père, la bourgeoisie et l'islam sclérosé et figé, qui fit scandale à l'époque.

Dans les années 1960-1970, les écrivains suivent la voie ouverte par Driss Chraïbi : militants, ils s'attaquent aux structures patriarcales d'une société encore marquée par la prédominance du groupe familial sur l'individu ; par ailleurs, ils posent le problème de l'identité et du rapport aux autres, à l'Autre, comme **Abdelkébir Khatibi** dans *La Mémoire tatouée* (1971).

La renommée de **Tahar Ben Jelloun** n'est plus à faire, depuis l'attribution du prix Goncourt en 1987 pour *La Nuit sacrée*, roman porté à l'écran en 1993 par Nicolas Klotz.

Dans les années 1990, on assiste à une évolution vers une plus grande liberté d'expression et le besoin de démystification du passé. Se développe alors « **la littérature de prison** » qui voit apparaître les ouvrages d'anciens prisonniers du bagne de Tazmamart ou de la prison de Kénitra, qui témoignent sur l'enfermement et la torture, comme **Abdellatif Laâbi**, **Salah el-Ouadié** ou **Ahmed Marzouki**.

L'usage de la langue française perdure chez des auteurs confirmés comme **Abdelhak Serhane** (*Le Deuil des chiens*, 1998) ou de jeunes auteurs qui forment la nouvelle génération comme **Fouad Laroui** (*Les Dents du topographe*, 1996) et **Mahi Binebine** (*Pollens*, 2001).

La **littérature en langue arabe**, quant à elle, s'était assoupie. Elle traitait, dans une langue convenue, de thèmes peu propices à l'évolution des choses. Puis vint **Mohamed Choukri** qui osa l'émanciper dans *Le Pain nu* (1952), où il raconte son enfance et son adolescence misérables à Tanger et dans le Rif. Aujourd'hui, des écrivains tels que **Driss Khoury**, entre autres, continuent de la revivifier, de la renouveler en la libérant des idéologies dominantes, tandis que l'on voit apparaître une nouvelle catégorie d'auteurs bilingues arabe-français, tels que **Bensalem Himmich**, philosophe, romancier et poète en arabe, essayiste en français.

En ce début de XXIes., dans cette littérature nationale en train de se forger, on peut aussi saluer la place occupée par les femmes : parmi elles, **Bahaâ Trabelsi** (*Une femme tout simplement*, 1995), **Nadia Chafik** (*À l'ombre de Jugurtha*, 2000), **Soumaya Naamane Guessous** (*Printemps et automne sexuel*, 2000), qui aborde en sociologue la sexualité féminine.

La tradition littéraire d'expression berbère et arabe dialectale est surtout orale. Elle est constituée de poèmes, contes, légendes, proverbes et dictons racontés dans différents espaces publics (places, souks, cafés, etc.).

La fête en musique

S'il est un art majeur au Maroc, de par la place qu'il occupe dans la vie de tous, c'est bien la musique. Héritage berbère, influences gréco-romaines, juives, arabes, africaines et andalouses : sa grande variété de genres, de styles et de rythmes est le reflet des mélanges humains et culturels qui ont fait l'histoire du pays.

Dans le patrimoine musical classique, on trouve le *sama,* musique sacrée qui exalte les vertus du Prophète par des chants à l'unisson. Utilisée lors des moussems, elle est rythmée de battements de mains. La musique profane est représentée par la tradition araboandalouse : l'*ala*, reprend en arabe littéral d'anciens chants andalous (eux-mêmes originaires d'Orient), accompagnés du rebab à deux ou trois cordes, du luth à quatre cordes et du petit tambourin ; sa version populaire, le *melhoun*, accompagne de battements de mains et d'une mandoline à deux cordes des mélodies chantées en arabe dialectal.

À la campagne, chants et danses sont intimement liés. Les chants berbères (*ahouach* dans le Haut-Atlas, *ahidous* dans le Moyen Atlas) sont rythmés par des tambours, des hautbois ou des flûtes de roseau et accompagnés de danses. La *daqqa* de Marrakech et la musique **gnaoua** *(encadré p. 127)* mêlent influences africaines, sahariennes et berbères et accordent une place prépondérante aux percussions.

Une nouvelle tendance se détache de la musique traditionnelle, remettant à l'honneur une musique longtemps ignorée, l'**ayta** : elle est chantée et dansée par les *chikhates*, des femmes originaires de l'Atlas qui parlent d'érotisme et évoquent des faits divers avec une grande liberté d'expression. Dernier-né, le ***chaabipop*** a été créé par les jeunes des grandes villes pour se détacher de la musique *chaabi* (populaire) traditionnelle (celle de Nass el-Ghiwane ou de Jil Jilala), ou de l'*asri* (spécialité de Abdelwahab Doukkali et de Abdelhadj Belkhayat), fortement inspirée de la musique égyptienne. Les jeunes optent également pour le **raï** – qui a ses vedettes marocaines : Cheb Amrou et Cheb Mohammed Raï – et pour la techno !

Qui dit musique dit aussi **danse** – non celle des spectacles folkloriques, mais celle venant de l'expression collective d'un groupe voulant préserver son identité. Dans le **Rif**, la danse est d'inspiration guerrière ; des armes sont associées aux mouvements des corps et des coups de feu ponctuent chaque scène. Chez les **Chleuhs du Haut Atlas**, l'*ahouach* salue l'arrivée du printemps. Les femmes dansent autour des hommes, qui tapent sur des *bendirs* (tambourins dont la peau est tendue à la chaleur d'une flamme). Dans le **Moyen Atlas**, hommes et femmes font une sorte de ronde, l'*ahidou*, tandis que, dans le **Sud**, la chaleur du sable exalte les passions : certains soirs règne la *guedra* lorsqu'une femme seule, voilée, danse au milieu des hommes au son lascif d'un tambour de terre cuite. Un long moment s'écoule avant que la femme, épuisée, ne s'effondre en transe.

La peinture

Après l'indépendance en 1956 rentrèrent au pays tous ceux qui avaient étudié à l'étranger avec la volonté de donner un nouveau souffle à l'art et la culture marocains. Ils puisèrent leur inspiration dans la calligraphie et la rigueur géométrique – la tradition interdisant la représentation de la figure humaine; ces formes nourrirent, à travers leur modernisation, l'évolution de l'art abstrait.

Parmi les grands noms de l'**abstraction**, citons **Cherkaoui** qui, après avoir fait ses débuts dans la calligraphie, a plongé corps et âme dans l'art abstrait en s'inspirant d'éléments pris dans le patrimoine culturel (les tatouages en particulier), et **Fouad Belamine**, dont la peinture s'inspire des murs usés de la médina de Fès (sa ville natale), car ils portent des traces de vie.

En ce début du XXIᵉ s., l'**École tétouanaise**, créée en 1945 et qui marqua la naissance de l'école figurative, se porte très bien. On assiste à l'éclosion de la troisième génération de peintres dont **Rabih Adil** et **Mehdi Marin** font partie.

Aujourd'hui, comme ailleurs, la tendance est à l'**art conceptuel**, avec l'utilisation de pierres, de sables et autres matériaux bruts. Citons **Khalil el-Ghrib**, qui récupère de vieux matériaux puis les laisse «évoluer, vivre» jusqu'à leur disparition totale à l'image de notre nature éphémère. Mais aussi **Abderahim Yamou**, ou encore **Mahi Binebine**, jeune peintre à la carrière internationale, par ailleurs écrivain de talent, qui illustre parfaitement la peinture marocaine contemporaine.

Elle est, d'autre part, dans la consécration des **peintres naïfs d'Essaouira**, hommes et femmes sans formation artistique – maçons, pêcheurs ou mécaniciens – qui se sont mis à peindre leurs rêves: art «tribal» aux couleurs éclatantes, foisonnement d'animaux ou de personnages oniriques, cette peinture est fondée sur la magie marocaine, formée de signes et de symboles venus de la culture ancestrale. Le Danois Frédéric Damgaard, en ouvrant une galerie à Essaouira en 1988, a contribué à révéler ces authentique talents.

Le cinéma

C'est dans les années 1970 qu'eut lieu le véritable démarrage de la création cinématographique marocaine avec *Wechma* (*Traces*, 1970) de **Hamid Bennani**, qui traitait du combat entre l'archaïque et le moderne. La plupart des cinéastes qui avaient étudié en Europe ou dans les pays de l'Est (les frères Derkaoui, Mohamed Reggab, Ahmed Bouanani, Ahmed el-Maanouni) essayaient alors de créer un cinéma d'auteur, militant.

Dans les années 1980-1990, avec entre autres **Abdelkader Lagtaa** (*Les Casablancais*, 1999) et **Mohamed Abderrahman Tazi** (*À la recherche du mari de ma femme*, 1993), la tendance fut de créer un **cinéma populaire** pour réconcilier le public marocain avec le grand écran.

Une femme émerge dans ce monde d'hommes: **Farida Belyazid** qui, dans ses deux principaux films (*Une porte sur le ciel*, 1988 et *Ruses de femmes*, 1999), traite de la dualité des cultures européenne et arabo-musulmane et s'intéresse au comportement des femmes dans la société marocaine.

On assiste aujourd'hui à l'émergence de «la nouvelle vague» du cinéma marocain avec **Noureddine Lakhmari**, **Faouzi Bensaïdi**, **Leïla Marrakchi**, **Meriem Bakir**, **Narjiss Najjar** ou encore **Nabil Ayouch**. Ce dernier est le type même du jeune réalisateur qui ose aborder ouvertement les vrais problèmes de la société marocaine: il s'attaque avec *Mektoub* (1997) aux problèmes que posent la corruption, la culture du haschich et surtout, la quête d'identité, et dans *Ali Zaoua, prince de la rue* (2000), il nous fait vivre, à travers un conte onirique, la dure vie des enfants des rues de Casablanca.

Avec les nombreux festivals de cinéma marocains – le dernier-né étant le Festival international de Marrakech- et les studios existants ou en cours de création, le cinéma a un bel avenir devant lui au Maroc. ∎

SUR PLACE

Ci-contre : dans la vallée du Drâa,
l'un des multiples villages fortifiés
par les Berbères.
Construits à des fins défensives,
ils abritent des fermes et des greniers
collectifs. Les murs accrochent
la lumière, mais lui font barrage
grâce à l'étroitesse des fenêtres.

Ci-dessus : les portes des villages
fortifiés du Sud marocain sont
en cèdre, chêne ou noyer sculpté.

TANGER, LE RIF ET LA CÔTE MÉDITERRANÉENNE

Les attraits surannés de la belle Tanger, les criques secrètes de la côte, les falaises et les gouffres spectaculaires des paysages de montagne, les villes lumineuses du bord de mer ou de l'arrière-pays (Tétouan, Chefchaouen, Taza…), voilà ce qui fait le charme d'une région à part, isolée du reste du Maroc par la chaîne du Rif. Une région qui n'a jamais bénéficié des mêmes égards que le Sud et qui reste rebelle, à l'image de ses montagnards hostiles à tout pouvoir, dont le plus célèbre d'entre eux, Abd el-Krim *(encadré ci-contre),* lutta contre l'occupant espagnol.

L'ISOLEMENT DU RIF

Si le Nord a été délaissé, c'est en raison de sa **situation géographique** – le Rif tombe à pic dans la Méditerranée –, de son climat rude en hiver, de l'absence de liaisons routières que l'on impute au colon espagnol. Une «route de l'Unité» a bien été tracée entre Fès et Ketama après l'indépendance, mais il aurait fallu faire plus : désenclaver les villages, créer sur place de petites entreprises, développer les ports de pêche…

Le tir a été rectifié et de récentes directives donnent la priorité à l'équipement de la région méditerranéenne. Vingt milliards de

Abd el-Krim

Le 1er février 1922, le chef rifain se proclame président de la République confédérée des tribus de la région. Un projet politique dangereux pour l'Espagne comme pour la France, qui voit d'un mauvais œil la constitution d'un État musulman moderne. Il faudra toute la puissance de feu des deux pays pour réduire cette rébellion en 1926, avec le renfort de dix escadrilles d'aviation. Arrêté, Abd el-Krim est exilé à la Réunion, s'en échappe vingt ans plus tard et se réfugie en Égypte. À sa mort, en 1963, il a droit à des funérailles grandioses organisées par le colonel Nasser. Il reste le symbole de toutes les résistances, à l'occupant espagnol hier, au pouvoir central aujourd'hui. ❖

Abd el-Krim, né à Adjir dans le Rif en 1882, était un guerrier redoutable. Il écrasa les Espagnols à Annoual en 1922, laissant 18 000 victimes sur le champ de bataille.

dirhams sont consacrés à cette tâche, avec des aides de l'Union européenne. Dans la perspective « 10 millions de touristes à l'horizon 2010 », sont prévus la création de deux complexes touristiques sur la baie de Tanger, de complexes artisanaux, d'une nouvelle gare ferroviaire à Tanger, l'aménagement d'espaces verts… Les communications s'améliorent. L'autoroute venant de Casablanca et de Rabat sera prolongée jusqu'à Tanger. Une **route côtière** devant relier tout le littoral méditerranéen jusqu'à Saïdia est en projet. Dédoublement de voies et création de rocades sont prévus pour fluidifier la circulation, routes et pistes sont créées pour désenclaver certains villages de l'arrière-pays. Les Marocains avancent deux bonnes raisons pour obtenir des fonds : outre la contrebande (20 000 Tétouanais font chaque jour l'aller-retour à Sebta pour rapporter des produits venant d'Espagne), le Rif est le pays du kif et de l'immigration. « Traitez les dossiers à la base, disent-ils, aidez-nous à éradiquer la culture du cannabis et vous aurez moins de dealers en Europe ; créez des emplois chez nous et vous aurez moins de clandestins chez vous. »

LE RIF ET LA CÔTE MÉDITERRANÉENNE

D'où la mise en place d'une stratégie de développement rural dans les provinces du Nord avec la volonté de procéder à une décentralisation accélérée pour faciliter entre autres les démarches administratives.

RELEVER LES DÉFIS

Le développement de la côte méditerranéenne ne peut ignorer les régions orientales. Le Nord-Est est aride et délaissé. **Oujda**, la ville principale, n'est qu'un supermarché pour les voisins algériens qui s'y fournissent de ce qui est hors de prix chez eux, et elle souffre de la nouvelle rigidité des frontières due à la situation algérienne. Elle est, avec **Aïn Bénimathar** et **Figuig**, plus au sud, l'un des trois points de passage sur 1 350 km de frontière. Symboliquement, la première rencontre entre le roi Hassan II et le président algérien Benjedid a d'ailleurs eu lieu près d'Oujda en 1983.

Cette région orientale a pourtant des potentialités propres, ne serait-ce que grâce à ses **mines de plomb et de zinc** à Bou Bekr, de **charbon** à Jerada. Si leur exploitation est onéreuse, c'est parce que le manque d'infrastructures ne permet pas d'écouler facilement la production. Sur le plan agricole, la

MER MÉDITERRANÉE

Cap des
Trois-Fourches

Charrana

l-Hoceima
Peñon de
Alhucemas

Ajdir
Zouren
Beni-bou-
Ayach
Temsaman

Nador

Melilla

Sebkha
Bou-Areg
Ras-
Kebdana
Îles Chafarinas
Cap de l'Eau

Selouane
Kariat-
Arkmane
Saïdia

ALGÉRIE

Driouch
P 39
U. Rhis
P 39
O. Nekor

Arba-
aourirt
Kassita
Midar
S 333
Berkane
P 27

Gorges du Zegzel
Grotte du Chameau
S 308
P 27

Taforalt

R
I
F
Barrage
Mohammed-V
Barrage de
Mechra-Homadi
Monts des
Beni-Snassen
Aïn-Sfa

Aknoul
S 312
O. Moulouya
P 1
El-Aïn
OUJDA

Taourit

Guercif
Jerada

Taza
P 1
Cascades de
Ras-el-Oued
P 19

Col de Sidi-Mejbeur
1 198
S 329
Aïn-Bénimathar

0   20   40 km

↓ FIGUIG

plaine de la Moulouya, terre essentiellement céréalière, est riche. Le barrage Mohammed-V, près de Taourit, est l'un des plus grands du royaume.

Toutes les mesures envisagées ainsi que les potentialités offertes par cette région devraient inciter les voyagistes à inclure la côte méditerranéenne dans leurs circuits, afin qu'elle soit autre chose qu'une simple zone de transit entre l'Europe et l'Afrique.

Les Marocains, quant à eux, sont animés du désir de changer l'image de marque de cette région qui est la vitrine du Maroc vers l'Europe.

Un tunnel sous le détroit?

Ce projet fou – relier le Maroc et l'Espagne entre le cap Paloma et le cap Malabata par un **tunnel de 38 km de long**, dont 28 sous la mer à une profondeur plus importante que pour le tunnel sous la Manche – est un peu plus qu'un rêve. Un projet japonais prévoit même des vérins pour adapter le tunnel à la dérive des continents qui modifie la distance entre les plaques africaine et européenne. ❖

Tanger* et ses environs

Porte de l'Occident ou tête de pont de l'Orient, Tanger a le charme et la nostalgie des villes frontières. Elle commande l'entrée du **détroit de Gibraltar** où passe un bateau toutes les 9 mn et verrouille la Méditerranée. Ce n'est pas pour rien que Londres se maintient à Gibraltar et l'Espagne à Sebta (Ceuta).

UNE VILLE STRATÉGIQUE

La mythologie dérobe à l'histoire le privilège de sa fondation : l'honneur en revient en effet au géant **Antée**, qui lui donna le nom de son épouse, **Tingis**. Phéniciens, puis Carthaginois l'occupèrent avant qu'elle ne devienne la capitale de la Mauritanie tingitane, sous le contrôle de Rome. Après l'invasion arabe, Tanger fut le point de départ de la conquête de l'Espagne en 711. Lorsque cette dernière fut accomplie, la ville devint la plaque tournante des luttes qui opposèrent pendant plusieurs siècles les Arabes d'Espagne, du Maroc et de Tunisie. Parallèlement, elle commerçait avec les autres ports méditerranéens. Elle changea de mains plusieurs fois entre les XIVe et XVIIe s., appartenant successivement aux Portugais, aux Espagnols, aux Anglais. La convoitise européenne s'amplifia après la conquête de la ville par **Moulay Ismaïl** en 1684 (*encadré p. 153*), chaque puissance voulant posséder l'avantage stratégique que garantissait son occupation.

Ce déchirement allait curieusement aboutir en 1923 à l'instauration d'un statut de «**ville internationale**», sous lequel Tanger connut son âge d'or. Tout était permis, affaires juteuses, trafics, aventures. Le long du **boulevard Pasteur**, trait d'union entre la ville moderne et la médina, les changeurs de devises occupaient les trottoirs. Le client allait de l'un à l'autre et gagnait en quelques minutes de quoi s'exhiber, le soir, au cocktail offert par une princesse russe ou un vieux lord écossais. L'aubaine dura un peu plus de trente ans, jusqu'à l'accession du Maroc à l'indépendance, le

Programme

Si vous arrivez par ferry-boat, laissez votre voiture au **port I-B1** et montez à pied vers la **médina plan II** et la **kasbah I-AB1** *(p. 80)*.

Si vous arrivez en voiture du sud du pays, dirigez-vous jusqu'à la **place du 9-Avril-1947 I-AB1** *(p. 79)*, où vous pourrez vous garer (vous risquez de rencontrer quelques difficultés le matin en raison de l'affluence), et continuez la visite en marchant.

La médina de Tanger n'est pas très étendue ; on peut en voir l'essentiel en 3 h environ, visite des musées comprise. Faites attention le soir aux rencontres de passage : Tanger reste malgré tout la ville des «mauvais garçons» et des «femmes fatales». Mais, plus qu'une ville à visiter, Tanger est une ville à vivre et à apprécier lentement. Après tout, beaucoup d'écrivains et d'artistes y résident encore ! ❖

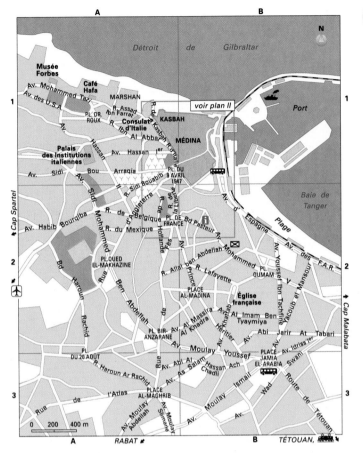

TANGER I : PLAN D'ENSEMBLE

29 octobre 1956. Du jour au lendemain, un monde s'écroula. Le rattachement de Tanger au reste du royaume remit en question la vocation même de la ville. Des tonnes de lingots d'or prirent la direction de l'aéroport...

Aujourd'hui, les changeurs ont plié bagage, les trafiquants sont allés chercher d'autres havres de liberté... Les princesses russes et les lords écossais se sont repliés sur leurs souvenirs : de ce Tanger-là, il ne reste qu'un mythe.

➤ *Plan I (ensemble) ci-dessus*, **plan II** *(médina) p. 81.* **Informations pratiques** *p. 97.*

La ville moderne

➤ *Rendez-vous à la place du 9-Avril-1947* **I-AB1** *en voiture ou, mieux, en taxi, car il peut être difficile de s'y garer.*

➤ **LA PLACE DU 9-AVRIL-1947 I-AB1.** Elle portait autrefois un nom bien plus évocateur de ce qu'elle représente vraiment à Tanger : le « **Grand Socco** », comme on continue de l'appeler ici. Sur cette vaste place sans forme bien définie règne en permanence le désordre habituel des marchés.

Au nord, s'ouvre le **parc de la Mendoubia II-A2**, ainsi nommé

Tanger « la blanche » au début du XXᵉ s., étalée en amphithéâtre autour de sa baie.

parce que le *mendoub*, représentant du sultan auprès de la commission internationale qui gérait la ville avant l'indépendance, y résidait. Le ficus à l'entrée aurait près de huit siècles! Remarquez le beau minaret de la mosquée de Sidi-bou-Abid.

➤ **Autour de la place de France** I-AB2. Au sud de la place du 9-Avril-1947, la rue de la Liberté croise à g. l'escalier Waller qui descend vers le charmant **souk des Tisserands**, dans un ancien caravansérail, puis elle remonte vers la **place de France** I-AB2, d'où l'on atteint, au début du boulevard Pasteur, la « **terrasse des paresseux** », offrant une vue panoramique sur le port et la baie.

➤ **Vers le front de mer**. À l'ouest de la place de France, la rue de Belgique rejoint l'avenue Sidi-Mohammed-ben-Abdellah, d'où surgit le **palais des institutions italiennes** I-A1 (*demandez au gardien pour visiter*), construit en style mauresque entre 1908 et 1914. Il accueille des événements culturels.

La médina

➤ *On y pénètre par la rue es-Siaghine (des Bijoutiers)* II-AB2.

➤ **Au sud**. En bifurquant tout de suite à dr., rue Touahine, on trouve au n° 44 la **Fondation Lorin** II-B2 (*ouv. t.l.j. sf sam. et fêtes 11h-13h et 15h30-19h30*). Abritée par une ancienne synagogue, elle est consacrée à la mémoire photographique et cinématographique de Tanger de 1918 à 1958. La rue Kadi-Temsamani voisine conduit à la ♥ **légation américaine*** II-B2 (*ouv. lun.-ven. 10h-13h et 15h-17h ou sur r.d.v.* ☎ *039.93.53.17*), installée au n° 8 de la rue d'Amérique depuis 1821. Peintres marocains et étrangers, salons rétro, bibliothèque : on y savoure ici aussi l'atmosphère de l'âge d'or de Tanger. C'est un lieu magique.

➤ **Autour du Petit Socco**. De retour sur la rue es-Siaghine, on atteint le **Petit Socco** II-B2, placette bordée de vieux hôtels; le **Fuentes** accueillit Camille Saint-Saëns et William Burroughs. Au-delà du

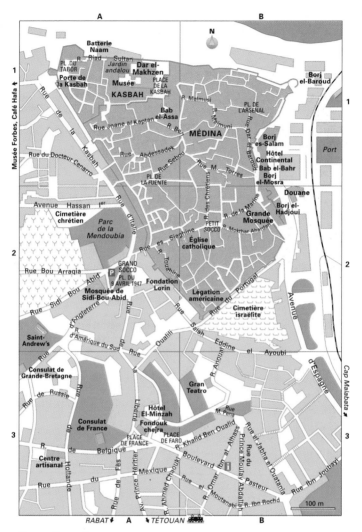

TANGER II : LA MÉDINA

Petit Socco, la rue de la Marine longe la **grande mosquée II-B2**, érigée au XVIIᵉ s. par Moulay Ismaïl. Plus bas, une terrasse domine le port. Les remparts sur la mer sont garnis de 3 *borjs* dont les pièces d'artillerie défendaient la ville contre les navires ennemis.

▶ **AUTOUR DE LA PLACE DE LA KASBAH**. À la hauteur de la porte de la Mer (Bab el-Bahr) **II-B1**, prendre la rue Mohammed-Torres vers la **kasbah* II-A1**. Elle se prolonge par la **rue Ben-Raisoul II-AB1**, où l'on peut voir des artisans à l'œuvre, et aboutit à la **place de la Kasbah II-A1**. Au sud de la place, après avoir passé Bab el-Assa, la **Fondation Carmen-Macein** expose des lithographies. Si elle est fermée (c'est souvent le cas), contentez-vous d'admirer sa belle architecture.

Café d'artistes

Dans une ruelle à dr. du lycée Khansa, dans l'avenue Mohammed-Tazi, se cache le ♥ *Café Hafa* «la Falaise» **I-A1**. Derrière sa porte anonyme (pas d'enseigne, mais demandez, tout le monde connaît!) s'ouvre une terrasse de verdure qui contemple la mer. Installez-vous au sommet de la terrasse pour profiter de la vue.

L'écrivain Paul Bowles et bien d'autres sont venus y rêver devant un thé à la menthe *(f. la journée pendant le ramadan).* ❖

Au fond de la place, une esplanade permet de contempler la mer; à g. se dresse le **Dar el-Makhzen* II-A1**, un palais construit pour le sultan Moulay Ismaïl et remanié plus tard, qui abrite le **musée des Arts marocains et des Antiquités** *(ouv. t.l.j. sf mar. 9 h-12 h 30 et 15 h-17 h 30; entrée payante).* Le vestibule décoré de bois peints et sculptés débouche sur un magnifique patio bordé de petites salles. Le **musée des Arts marocains**, installé dans les appartements d'apparat, expose les objets les plus typiques de chaque région: céramique, poterie, tapis (de Rabat notamment), costumes, broderies, bijoux, dinanderie... Une salle est consacrée à la présentation d'une mariée. Le **musée des Antiquités** occupe les anciennes cuisines. Il contient de belles pièces retrouvées sur les sites antiques, dont la mosaïque de Volubilis dite *Navigation de Vénus** et des copies de bronze dont les originaux sont à Rabat. Une section est consacrée à l'his-

toire de la région de Tanger. Un **jardin andalou** complète la visite.

La rue Riad-Sultan, au nord de la place, longe le mur extérieur de la kasbah côté mer et débouche sur la **place du Tabor II-A1**, où la porte de la Kasbah marque la limite de la médina. En tournant à g. dans la rue de la Kasbah, que prolonge la rue d'Italie, vous reviendrez au Grand Socco **II-A2**.

Les environs de Tanger

Que l'on se dirige vers l'Atlantique ou vers la Méditerranée, la route côtière enchante par une succession de vues plus impressionnantes les unes que les autres.

➤ *Carte p. 76.*

Le cap Spartel* et les grottes d'Hercule*

➤ *Comptez env. 2h. Quittez Tanger par la rue de Belgique, puis suivez les panneaux «La Montagne, cap Spartel». Hébergement au cap Spartel p. 97.*

Réalisez cette excursion en fin d'après-midi, quand le profil des roches déchiquetées prend tout son relief.

➤ **LA MONTAGNE.** Franchissant l'oued El-Ihoud, la route grimpe vers **la Montagne**, quartier résidentiel qui domine la ville et la baie. Sur la dr. se trouve le palais d'été du roi *(pas de visite).* Plus loin à dr., une petite route conduit au **belvédère de Perdicaris** donnant sur le détroit de Gibraltar et, par temps clair, sur la côte espagnole. Après l'entrée du **parc Donabo**, où poussent des pins parasols, prenez à dr. puis à g. en direction du relais hertzien; un panorama grandiose s'étend à perte de vue sur les côtes espagnole et marocaine, jusqu'à Gibraltar et Sebta.

➤ **LE CAP SPARTEL***. Il marque l'extrémité nord-ouest du continent africain. Son phare balaie les eaux de l'Atlantique. Revenez sur vos pas, puis suivez la route des grottes d'Hercule. La **côte rocheuse**, abîmée par quelques constructions, se transforme par moments en plage de sable fin, où affleurent des écueils. Les baignades sont très dangereuses. Attardez-vous à la terrasse panoramique du restaurant *Le Mirage.*

➤ **LES GROTTES D'HERCULE***. *Entrée payante.* Avec leur aspect déchiqueté et leur étrange silhouette, elles rappellent l'acharnement des flots et celui des hommes qui, pendant des milliers d'années, y ont extrait le calcaire pour en faire des **meules** à presser les olives.

Rentrez à Tanger par la S 701 et la S 702.

De Tanger à Sebta (Ceuta) par la côte

➤ *Comptez env. 3 h. Quittez Tanger par l'av. Mohammed-V et la S 704 en direction de Sebta.* **Restaurant à Ksar-es-Seghir** p. 97.

Cette route pittoresque est goudronnée, mais roulez lentement pour admirer la vue sur le détroit de Gibraltar. Elle passe derrière le complexe touristique de la baie de Tanger qui abrite le casino. Elle s'élève vers le **cap Malabata**. On y contemple Tanger accrochée à sa colline, particulièrement belle dans la lumière du matin. Les panoramas sont remarquables le long de cette côte sauvage dont les collines, pelées par endroits, sont recouvertes d'une végétation rase constellée de quelques buissons, magnifiquement fleuris au printemps. La plage du village de **Ksar-es-Seghir** *(35 km à l'E de Tanger)*, d'où les armées arabes partirent à la conquête de l'Espagne, accueille pêcheurs et baigneurs.

Après le cap Cirès aux criques sablonneuses et la belle falaise du **jbel Moussa**, la route franchit la chaîne du Haouz et redescend vers la baie de Sebta.

Sebta (Ceuta)

➤ *63 km à l'E de Tanger par la S 704.* ❶ *Quai Cañonero Dato* ☎ *(00.34.956) 50.14.10. Attention, Sebta vit à l'heure espagnole (horaires, jours fériés…).* **Hébergement à Fnideq** p. 96.

Enclave espagnole, « autonome » depuis 1995, la ville se dresse sur une presqu'île qui se termine par le **mont Acho**, l'une des deux « Colonnes d'Hercule », l'autre étant le rocher de Gibraltar. Pour entrer dans la ville ou faire l'ascension du mont Acho, il faut présenter ses papiers au **poste frontière** de **Fnideq** ; l'attente est parfois longue. Méfiez-vous des personnes qui vous proposeront leur aide : dans cette région, l'arnaque touristique (vols et agressions) est fréquente. La montée vers le mont Acho par la route de la corniche permet de jouir de **vues magnifiques sur le rocher de Gibraltar** *(circuit de 12 km).*

En tournant à dr. au croisement de la S 704 et de la P 28, on se dirige vers Tétouan *(p. 86).* Cette partie de la côte est la seule exploitée à des fins touristiques, la baie d'Al-Hoceima *(p. 91)* mise à part.

Pour retourner à Tanger, prenez la P 38 à travers le **pays Djebala**. La population de cette belle région montagneuse vit modestement, à l'écart de l'activité côtière. ∎

Le Maroc, inspirateur des peintres orientalistes

C'est à la suite de l'épopée napoléonienne en Égypte que les Européens du XIXe s. redécouvrent l'Orient. Expéditions archéologiques, missions diplomatiques et militaires se multiplient et le Maroc devient une destination de prédilection pour les artistes qui accompagnent ambassadeurs et scientifiques. Rompant avec les turqueries du XVIIIe s., les peintres inaugurent un nouveau style.

Delacroix,
croquis (1832-1834).

Le 25 janvier 1832, **Delacroix** se joint à la mission du **comte de Mornay**, chargé de conclure un traité de bon voisinage avec le sultan Moulay Abd er-Rahman, et débarque à Tanger. Aussitôt, il s'émerveille : «… je plains véritablement les artistes doués de quelque imagination qui ne doivent jamais prendre une idée des merveilles de grâce et de beauté de ces natures vierges et sublimes», écrit-il à un ami.

Rome n'est plus dans Rome mais à Tanger

Avec Eugène Delacroix, le Maroc fait une entrée remarquée dans le concert de la peinture occidentale. C'est là que le peintre appréhende un **orientalisme affranchi des turqueries**. Les gravures d'imagination qui agrémentaient jusqu'alors les récits s'effacent devant la vérité de ses esquisses. Surtout, grâce à cette **lumière éclatante** unique en Orient où les tons sont en activité, il définit une approche de la couleur d'où naîtra le **mouvement impres-**

Benjamin Constant,
Palais royal au Maroc,
huile sur toile.

Henri Regnault,
*Exécution sans jugement
sous les rois maures
de Grenade* (1870).

sionniste. Ce voyage l'a libéré. La rapidité d'exécution à laquelle il était soumis lui permit de laisser passer l'émotion et la surprise. Enfin, le maître donne l'exemple aux jeunes peintres européens : « Rome n'est plus dans Rome », dit-il, et « l'antique n'a rien de plus beau ». Le traditionnel pèlerinage en Italie tombe en désuétude. Benjamin Constant, Dehodencq, Clairin, Vernet-Lecomte, pour ne citer qu'eux, débarquent désormais à Tanger. Regnault y installe un atelier en 1869.

La difficile aventure de l'Orient

Pourtant, rien n'est facile pour ces peintres venus tenter l'aventure de l'Orient. La foule curieuse, les mouches, l'hostilité fréquente de la population, la chaleur qui fait couler les couleurs à l'huile forcent les artistes à réaliser de **rapides esquisses**, future source d'inspiration de leurs œuvres. Il est interdit aux étrangers d'entrer dans un harem, voire d'obtenir une pose d'un musulman : qu'importe, les artistes peindront les juifs ou bien, ils imagineront.

Des Maures riches, terribles et voluptueux

Les Occidentaux recherchent en Orient l'inconnu et le mystère que leur propre culture ne leur apporte plus. Alors ils exagèrent, le **prétexte orientaliste autorisant toutes les audaces** : apparaissent la violence des guerriers et des supplices, le sadisme du bourreau et du marchand d'esclaves, la lascivité équivoque des odalisques… Delacroix croque la vie quotidienne de la rue, mais il peint des femmes luxueusement vêtues allongées dans leurs demeures, des religieux fanatiques ou encore des mêlées d'hommes, de lions et de chevaux. Regnault recherche la survivance de temps anciens qui n'ont plus cours : « Je veux faire revivre les vrais Maures riches, grands, terribles et voluptueux à la fois, ceux qu'on ne voit plus que dans le passé. »

Matisse,
Zorah sur la terrasse,
toile peinte à Tanger
en 1912.

La mer du plus pur bleu

Au XXe s., le Maroc continue de fasciner les artistes. **Henri Matisse** découvre l'art musulman à Paris, en particulier à l'Exposition universelle qui avive sa passion de l'Orient : en 1912 et 1913, il part pour Tanger sur les traces des orientalistes. Les soixante dessins qu'il exécute retracent ses itinéraires. Mais, plus que des sujets à peindre, Matisse est venu donner un nouveau souffle à son inspiration. « Les voyages au Maroc m'aidèrent à… reprendre contact avec la nature mieux que ne le permettait l'application d'une théorie vivante mais quelque peu limitée comme le fauvisme. » C'est là que Matisse trouve « la mer du plus pur bleu », ce bleu intense qui caractérise son art tout entier. ∎

La côte des Rhomara**
et les abords du Rif

La **traversée du Rif** offre de multiples satisfactions : la découverte de villes typiques comme **Chefchaouen**, nichée dans la montagne ; le calme des **forêts de cèdres** de la région de Ketama ; les **criques** rocheuses comme Kala Iris près d'Al-Hoceima. Mais la route est sinueuse, parfois en mauvais état et enneigée assez tard dans l'année (tempêtes de neige possibles en avril et en mai). Vous serez aussi sollicité par des vendeurs de kif, qui essaieront quelquefois de vous barrer le chemin.

➤ *Comptez 5 h.* **Carte** *p. 76.*

Tétouan*
et ses environs

➤ *57 km au S-E de Tanger par la P 38 ; 38 km au S de Sebta par la P 28. Prévoyez une bonne demi-journée avec les musées.* **Informations pratiques** *p. 98.*

Chef-lieu de province, Tétouan accroche ses **maisons blanches** dans un décor de montagnes face à la mer. Elle porte de nombreuses **traces de l'occupation espagnole**, qui en avait fait la capitale de son protectorat.

Fondée à l'époque mérinide sur le site antique de Tamuda, et dotée d'un port fluvial, la ville s'adonna vite à la piraterie. À la fin du XIVᵉ s., Henri III de Castille entreprit de contrer cette activité lucrative. Mais, la ville ayant recommencé de plus belle, son port fut obstrué en 1565 sur l'ordre de Philippe II d'Espagne. Peuplée par vagues successives de réfugiés espagnols qui apportaient avec eux la culture andalouse, Tétouan connut un regain de prospérité sous le règne de **Moulay Ismaïl** (1672-1727) en s'ouvrant au commerce européen. Au début du XXᵉ s., lors de l'instauration du

L'Espagne entre en guerre en 1859 contre Sidi Mohammed. Le conflit se termine par la bataille de Tétouan (peinte ici par Mariano Fortuni) en novembre 1860. La ville sera occupée par les Espagnols jusqu'en 1862.

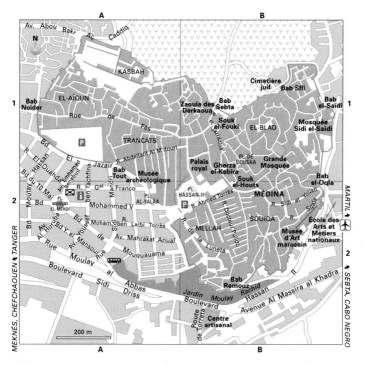

TÉTOUAN

protectorat espagnol dans le nord du Maroc, elle fut déclarée capitale de la zone occupée et ne redevint marocaine qu'en 1956. De nos jours, l'Union européenne et le gouvernement autonome d'Andalousie collaborent étroitement au développement de la région en soutenant les projets de l'agence pour le développement du Nord.

Au cœur de la médina*

Elle connaît la plus forte densité du Maroc et fait l'objet d'un plan de sauvegarde. Faites-vous accompagner par un guide officiel pour visiter la médina. Pickpockets et faux guides sont plus rares qu'autrefois grâce à la police touristique. Mais restez vigilant.

Partez de la **place Hassan-II B2**, située à la limite de la ville moderne, du mellah et de la médina. Suivez la rue longeant le **palais royal B1**, construit au XIIᵉ s., mais profondément remanié au XXᵉ s. ; elle pénètre dans les **souks****, dont les ruelles dessinent un véritable labyrinthe. Prenez la rue de Fès, sur la dr., qui conduit au **souk el-Fouki B1** où l'on vend la *kesra*, le pain traditionnel. De là, empruntez la **rue el-Jarrazine** : vous verrez successivement les tanneurs, les menuisiers, les maroquiniers et atteindrez bientôt sur la dr. la **Gherza el-Kebira B1**, où se pressent les marchands de tissus et de vêtements. Sur la g., la charmante petite **place de l'Ousaa B1** affiche ses portes peintes autour de sa fontaine de mosaïque. Plusieurs **mosquées** présentent de belles portes et des minarets recouverts de zelliges. De la Gherza el-Kebira, une série de passages voûtés mènent au **souk** el-Houts **B1-2**, autre place pittoresque dominée par une tour à merlons où sont exposées des poteries. La rue Ahmed-Torrès, à dr., ramène à la place Hassan-II.

Les musées

➤ LE MUSÉE ARCHÉOLOGIQUE **A2**. *Au N de la place Al-Yalàa. Ouv. t.l.j. sf mar. 8 h-12 h et 14 h 30-18 h 30; 8 h 30-15 h en été. Entrée payante.* Il abrite des objets provenant des fouilles de Lixus et de Tamuda : plusieurs **mosaïques de Lixus** d'une très grande qualité, des bijoux, des amphores, des stèles, des statues, des lampes à huile et une belle collection de monnaies.

➤ LE MUSÉE D'ART MAROCAIN* **B2**. *Contournez la médina par le sud et garez-vous à Bab el-Oqla* **B1-2**. *Le musée se trouve juste après la porte. Ouv. t.l.j. sf sam., dim. et j.f. 9 h-13 h et 15 h-19 h. Entrée payante.* Logé dans un ancien bastion, il est consacré à l'art de la région dont il révèle l'**influence andalouse** à travers des collections d'instruments de musique, de costumes, d'ustensiles de cuisine et des reconstitutions d'intérieurs traditionnels.

➤ L'ÉCOLE DES ARTS ET MÉTIERS NATIONAUX **B2**. *De l'autre côté de Bab el-Oqla. Ouv. t.l.j. sf sam.-dim. 8 h-12 h et 14 h 30-16 h 30. Entrée payante.* Cette école enseigne les arts d'ornementation architecturale (zelliges, plâtre, ferronerie) et les métiers relatifs au mobilier domestique et à l'habillement (tissage, orfèvrerie, maroquinerie). Dans une salle d'exposition permanente sont présentées les pièces les plus intéressantes réalisées par les élèves.

Les plages au nord de Tétouan

➤ *Hébergement à Cabo Negro p. 95, Smir Restinga et Mdiq p. 96.*

La côte au nord de Tétouan offre quelques belles plages. **Martil** *(à 10 km)* est trop fréquentée et décevante, mais la plage de **Cabo Negro** *(5 km plus haut)* reste magnifique, bien que la station ait été quelque peu bétonnée. Le Club Méditerranée y possède un village et un très beau golf.

En continuant vers **Smir Restinga**, où sont installés de nombreux clubs de vacances, on rencontre **Mdiq** *(15 km de Tétouan)*, un port de pêche où les charpentiers construisent encore les barques selon d'anciennes méthodes.

La côte des Rhomara**

➤ *Itinéraire de 137 km au S-E de Tétouan par la S 608.*

Vers le sud, la côte dite des «Rhomara», du nom d'une importante tribu du Rif, mérite le détour. La route secondaire S 608 (dangereuse en période de pluie) serpente vertigineusement le long d'un littoral sauvage où criques et promontoires alternent avec des falaises se précipitant dans la mer. Elle croise **Oued-Laou** *(47 km au S-E de Tétouan)*, un charmant village de pêcheurs, fréquenté en été, et aboutit au hameau blanc d'**El-Jebha*** *(90 km au S-E d'Oued-Laou)*, niché dans un site idéal pour la pêche sous-marine.

Les gorges de Oued Laou**

➤ *Itinéraire de 50 km depuis Oued-Laou.* **Excursions depuis Talembote** *p. 96.*

À Oued-Laou, le fleuve s'enfonce en amont dans un petit canyon d'où l'on aperçoit, avec des jumelles, des singes. À 4 km du village se tient le samedi un ♥ souk, une véritable fête pour le regard. Les **gorges** se peignent d'ocres et de rouges contrastant avec le gris et le bleu du fleuve, puis débouchent sur le **barrage d'Ali-Thelat**. Avant la retenue sur la route de Chefchaouen, une piste à g. mène à **Talembote** sur la rivière Akchour où des chalets accueillent les amoureux de la montagne.

De Tétouan à Chefchaouen*

➤ *Itinéraire de 55 km. Sortez par la route de Tanger ; 4 km plus loin, prenez à g. la P 28 en direction de Chefchaouen.*

Après le croisement, vous verrez les **ruines de Tamuda**, dont la fondation est antérieure à l'occupation romaine *(Musée archéologique de Tétouan, p. 88)*. La route croise plusieurs villages berbères typiques, dont le plus important est **Souk-el-Arba-des-Beni-Hassan** *(souk le mer.)*, lieu de rencontre des Beni Hassan de la tribu des Rhomara. Bien que montagneuse, cette région ne fait pas encore partie du Rif, qui commence après Chefchaouen.

Chefchaouen (Chaouen)**

➤ *55 km au S de Tétouan par la P 28 ; 200 km au N de Rabat par la P 2, la P 23 et la P 28 ; 198 km au N de Fès par la P 3 et la P 28.* **Plan p. 90.** *Informations pratiques p. 95.*

Il faut contempler Chefchaouen depuis la colline qui la surplombe, à la tombée de la nuit, lorsque la ville blanche apparaît tapie au creux des montagnes sombres. Peu à peu, les lumières s'allument, les contours se fondent, et il ne reste plus qu'une myriade de points lumineux. Au centre, l'éclairage souligne la forme circulaire de la **place Mohammed-V A1**, qui ressemble à l'arène d'un cirque.

Fondée au XVe s. pour barrer la route de l'intérieur aux Portugais établis sur la côte, Chefchaouen reçut plus tard des **réfugiés musulmans d'Espagne** et fut farouchement anti-européenne, combattant l'occupation espagnole durant le protectorat.

Chefchaouen se blottit au pied du jbel ech-Chaouen qui, comme son nom l'indique, forme deux « cornes » entre lesquelles s'inscrivent au loin les cubes lumineux des maisons de la ville.

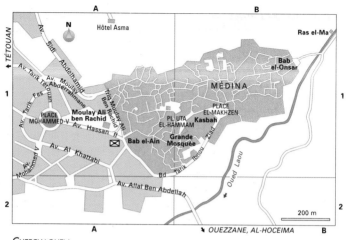

CHEFCHAOUEN

♥ La médina

➤ *De la ville moderne, l'av. Hassan-II débouche sur la médina. Elle se prolonge en bd Tarik-Ibnou-Ziad qui la contourne jusqu'à la place el-Makhzen* **B1**, *où l'on peut se garer et continuer la visite à pied.*

La vieille ville s'étage à flanc de coteau ; ses ruelles tortueuses forment des passages voûtés ornés de plantes fleuries, bordés de maisons chaulées aux portes de couleur vive. Les habitations sont repeintes plusieurs fois par an en blanc teint de bleu, pour éloigner les mouches et protéger de la chaleur. Les habitants sont plutôt réservés : les femmes vêtues de leur *haïk* blanc (longue pièce de tissu couvrant le corps de la tête aux chevilles) se détournent à l'approche des étrangers, les hommes semblent ne pas les voir ; seuls les enfants interrompent leurs jeux, posent mille questions et se proposent de vous guider.

De la place el-Makhzen, gagnez la **place Uta el-Hammam B1** entourée de cafés très fréquentés et plantée d'arbres. D'un côté de la place se trouvent la **kasbah**, trans-

formée en jardin *(ouv. t.l.j. 9 h-13 h et 15 h-18 h 30 et ven. matin 9 h-13 h ; entrée payante)*, et la **grande mosquée**, datant toutes deux du XVe s. La médina reflète véritablement l'influence andalouse. On pense aussi aux îles grecques des Cyclades devant la neige de chaux qui enveloppe les formes et arrondit les angles. Le petit **Musée andalou** à l'intérieur de la kasbah est intéressant (armes, instruments de musique, textiles et photos anciennes).

Le souk

A1 Il a lieu à l'entrée de la ville, avenue al-Khattabi *(lun. et jeu. matin)*. Paysans berbères et artisans s'y rencontrent dans un kaléidoscope d'odeurs et de couleurs.

Vers le Sud

Pour gagner le Sud, suivez la P 28 jusqu'à **Ouezzane**, ville sainte à la limite du Rif *(souk le jeu.)*. La route traverse des gorges pittoresques. À Ouezzane, soit on rejoint Rabat et la côte atlantique par Souk-el-Arba-du-Rharb, soit on continue sur la P 28 vers Fès et Meknès.

La route des Crêtes*

➤ *Itinéraire de 205 km par la P 39 entre Chefchaouen et Al-Hoceima.* **Carte** *p. 76.*

La route se maintient à des altitudes élevées et franchit des cols souvent enneigés l'hiver. Les virages sont nombreux, l'état de la chaussée varie, avec des passages franchement mauvais ; la circulation y est dangereuse, mais le paysage est magnifique.

Jusqu'à **Targuist**, dernier bastion du rebelle **Abd el-Krim** *(encadré p. 75)* durant la guerre du Rif (1922-1926) contre les Espagnols et les Français, la montagne présente un aspect stratifié érodé, avec des éboulements spectaculaires ; la route longe des précipices impressionnants et des ravins dénudés ou traverse des forêts touffues. Sur les flancs abrupts de la montagne s'accrochent des maisons en pisé, au toit plat percé d'un trou laissant sortir la fumée.

Après Targuist, la P 39 redescend vers la baie d'Al-Hoceima et ne présente plus aucun danger.

Ketama

➤ *107 km au S-E de Chefchaouen.*

Cette petite station entourée de belles cédraies est située au pied du jbel Tidirhine, le sommet le plus élevé du Rif (2 448 m). La bourgade s'est endormie en attendant les skieurs qui lui préfèrent Mischliffen dans l'Atlas, plus accessible. En revanche, elle est la « capitale » du cannabis. De Ketama part la route de l'Unité – la S 302 qui descend vers Fès – construite dans l'espoir de rompre l'isolement de la région.

La route du kif

Dès Chefchaouen, vous serez sur la route du kif et du haschich. Si vous décidez de suivre cet itinéraire, ne vous laissez pas intimider par les vendeurs qui se mettent en travers de la route. Klaxonnez et accélérez, ils se rangeront au dernier moment. Mais gare à l'accident ! Une chose est certaine : le trafic ne peut passer que très difficilement par la route, car la gendarmerie effectue des barrages en moyenne tous les 50 km ❖

Al-Hoceima

➤ *115 km au N-E de Ketama. Souk le mar.* **Informations pratiques** *p. 95.*

Cette station balnéaire animée est protégée par une **profonde baie** dont on découvre le dessin parfait depuis la jetée. Son port de pêche est réputé. En période estivale, les hôtels ne désemplissent pas grâce à l'aéroport international. Sur l'îlot du **Peñon de Alhucemas**, une forteresse restée sous contrôle espagnol se dresse tel un navire inabordable.

➤ **LES PLAGES.** Celles de **Quemado** et **Cala Bonita**, les plus proches du centre-ville, sont surpeuplées et polluées. Les plus agréables, **Sfiha**, à Ajdir, et **Souani** *(accessibles par une déviation sur la route de l'aéroport)* se succèdent en une bande de sable fin de 5 km. **Kala Iris****, l'une des plus belles de la région, se niche dans une crique *(45 km à l'O d'Al-Hoceima ; direction Aït-Kamara, puis Torres de Alcalà ; à 4 km à l'O de Torres).* ■

Le Nord-Est
et la trouée de Taza

L es **curiosités naturelles** (grottes, gorges, gouffres) et les restes d'**architecture défensive** (villes fortifiées, remparts) donnent leur caractère à ces paysages encaissés entre le Rif et l'Atlas.

➤ *Carte p. 76.*

Vers la presqu'île de Melilla

➤ *167 km à l'E d'Al-Hoceima par la P 39.*

En quittant Al-Hoceima en direction de Melilla, la P 39 remonte d'abord la **vallée du Nekor***, dominée par de puissants massifs arrondis et dénudés, de couleur sable. Les cultures ont envahi le lit de l'oued, presque à sec. Après Midar, la route descend vers la baie de Nador. La presqu'île industrialisée qu'occupent **Melilla** (enclave espagnole avec douane et décalage horaire) et **Nador** ne présente pas un grand intérêt touristique. Si ce n'est que le **cap des Trois-Fourches**** *(à 13 km de mauvaise piste au N de Melilla)* est magnifique, précipitant ses roches sombres dans l'eau turquoise.

Oujda

➤ *333 km à l'E d'Al-Hoceima par la P 39, puis la P 27 à partir de Selouane; 343 km à l'E de Fès par la P 1. Informations pratiques p. 96.*

La P 27 traverse la vallée agricole de la **Moulouya** avec ses aménagements hydrauliques.

Fondée au Xe s. sur la seule voie d'accès au Maghreb occidental, **Oujda**, toute proche de l'Algérie,

fut maintes fois conquise et n'a gardé de ses origines que quelques pans de muraille. Ce fut la première ville du Maroc occupée par les Français en 1844. La cité, qui se languit depuis le contrôle accru de la frontière avec l'Algérie, est une étape vers les monts Beni-Snassen et Figuig.

La visite de la **médina** prend 1 h environ. À partir de l'avenue Mohammed-V, principale artère de la ville moderne, suivez la rue Driss-ben-Bouchaïb, qui mène aux souks et aux remparts, où se tient le marché *(mer. et dim.).*

Les monts Beni-Snassen et les gorges du Zegzel**

➤ *60 km au N-O d'Oujda. Sortir d'Oujda par la P 1, prendre à dr. la 5320. Après Aïn-Sfa, prendre à g. la 5308.*

Une étroite corniche panoramique traverse le massif des **Beni-Snassen** : 45 km vertigineux alternant rocaille et paysages ruraux jusqu'à la 5306, la route des gorges du Zegzel. Tournez à g. et vous ne tarderez pas à rencontrer la courte piste vers les **grottes*** des Beni-Snassen.

Près de Taforalt, la **grotte du Pigeon** montre son entrée béante, mais est interdite au public, car elle abrite un site préhistorique (moins 100 000 ans) réservé aux chercheurs. La **grotte du Chameau***, toute en stalactites et en stalagmites, prend son nom d'un stalagmite évoquant l'animal et censé guérir de la stérilité. Elle a été aménagée pour la visite *(demander une autorisation à la délégation du tourisme d'Oujda).*

Revenez sur la 5306 et poursuivez sur la g. jusqu'au charmant village de **Taforalt**. Puis reprenez la même route en sens inverse pour parcourir toutes les gorges. On longe le lit rocailleux de l'oued, bordé de lauriers-roses, de lavande et de plantes aromatiques ; le paysage s'élargit, le **Zegzel** s'enfonce et l'on domine ses gorges de plusieurs centaines de mètres. Plus bas, on rejoint le cours sinueux de l'oued courant entre deux falaises, petit éden fleuri toute l'année. La beauté des sites compense la mauvaise qualité de la route. À **Berkane**, on reprend la P 27 qui ramène à Oujda.

Figuig**

➤ *368 km au S d'Oujda par la P 19. 395 km à l'E d'Er-Rachidia (vallée du Ziz) par la P 32 qui rejoint la route d'Oujda à Bouarfa. Souk les ven. et dim.* **Hébergement**, *encadré p. 96.*

Cette très belle **oasis** s'étale dans son splendide isolement à l'extrême-est du Maroc, à un saut de puce de la frontière algérienne. Accrochés à 900 m d'altitude, **sept ksour en pisé**, nichés dans une mer de palmiers, se distribuent autour d'une cuvette de 20 km². L'eau des plateaux est amenée par des *feggaguirs* (« canaux ») souterrains qui percent de part en part en *khettaras* (« puits »). Des randonnées dans la vallée du Zousfana ou le jbel Grouz sont possibles à condition d'être bien organisées. Figuig ne s'offre qu'aux amateurs d'aventure, car l'hébergement y est rare et de mauvaise qualité.

Taza

➤ *223 km au S-O d'Oujda ; 120 km à l'E de Fès.* **Hébergement** *p. 98.*

La « **trouée de Taza** » désigne le couloir naturel qui, d'est en ouest, ouvre un **passage entre le Rif et l'Atlas** et qu'emprunte la grande voie de liaison entre Oujda et Fès. Cette route peut sembler monotone, mais elle a tout de même belle allure entre sa double rangée de montagnes qui déclinent tous les tons des ocres, ses eucalyptus et ses oliveraies luttant contre la terre desséchée que le vent soulève l'été en tourbillons de poussière.

C'est par cette trouée que sont venues toutes les invasions. **Taza** joua un rôle primordial dans la conquête du pouvoir par les dynasties successives : l'étendue des fortifications, dont une partie date du XIIe s., en témoigne.

La **ville ancienne*** accroche ses 3 km de remparts sur une butte, dominant la ville nouvelle, établie sur une terrasse en contrebas. En venant d'Oujda, au rond-point, tournez à g. dans le boulevard du 3-Mars, qui s'élève vers la vieille ville en la contournant. Vous apercevrez un bastion érigé au XVIe s. par les Saadiens. Ses murs font 3 m d'épaisseur.

Arrivés aux remparts, soit vous pénétrez directement dans la médina en continuant tout droit, soit vous prenez à g. pour faire le **tour des remparts** jusqu'à Bab er-Rih (« la porte du Vent »), côté nord, et admirer l'imposante muraille almohade, en partie doublée sous les Mérinides. À l'intérieur de la **médina**, la rue principale relie la **grande mosquée**, fondée au XIIe s. par Abd el-Moumen et remaniée par les Mérinides, à la **mosquée des Andalous**, au minaret d'époque almohade. Au milieu, les **souks** présentent des tapis des Beni Ouar, fabriqués dans la région. Remarquez le curieux minaret de la **mosquée du Marché**.

Le circuit du jbel Tazzeka**

➤ *Itinéraire de 107 km depuis Taza; prenez la S 311 en direction de Bab-bou-Idir. Comptez une demi-journée; emportez votre pique-nique.*

La route s'élève en corniche et surplombe les **cascades de Ras-el-Oued**. Au col de Sidi-Mejbeur (1 198 m), l'ascension s'arrête brusquement et la route traverse une vaste dépression, la **daïa Chiker**, richement cultivée grâce à une nappe d'eau souterraine qui fait quelquefois surface.

Sur la dr., une petite route mène au **gouffre du Friouato*** (☎ *067. 64.06.26. Ouv. toute l'année 7 h-22 h. Vis. guidée payante sous la conduite du gardien. Location et vente de lampes torches).* Exploré par un couple de spéléologues français en 1934, ce gouffre est l'un des plus grands que l'on connaisse. Il est nécessaire d'être bien chaussé pour y descendre. Plusieurs paliers de découverte

sont possibles selon sa forme et le temps dont on dispose (comptez 3 h minimum pour l'explorer dans sa totalité).

La S 311 remonte ensuite vers le jbel Tazzeka, efficacement protégé par un Parc national fondé en 1950, et franchit le **col de Bab-Taka** (1 540 m). Peu après, une piste difficile se détache à dr. vers le sommet du **Tazzeka** (1 980 m), d'où le **panorama**** est saisissant. En redescendant, tournez à dr. et conservez cette direction jusqu'au bout du circuit. On traverse une admirable forêt de chênes-lièges avant d'atteindre les **gorges de l'oued Zireg**. Elles s'élargissent ensuite en un canyon. De part et d'autre, les falaises rouges, creusées par de multiples grottes souvent aménagées par les bergers berbères, offrent de superbes vues.

À Sidi-Abdallah-des-Rhiata, vous rejoignez la P 1 qui conduit à Fès *(p. 140).* Elle longe de très beaux paysages vallonnés. Superbe **vue*** sur le barrage Idriss-Ier. ■

Rif et côte méditerranéenne, pratique

Jardins de l'ancien palais du mendoub, rue Shakespeare à Tanger.

Carte Le Rif et la côte méditerranéenne p. 76.

■ Al-Hoceima

ⓘ Av. Tarik-ibn-Ziad ☎ 039.98.54.76.

Arrivée

➤ **En avion.** Aéroport Charif el-Idrissi, à 17 km au S-E ☎ 039.98.25.60/20.05. **Royal Air Maroc** ☎ 039.98.20.63.

Hébergement

▲▲▲ **Club Méditerranée**, Ajdir BP 38 ☎ 039.80.20.13, fax 039.80.20.14. Village de cases dans un bois d'eucalyptus.

▲▲ **Hôtel Mohammed-V**, place de la Marche-Verte ☎ 039.98.22.33/34, fax 039.98.33.14. Belle vue sur la plage et joli petit jardin.

Cafés-restaurants

♦♦ **Le Karim**, sur le port. Poissons savoureux.

♦♦ **La Maison du Pêcheur**, sur le port. À côté du Karim, mêmes prestations.

♦ **Le Paris**, 21, bd Mohammed-V. Spécialités marocaines et européennes. Pas d'alcool.

Manifestation

➤ **Festival touristique et culturel.** 15 j. début août : expositions artisanales, soirées folkloriques, concerts.

■ Cabo Negro

Hôtel

▲▲ **Le Petit Mérou** ♥, sur la plage, à l'autre bout du village ☎ 039.97.81.18. *12 ch. et 5 suites* très agréables, certaines avec terrasse ou balcon donnant sur la mer. Restauré dans un style méditerranéen. En juil.-août, demi-pension obligatoire.

■ Chefchaouen

Plan p. 90.

Hôtels-restaurants

▲▲▲ **Parador Chaouen**, place el-Makhzen **B1** ☎ 039.98.63.24/61.36, fax 039. 98.70.33. *33 ch. et 2 suites.* Dans la vieille ville. Piscine, belle vue sur la montagne et bonne cuisine. Restaurant et alcool.

▲ **Asma**, rue Sidi-Abdelhamid **A1** ☎ 039.98.60.02, fax 039.98.71.58. *94 ch.* simples qui auraient besoin d'être rafraîchies. Personnel aimable et accueillant. Bar et restaurant avec alcool. Parking. Piscine. Belle vue.

▲ **Casa Hassan** ♥, 22, rue Targhi, dans la médina **B1** ☎ 039.98.61.53, fax 039.98.81.96. *4 ch. et 4 suites* décorées avec goût. Demi-pension obligatoire. Bonne table marocaine. Accueil excellent. Bon rapport qualité/prix.

Randonnées dans le Rif

Aidée par une association européenne, une école de formation de **guides de montagne** a été créée pour organiser des randonnées dans le Rif, dans les vallées des oueds Laou et Akchour. Nuitées et repas chez l'habitant ou en bivouac. **Rens.** à la *Casa Hassan* à Chefchaouen. ❖

Adresses utiles

➤ **CHANGE. Banque populaire** et BMCE, av. Hassan-II **A1**.

➤ **PHARMACIE.** À côté de la poste **A1**.

■ Fnideq

Hôtel

▲▲▲ **Ibis Moussafir**, lotissement Bab Sebta ☎ 039.67.77.77, fax 039.67.70.77. *102 ch.* confortables mais pas très grandes. Restaurant, bar, piscine, terrasse, salon marocain.

■ Mdiq

Hôtel

▲▲▲▲ **Golden Beach**, route Tétouan-Sebta ☎ 039.97.50.77/51.61, fax 039.97.50.96. *76 ch. et 10 suites* dotées de tout le confort. La plupart ont une terrasse sur la mer. Restaurant, salon marocain, bar, night-club.

▲▲▲▲ **Kabila**, km 20, route Tétouan-Sebta ☎ 039.66.60.13/71, fax 039.66.62.03. *92 ch. et 4 suites* en bord de mer dans un parc de 27 ha, au sein d'un village de vacances (port de plaisance, restaurants, commerces). Piscine, tennis, squash, équitation, golf, sports de mer. Bars, discothèques.

■ Oujda

🛈 Place du 16-Août ☎ 056.68.56.31, fax 056.68.89.90.

Hôtels

▲▲ **Al-Massira**, av. El-Maghreb-el-Arabi ☎ 056.68.53.00/01/02, fax 056.68.04.77. *108 ch.* Piscine, tennis. Près de la kasbah. Joli jardin.

▲▲ **Ibis Moussafir**, bd Abdellah-Chef-Chaouani, place de la Gare ☎ 056.68.82.02, fax 056.68.82.08. *105 ch.* Jolie note marocaine dans le décor. Piscine.

Restaurants

◆◆◆ **Comme chez soi**, 6, rue Sijilmassa ☎ 056.68.60.79. Bon poisson et excellentes spécialités marocaines. Bon choix d'alcool.

Cure de sable

Sassi ben Abderrahmane, un infirmier, a ouvert à **Figuig** *(368 km au S d'Oujda)* un centre de soins contre les rhumatismes utilisant la chaleur du sable. Ce centre fonctionne du 15 juin au 15 septembre, mais, le reste de l'année, ses chambres servent d'hôtel. *Ksar Hammam el-Fougani* ☎ *056.89.94.93.* ❖

◆◆ **Le Dauphin**, 38, rue de Berkane ☎ 056.68.61.45. Bon poisson.

Adresses utiles

➤ **AGENCE CONSULAIRE DE FRANCE**, 16, rue Imam-Echafir.

➤ **AÉROPORT. Les Angads**, à 15 km au N ☎ 056.68.47.11/32.61. **Royal Air Maroc** ☎ 056.68.39.09.

➤ **GARE FERROVIAIRE.** Place de l'Unité-Africaine.

➤ **GARE ROUTIÈRE.** Place du Maroc.

➤ **INSTITUT FRANÇAIS**, 3, rue de Berkane ☎ 056.68.44.04/49.21, fax 056.68.53.82.

■ Smir Restinga

Hôtel

▲▲▲▲ **Sofitel Marinasmir**, sur la plage ☎ 039.97.12.34, fax 039.97.12.35. *119 ch.* spacieuses et lumineuses dont *10 suites*. Restaurants, bar. Thalassothérapie, restaurant basses calories, centre de remise en forme. Jet-ski, plongée, golf, excursions. Luxe et détente.

■ Talembote

Sports et loisirs

➤ **EXCURSIONS. Les Chalets des Deux-Rivières**, Camp de Base de la société Nature et Découverte, 85, rue de Fès ☎ 039.94.17.54, fax 039.34.17.77. Randonnées, canyoning, escalade, pêche…

■ Tanger

Plan I (ensemble) p. 79, plan II (médina) p. 81.

ⓘ 29, bd Pasteur **I-B2** ☎ 039.94.80.50, fax 039.94.86.61. *Ouv. lun.-ven., en juil.-août 8h-18h30 et de sept. à juin 8h30-12h et 14h30-18h30.*

Arrivée

➤ EN AVION. **Aéroport de Boukhalef Souahel**, à 15 km au S-O **hors pl. I par A2** ☎ 039.93.51.29/47.17. Liaisons avec les principales villes marocaines et de nombreuses métropoles européennes.

➤ EN BATEAU. **Gare maritime I-B1**. Plusieurs liaisons entre Tanger et l'Espagne (Algésiras, Malaga), Gibraltar ou la France (Sète).

➤ EN CAR. **Gare routière**, place Jamia-el-Arabia **I-B3** ☎ 039.94.66.82.

➤ EN TRAIN. **Gare ferroviaire**, à 5 km sur la route de Tétouan **hors pl. I par B3**. Navette avec le centre-ville.

Hôtels

▲▲▲▲ **El-Minzah** ♥, 85, rue de la Liberté **II-A3** ☎ 039.93.58.85, fax 039.93.45.46. *140 ch. dont 17 suites.* Vue sur le jardin ou le port. Restaurants, bars. Piscine, centre de remise en forme avec jacuzzi, tennis, club équestre, golf. Un havre de paix. L'un des plus beaux hôtels du Maroc depuis 1857.

▲▲▲ **Intercontinental**, parc Brooks **A2** ☎ 039.93.60.53/58, 039.93.01.50/58, fax 039.90.01.51. *108 ch. avec air cond. dont 5 suites.* Jardin avec piscine, sauna. Calme, à 10 mn du centre-ville mais vieillissant. Restaurant avec alcool.

▲▲▲ **Shéhérazade**, av. des F.A.R. **hors pl. I par B2** ☎ 039.94.08.03/05.02, fax 039.94.08.01. *146 ch,* certaines avec vue sur la mer. À 50 m de la plage, 500 m du centre-ville. Pas de charme mais confortable. Restaurant.

▲▲ **Continental** ♥, 36, Dar-el-Baroud **II-B1** ☎ 039.93.10.24, fax 039.93.11.43. *70 ch. dont 3 suites.* Dans la médina face à la mer. Bertolucci y a tourné *Un thé au Sahara.* Du charme.

▲▲ **Rembrandt**, av. Mohammed-V **I-B2** ☎ 039.33.33.14/15/16, fax 039.93.04.43. *69 ch. dont 6 suites et 1 appart. pour 4 pers.* Mobilier d'époque. Beau hall d'entrée. Piscine. Terrasse ombragée. Une institution.

AU CAP SPARTEL

Hors pl. I par A2 Solutions d'hébergement près des grottes d'Hercule.

▲▲▲▲ **Le Mirage** ☎ 039.33.33.32/34.90, fax 039.33.34.92. *29 résidences* luxueuses dominant la mer. Piscine. Restaurant gastronomique. *Rés. conseillée.*

▲▲ **Hôtel Robinson**, en bordure de plage ☎ 039.33.81.52, fax 039.33.81.45. *116 ch.* avec terrasse dans des bungalows, face à la mer ou dans le parc. Piscine. Restaurant gastronomique.

➤ CAMPING. **Achaktar** ☎ 039.33.38.40. *12 bungalows.* Restaurant sans alcool. Bar et discothèque.

Restaurants

♦♦♦♦ **El-Korsan** ♥, hôtel *El-Minzah* **II-A3**. *F. le lun.* Décor oriental, cuisine marocaine raffinée, service impeccable. Excellentes pâtisseries. *Rés. conseillée.*

♦♦♦ **El-Pescador**, 35, rue Allal-ben-Abdellah **I-A2** ☎ 039.94.15.94. *F. le dim.* Salle climatisée. Du bon poisson dans un joli décor.

♦♦♦ **San Remo** *chez Toni*, 15, rue Ahmed-Chaouki **II-A3** ☎ 039.93.84.51. *F. pendant le ramadan.* Bonne table. Spécialités italiennes et poissons. Sur commande, poisson au sel. Alcool.

♦♦ **Saveur de poisson** ♥, escalier Waller, après l'hôtel *El-Minzah* **II-A3** ☎ 039.33.63.26. *F. le ven. et pendant le ramadan.* Délicieux restaurant diététique. Prix raisonnables. Menu unique et à volonté.

♦♦ **Soleil rouge**, av. des F.A.R., en bordure de plage **hors pl. I par B2** ☎ 039.94.50.37. *F. pendant le ramadan. Musique orientale ven. et sam. soir.* Spécialités libanaises et orientales, poisson. Alcool.

DANS LES ENVIRONS

♦ **Laachiri**, Ksar-es-Seghir. Superbe plateau de fruits de mer.

Pâtisseries-salons de thé

Arena, complexe Boughaz, av. des F.A.R., vers le casino **hors pl. I par B2**. Salon de thé, glacier. **L'Italienne** ♥, 8, rue el-Moutanabi **II-B3** ☎ 039.93.19.91. Pains, gâteaux, viennoiseries… de grande qualité.

Shopping

➤ **ARTISAN PARFUMEUR.** Chez **Madini**, 14, rue Sebou **II-A1** ☎ 039.93.43.88 et immeuble Mirador, 5, bd Pasteur **II-A3** ☎ 039.37.50.38. On y mélange depuis plus d'un demi-siècle les essences pour composer votre propre parfum.

➤ **ARTISANAT TRADITIONNEL.** Centre artisanal **Coopartim**, rue de Belgique **I-A2** et dans la Kasbah **II-A1**. **Tindouf**, 64, rue de la Liberté **II-A3**. **Majid**, 66, rue des Chrétiens **II-B1-2**.

➤ **LIBRAIRIE.** Librairie des Colonnes, 54, bd Pasteur **II-B3** ☎ 039.93.69.55.

Sports et loisirs

➤ **GOLF.** Royal Golf de Tanger **hors pl. par I-A2** ☎ 039.93.89.25. *F. le lun.*

➤ **VIE NOCTURNE.** The Pub, 4, rue Sorolla **I-AB2**. Caïds Bar, hôtel El-Minzah **II-A3**. Morocco Palace, 11, av. Prince-Moulay-Abdellah **I-A3** ☎ 039.93.55.64. Borsalino, 30, av. Prince-Moulay-Abdellah **I-A3** ☎ 039.94.31.63. Régine, 8, rue El-Mansour-Dahabi **I-A1**. Passarela, av. des F.A.R. **I-B2** sur la plage. Casino Malabata, route de Malabata, près de l'hôtel Movenpick **hors pl. I par B2** ☎ 039.32.99.33.

Adresses utiles

➤ **BANQUES.** Sur le bd Pasteur **I-B2**. Distributeurs automatiques à la **BMCE** et au **Crédit du Maroc**.

➤ **COMPAGNIES AÉRIENNES.** Royal Air Maroc, 1, place de France **II-A3** ☎ 039.93.47.22. Iberia, 35, av. Pasteur **I-B2** ☎ 039.93.61.78/79.

➤ **CONSULATS.** France, 2 place de France **II-A3** ☎ 039.93.20.39/40/11. Belgique, place al-Madina **I-B2** ☎ 039.

94.32.34. **Suisse**, 3, Ibn-Rochd (ex-rue Henri-Regnault) **II-B3** ☎ 039.93.47.21.

➤ **INSTITUT FRANÇAIS.** 41, rue Hassan-el-Ouezzane **I-A1** ☎ 039.94.10.54/25.89. *F. en août.*

➤ **TAXIS. Stations de taxis**, rue de Fès **I-A2** et bd Mohammed-V **I-B2**.

➤ **URGENCES. Police Secours** ☎ 19. **Pompiers** ☎ 15. **Croissant rouge** ☎ 039.34.20.20. **Médecin de garde** ☎ 039.33.33.00. **Permanence médicale** ☎ 039.93.35.55. **Polyclinique** de la Sécurité sociale, route de Malabata **hors pl. I par B2** ☎ 039.94.01.99.

■ Taza

Hôtel

▲▲ **Friouato Salam** ☎ 055.67.25.93/98, fax 055.67.22.44. *58 ch.* climatisées dans un parc. Tennis, piscine. Restaurant. Décati, mais rien de mieux à Taza.

■ Tétouan

Plan p. 87.

ⓘ 30, bd Mohammed-V, près de la place Moulay-el-Mehdi **A2** ☎ 039.96.19.15/16.

Hôtel

▲▲ **Chems**, av. Abdeljalak-Torres, sur la route de Martil **hors pl. par B2** ☎ 039.99. 09.01 à 06, fax 039.99.09.07. *78 ch. avec air cond.* agréables et joliment décorées. Piscine. Pas d'alcool.

Restaurant

♦♦ **Palace Bouhlal**, 48, Jamaa-Kbir, près de la grande mosquée **B1** ☎ 039.99.87.97. *Ouv. à midi.* Cuisine marocaine dans une belle maison ancienne. Pas d'alcool. Menus avec boissons.

Adresses utiles

➤ **BANQUES. BMCE**, 5 place Moulay-el-Mehdi **A2**. **Wafabank**, av. Moham-med-V **A2** (distributeur automatique).

➤ **INSTITUT FRANÇAIS**, 13, rue Chakib-Arsalane ☎ 039.96.12.12, fax 039.96.50.18. ■

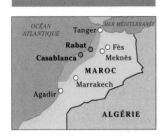

OCÉAN
ATLANTIQUE   Tanger   MER MÉDITERRANÉE
        Rabat
Casablanca   Fès
            Meknès
        MAROC
        Marrakech
Agadir
        ALGÉRIE

LA CÔTE ATLANTIQUE

a côte atlantique vit à un rythme plus rapide que le reste du pays. En témoigne l'extension de **Rabat** et surtout de **Casablanca**, les capitales politique et économique du pays, au cœur d'un « couloir urbain » s'étirant de Kénitra à El-Jadida. Cette côte est la vitrine du Maroc moderne et son atmosphère, sans doute moins typique qu'ailleurs, combine tradition et modernisme avec une subtilité qui ne manque pas de charme.

Peut-on qualifier de « région » une bande côtière qui s'étire du nord au sud sur quelque 900 km ? Cela semble aller à l'encontre des données géographiques, historiques et démographiques, tant la diversité est grande. Mais un facteur commun a donné son orientation à la vie le long de ces rivages : l'**océan**.

D'une part, par son puissant rôle régulateur, il adoucit le climat au point que les températures moyennes sont sensiblement les mêmes à Agadir et à Tanger. D'autre part, en assurant deux activités essentielles, la **pêche** et le **commerce**, qui ont induit des activités industrielles, il a favorisé la relative prospérité du littoral.

Très tôt, les cités maritimes se sont tournées vers le large et ont acquis un esprit d'indépendance, mais aussi une faculté d'adaptation associée à un dynamisme mieux orienté qui les distinguent des villes de l'intérieur. Soumises aux influences extérieures, ces villes brassent des communautés qui se sont montrées plus ouvertes aux changements économiques inévitables.

➤ *Cartes p. 109 (nord de la côte) et 123 (sud de la côte).*

Rabat*** et ses environs

Comparée aux autres grandes villes marocaines, Rabat fait figure de sage provinciale affichant son penchant pour la modération: son climat tempéré n'est pas enclin aux excès comme celui de Marrakech ou de Fès; ses immeubles n'atteignent pas les hauteurs de ceux de Casablanca; et toutes les fonctions essentielles de la ville restent contenues à l'intérieur d'un périmètre délimité au XIIe s. Ajoutez à cela l'air un peu guindé de ses avenues tranquilles bordées d'élégantes résidences ou de petits immeubles au luxe discret et l'impression se confirme: cette ville africaine toute blanche, souvent auréolée d'une légère brume, est loin de renvoyer l'image conquérante d'une capitale moderne.

Il est vrai que l'histoire ne l'a jamais favorisée en dépit des efforts du grand sultan almohade **Yacoub el-Mansour** au XIIe s., et que le rôle de première cité du Maroc ne lui fut confié qu'à l'instauration du protectorat français, pour des raisons de «commodité» politique et économique. Et, pourtant, on pourrait dire que Rabat est la **plus impériale** des villes impériales, laissant à ses monuments l'espace qu'il leur faut pour révéler leur grandeur.

UN RIBAT BIEN SITUÉ

Le nom même de Rabat confirme les circonstances de sa fondation: elle est au départ un *ribat*, «**couvent fortifié**», fondé au Xe s. par des musulmans orthodoxes à l'embouchure du Bou Regreg pour combattre les Berbères hérétiques qui occupent la région. Non loin de là avait surgi au IIIe s. av. J.-C. une ville prospère devenue plus tard **colonie romaine** sous le nom de «**Sala Colonia**». Simple coïncidence ? Sans doute pas, car le site

La kasbah des Oudaïa vue depuis l'oued Bou Regreg: l'enceinte bâtie en moellons et munie d'un chemin de ronde est épaisse de 2,50 m et haute de 8 à 10 m. Les bastions datent des XVIIe et XVIIIe s.

offrait un avantage stratégique mis à profit par les navigateurs phéniciens et carthaginois, puis par les Romains et, enfin, par les moines guerriers.

LA PREMIÈRE CAPITALE ALMOHADE

Le premier souverain almohade discerne vite l'intérêt que présente l'occupation d'une place forte à cet endroit de la côte. Vers 1150, il transforme le *ribat* en *kasbah*, imposante forteresse dotée d'un palais et d'une mosquée, d'où il peut s'embarquer pour la guerre sainte contre l'Espagne. Son petit-fils, **Yacoub el-Mansour**, va plus loin et projette d'en faire sa capitale : autour de la kasbah, il délimite un vaste périmètre qu'il entoure d'une immense **muraille percée de cinq portes**, puis il entreprend la construction de la mosquée d'Hassan, qui doit rivaliser avec la Giralda de Séville et la Koutoubia de Marrakech. La ville reçoit le nom de *Ribat el-Fath*, le « ribat de la Victoire », à la suite d'une victoire sur les Castillans. Mais la mort du sultan en 1199 interrompt les travaux, et son plan grandiose est abandonné. La ville périclite rapidement et se replie à l'intérieur de la kasbah.

RABAT, VILLE PIRATE

Au début du XVIIᵉ s., des **réfugiés d'Espagne** s'installent à Rabat près de la kasbah, à l'endroit de l'actuelle médina. Beaucoup sont originaires d'Andalousie, d'où ils ont été chassés par Philippe II, et le mur qu'ils élèvent pour protéger leur nouvelle ville porte encore le nom de **muraille des Andalous**. Ces déracinés s'adonnent à la piraterie et fondent avec Salé un État indépendant sous le nom de « **République du Bou Regreg** ».

Les **Alaouites** annexent le jeune État en 1666, mais les actes de piraterie contre les marines marchandes européennes continuent jusqu'au début du XIXᵉ s., cette fois pour le compte du sultan ! Les sultans utilisent Rabat comme halte, lorsqu'ils se rendent de Fès à Marrakech, car la route de l'intérieur n'est pas sûre. Ils se font donc construire un palais à l'emplacement du palais actuel.

UNE TRÈS JEUNE CAPITALE

En 1912, Rabat devient capitale du Maroc. Tout le centre-ville situé entre la muraille des Andalous et le palais royal, ainsi que les quartiers de l'ouest, sont construits à partir de cette date. Le roi adopte la ville comme résidence officielle. Rabat se développe, mais son port ensablé se sclérose pour être finalement abandonné au profit de ceux de Casablanca au sud et de Kénitra au nord.

➤ *Plan I (ensemble) p. 102,* ***plan II (médina) p. 104. Informations pratiques p. 135.***

La médina*

➤ **Plan II et I-C1** *Du centre-ville, descendez l'av. Mohammed-V jusqu'à son croisement avec le bd Hassan-II et garez la voiture à proximité. Si vous prenez un petit taxi, demandez à être déposé près du marché couvert. Comptez env. 2 h.*

La médina de Rabat est moins attachante que celles de Marrakech ou de Fès, et il n'est pas nécessaire d'y flâner très longtemps. Mais la **kasbah des Oudaïa**, avec ses jardins en terrasses, mérite que l'on s'y attarde.

Pour pénétrer dans la médina, franchissez la **muraille des Andalous II-B2**. Construite au XVIIᵉ s. par des

RABAT I: PLAN D'ENSEMBLE

Une journée suffit pour voir ce qui compte, c'est-à-dire la **médina***
plan II (p. 100) et la **kasbah des Oudaïa*** II-AB1 (p. 105), la **tour
Hassan*** I-D1 (p. 105), le **Musée archéologique*** I-C2
(p. 107), de loin le plus intéressant du Maroc, et le ♥ **Chellah*** I-D3
(p. 107).

En une demi-journée, faites vite le tour de la **kasbah des Oudaïa***
II-AB1 (p. 105), puis allez voir la **tour Hassan*** I-D1 (p. 105) et,

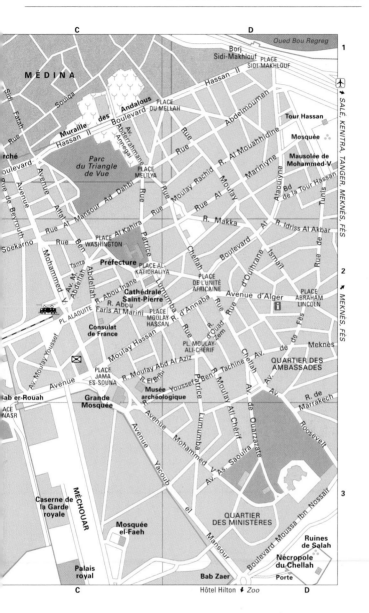

de là, le **Musée archéologique**** **I-C2** *(p. 107)*. Visitez le ♥ **Chellah****
I-D3 *(p. 107)* avant de retourner dans la **ville moderne***, très animée
en début de soirée.

Un jour de plus permettra de vous consacrer à **Salé**** *(p. 108)* et aux
environs immédiats de Rabat *(p. 108)* : les **jardins exotiques de Sidi-
Bouknadel**, le **musée Dar-Belghasi****, **Mehdia-Plage**, la **forêt de la
Mamora***...

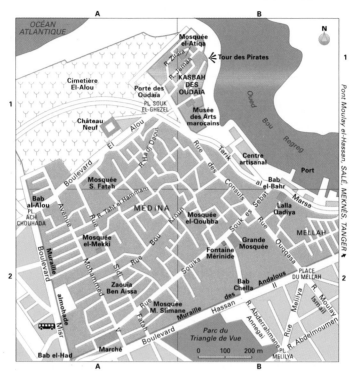

RABAT II : LA MÉDINA

réfugiés d'Espagne, elle rejoint l'**enceinte almohade II-A2** du XIIᵉ s. En contournant l'angle que forment les deux murailles, vous verrez l'une des cinq portes d'origine, **Bab el-Had II-A2**, la porte du Marché.

Les souks

▶ *Plan II Une fois à l'intérieur de la médina, tournez immédiatement à dr. dans la rue Souika.*

▶ **LA RUE SOUIKA II-AB2**. C'est la grande rue commerçante, assez large mais très encombrée. Malheureusement, les boutiques se sont mises au goût du jour et les articles qu'elles proposent ne sont plus des produits de l'artisanat marocain.

▶ **LE SOUK ES-SEBAT II-B2**. En partie recouvert de claies, il prolonge la rue Souika. C'est le domaine des **maroquiniers** et des **marchands de babouches**. Avant de rejoindre la rue des Consuls, engagez-vous, sur la g., dans l'une des ruelles qui s'enfoncent dans la partie plus secrète de la médina ; c'est un quartier résidentiel et artisanal à la fois. Les allées étroites sont bordées de maisons d'une blancheur éclatante et de minuscules ateliers dans lesquels travaillent hommes et jeunes garçons, tandis que des femmes, assises à même le sol, vendent des bouquets de persil et de menthe.

▶ **LA RUE DES CONSULS* II-B1-2**. Le souk es-Sebat aboutit dans cette rue qui abritait autrefois les légations étrangères. Au fond d'une ruelle en pente, on peut voir la résidence du consul de France où vécut le père du poète André Chénier. La rue est particulièrement animée lorsque les marchands de tapis se préparent pour la vente à la criée.

La kasbah des Oudaïa**

➤ **II-AB1** *La rue des Consuls débouche sur la place du Souk-el-Ghezel, ancien marché de la laine et des esclaves. Montez à dr. l'escalier qui conduit à la porte des Oudaïa.*

Les Oudaïa descendaient d'une tribu arabe arrivée dans le Maghreb au XIIIe s. Rebelles à l'empire chérifien, on les répartit pour les contrôler en plusieurs points du territoire. Un groupe fut installé dans la kasbah et reconnu par Moulay Ismaïl comme tribu de plein droit en échange des services rendus contre une autre tribu guerrière, celle des Zaër. Construite au XIIe s. par Yacoub el-Mansour, la monumentale **porte des Oudaïa*** complétait l'enceinte érigée par son grand-père, Abd el-Moumen. C'est à la fois un formidable ouvrage défensif et un monument témoignant de la grandeur de l'architecture almohade. La couleur ocre donne à la pierre taillée un relief particulièrement noble, que souligne le décor sculpté. Les Oudaïa ne s'y installèrent qu'au XVIIe s.

➤ **VERS LE BOU REGREG.** Suivez la rue Jemaa qui traverse la kasbah jusqu'à une plate-forme surplombant l'océan et le Bou Regreg. Jetez un coup d'œil, en passant, sur la galerie d'art du peintre **Miloudi Nouiga**. Remarquez également la **mosquée el-Atiqa**, la plus vieille de Rabat, fondée au XIIe s. et reconstruite au XVIIIe s. Un **atelier de tapis** donne sur l'esplanade et peut se visiter.

➤ **LE MUSÉE DES ARTS MAROCAINS*** **II-B1**. *Revenez dans la rue Jemaa, puis tournez à g. dans la rue Bazzo. Ouv. t.l.j. sf mar. 9 h-12 h et 15 h-17 h 30. Entrée payante.* La rue Bazzo descend vers le ♥ *Café Maure* dominant l'embouchure du Bou Regreg et un délicieux jardin andalou en terrasses. L'entrée du musée des Arts marocains donne sur ce riad multicolore. Installé dans une ancienne résidence de Moulay Ismaïl, il présente des instruments de musique, des costumes, des tapis, des bijoux et des armes.

En ressortant de la kasbah, longez la muraille, puis suivez la rampe qui descend vers le **centre artisanal II-B1** *(ouv. t.l.j. 8 h 30-12 h et 14 h 30-19 h),* où vous pourrez voir à l'œuvre des dinandiers, des potiers et des menuisiers. Revenez à la place du Souk-el-Ghezel et prenez le boulevard El-Alou, qui borde le cimetière. Plus loin, tournez à g. dans l'avenue Mohammed-V, qui vous ramènera au boulevard Hassan-II.

La ville impériale

➤ **Plan I** *De la muraille des Andalous* **I-C1**, *suivez le bd Hassan-II jusqu'à la place Sidi-Makhlouf* **I-D1**. *Prenez à dr., puis tout de suite à g. pour longer le site où se dresse la tour Hassan. Garez-vous dans la rue. Comptez 30 mn env.*

La tour Hassan**

I-D1 Seule au milieu d'une vaste esplanade dont la limite semble être la ligne infinie de l'océan, la tour Hassan projette son ombre majestueuse sur un champ de colonnes tronquées. Son ocre chaud et la sobriété de la décoration compensent l'aspect massif de ce minaret inachevé.

Conçue selon un plan grandiose, la **mosquée de Yacoub-el-Mansour** ne fut jamais terminée. La mort du sultan en 1199 interrompit les travaux. Abandonné, le monument, qui comptait quelque 400 colonnes formant 19 nefs, tomba en ruine, d'autant que les R'batis prirent l'habitude d'y prélever les matériaux dont ils avaient besoin. Le tremblement de terre de 1755 acheva l'œuvre du temps et des pillards. Il ne reste plus que le minaret haut de 44 m (il aurait dû en mesurer 20 de plus!). Ses murs ont 2,50 m d'épaisseur; la décoration, très classique, diffère sur chaque face. Le dallage blanc sur lequel reposent les colonnes est de facture récente. Le minaret porte le nom de tour Hassan depuis le XIVᵉ s.: nom propre ou évocation de la bonté (hassan signifie « bonté ») ? On ignore l'origine de cette appellation.

Le mausolée de Mohammed-V*

I-D1 Depuis 1969, il se dresse face à la tour Hassan, à l'autre extrémité

Le minaret et les colonnes de la grande mosquée projetée par Yacoub el-Mansour.

de l'esplanade. Il devait immortaliser la mémoire du père de l'indépendance marocaine, d'ailleurs honoré par la présence constante de gardes royaux, et témoigner de la continuité de l'art marocain traditionnel. Tradition, raffinement et luxe ont guidé sa réalisation. Toutefois, cette reproduction trop fidèle d'un passé glorieux a quelque chose de mièvre que la silhouette dénudée de la tour Hassan ne fait qu'accentuer. Adjacent à une mosquée construite en même temps, le mausolée se dresse sur un socle entouré de colonnes. Après avoir gravi les marches, on accède à la **salle funéraire**, dont on peut faire le tour en suivant une galerie qui surplombe le tombeau du roi, en onyx blanc. Remarquez la **coupole** d'acajou et de cèdre sculpté, les vitraux et le lustre en bronze doré.

Le palais royal**

➤ **I-C3** *Vous ne pourrez le voir que de loin, en traversant le méchouar en voiture.*

À partir de la tour Hassan **I-D1**, continuez le long du boulevard extérieur qui rejoint les remparts. Longez-les jusqu'à un vaste rond-point où vous prendrez à dr. pour franchir **Bab Zaer I-D3**, l'une des cinq portes de l'enceinte almohade, restaurée au XVIIIᵉ s. Suivez l'avenue Yacoub-el-Mansour jusqu'à l'avenue Moulay-Hassan et tournez à g., en remarquant au passage la **grande mosquée I-C2-3**. Face à vous, se dresse **Bab er-Rouah I-C2** (la porte du Vent), la plus impressionnante des portes almohades, admirablement décorée. En voiture, ce n'est pas facile de la voir de près car une circulation intense passe sous la porte. Tournez encore à g. pour pénétrer dans le **méchouar du palais royal**

L'inscription en caractères coufiques qui surmonte la porte du Chellah renseigne sur ses constructeurs : commencée par le sultan Abou Saïd (1310-1331), elle fut terminée par Abou el-Hassan en 1339.

I-C3. Le « Dar el-Makhzen » actuel date de 1864 et a été considérablement agrandi depuis. Vous apercevez les bâtiments du palais sur la dr. et la mosquée du Vendredi (el-Faeh) sur la g.

Le Musée archéologique**

➤ **I-C2** *Quittez l'enceinte du palais par la porte Bab er-Rouah. Tournez à dr. et dépassez le carrefour. Un peu plus loin, tournez encore à dr. dans la rue el-Brihi, où se situe le musée. Ouv. t.l.j. sf mar. 9h-11h30 et 14h30-17h30; entrée payante. Comptez 1h de visite.*

Il réunit les témoignages les plus intéressants de la préhistoire et de l'Antiquité au Maroc. Le **rez-de-chaussée** est consacré aux objets, outils et restes humains découverts dans le nord du pays.

Le **1er étage** expose le produit des fouilles de Sala-Chellah; une autre section abrite l'archéologie islamique. La ♥ **salle des Bronzes**, séparée du reste, montre des objets appartenant aux civi-

lisations préislamiques; la plupart proviennent des fouilles du site de Volubilis. Remarquez la *Tête de Juba II***, le *Chien de Volubilis*** et l'*Éphèbe couronné de lierre***.

♥ La nécropole du Chellah**

➤ **I-D3** *Du Musée archéologique, remontez l'av. Yacoub-el-Mansour et franchissez Bab Zaer. Face à la porte, une petite route conduit au Chellah. Ouv. t.l.j. 8h30-18h30 en été, 9h-17h30 en hiver; entrée payante. Guide à l'entrée. Comptez 1h env.*

Pour saisir l'atmosphère intemporelle qui se dégage de cette nécropole, visitez-la en fin d'après-midi. Situé hors de l'enceinte almohade, le Chellah laisse à peine soupçonner sa présence. Rien de l'extérieur ne permet d'anticiper la magie qui se cache derrière les remparts. La muraille elle-même, d'une belle couleur ocre, n'a ni la noblesse ni la force de celle des Almohades. Elle fut élevée par Abou el-Hassan en 1339 pour enclore les tombes des sultans mérinides.

Une fois la porte franchie, on découvre un **jardin en terrasses** à la végétation luxuriante, sur un site en forte pente. Au loin, en contrebas, un minaret gracile se dresse parmi les buissons et les arbres. Une parfaite tranquillité règne sur cette scène : même la cigogne perchée en haut du lanternon observe une immobilité de circonstance ! Un chemin en escalier descend et disparaît au creux du vallon dont le fond est masqué par l'abondante végétation. En le suivant, on parvient à une source près de laquelle s'étend la **nécropole mérinide**, entourée d'une enceinte et composée de différentes constructions plus ou moins en ruines. Au-delà des vestiges d'une mosquée se dresse le sanctuaire d'Abou el-Hassan, le dernier sultan mérinide enterré au Chellah. Non loin de sa tombe se trouve celle de sa femme, une chrétienne qui reçut le nom de « Soleil du matin » en se convertissant à l'islam. En se dirigeant vers le minaret, on atteint la cour d'une **zaouïa** en ruine, dont l'oratoire servait à assurer des prières continues à ceux qui reposaient dans la nécropole. Les cellules des officiants donnaient sur la cour. Le **minaret** a conservé une partie de ses faïences polychromes aux tons adoucis par le temps. La tradition rapporte que des génies veillent sur les lieux.

Près de l'enceinte de la nécropole se trouvent les vestiges de l'antique **Sala Colonia** (p. 100) : un chemin mène au forum, d'où l'on peut voir la base d'un arc de triomphe ainsi que des boutiques voûtées.

Les environs de Rabat

➤ *Circuit d'une demi-journée.*

La S 222 (puis P 36) vers Mohammedia, au sud de Rabat, mène aux **plages** de **Témara** et **Skhirat**, plus proches et beaucoup plus sûres que celles du nord (évitez en particulier la **plage des Nations**).

Au nord, ce circuit vous conduira de Salé, jolie ville contiguë à Rabat, aux jardins de Sidi-Bouknadel et à Mehdia-Plage. Au retour, vous traverserez la forêt de chênes-lièges de la Mamora.

Le zoo de Rabat

➤ **Hors pl. I par D3** *5,5 km au S de la ville, pas loin de l'hôpital Mohammed-V. Ouv. de 10 h au coucher du soleil. Comptez 2 h pour la visite, un peu plus si vous souhaitez profiter du cadre.*

Ses trois hectares accueillent de nombreux animaux dans un cadre aéré et verdoyant, aménagé pour la détente. On y admire un échantillon complet de la faune marocaine et même un rare spécimen du mythique **lion de l'Atlas**, désormais disparu de cette montagne.

Salé**, ville commerçante

➤ **Hors pl. I par D1** *De Rabat, un pont traverse le Bou Regreg et aboutit à la Bab el-Mrisa, construite vers 1260 pour contrôler l'entrée du port intérieur. Tournez à g. au rond-point, rejoignez la Bab Bou-Haja et garez-vous sur la place ombragée.* **Informations pratiques** *p. 136.*

Située face à Rabat, de l'autre côté de l'oued Bou Regreg, Salé est devenue un faubourg de la capitale. Mais elle a conservé son caractère, et sa **médina** est plus authentique que celle de Rabat.

Fondée au XIe s., cette cité acquit sa personnalité sous les **Mérinides**

LA CÔTE ATLANTIQUE NORD

et devint très vite florissante. Les sultans la dotèrent de remparts (il en reste une porte du XIIIe s.), d'un aqueduc et d'une médersa aux proportions harmonieuses. Pendant le Moyen Âge, et jusqu'au XVIe s., Salé entretint un commerce intense avec les marchands génois, vénitiens, flamands et anglais. L'importance de Rabat s'étant considérablement accrue, la prospérité de Salé déclina rapidement. En se figeant sur son riche passé, la ville a su conserver intacte son originalité de petite ville commerçante.

➤ **LES SOUKS**. De Bab Bou-Haja, longez la rue Bab-el-Khebaz, qui borde la place, et traversez les **souks** très pittoresques jusqu'à la rue de la Grande-Mosquée ; à dr., une place monte vers la grande mosquée d'époque almohade.

➤ **LA MÉDERSA***. Sur votre g., face au sanctuaire, vous verrez une magnifique **porte** dont l'arc en pierre sculptée est surmonté par un auvent de cèdre. C'est l'entrée de la médersa, belle réalisation d'art mérinide construite vers 1333 par le sultan Abou el-Hassan. La place en pente raide, la vaste entrée de la mosquée, le perron bien proportionné de la médersa revêtent une noblesse inattendue dans le contexte modeste de la médina que l'on vient de traverser.

La petite **cour intérieure** doit son élégance à l'unité de sa décoration. Les zelliges recouvrent la partie inférieure ; dans la partie supérieure, le stuc ciselé et le cèdre sculpté presque noir contrastent par leur uniformité avec la diversité colorée des zelliges. De la terrasse, la **vue** embrasse Salé, le Bou Regreg et, au-delà, la tour Hassan et le mausolée de Mohammed-V de Rabat.

➤ **LE MARABOUT DE SIDI ABDELLAH BEN-HASSOUN**. En sortant de la médersa, allez à g. de la grande mosquée vers le marabout du saint patron de Salé et des voyageurs ; à l'intérieur sont suspendus des lustres ornés de cierges multicolores que l'on promène dans la ville la veille du Mouloud.

➤ **BORJ NORD-OUEST**. Continuez jusqu'à ce borj érigé au XVIIIe s. ; la **vue*** sur l'estuaire, l'océan et Rabat est remarquable. Au retour, vous pourrez longer l'autre côté de la grande mosquée et suivre la rue Kechachine, ce qui vous permettra de voir un autre aspect des souks.

➤ **MAGIC PARK**. *Av. du Prince-Héritier-sidi-Mohammed, rive dr. Bou Regreg (près du cinéma Dawliz)* ☎ *037.88.59.90. Ouv. mer.-dim. Horaires variables.* Si vous êtes accompagné d'enfants auxquels manquent les jeux et les manèges, allez faire un tour du côté de ce grand centre de loisirs pour découvrir toutes sortes d'animations. Restauration sur place.

➤ **VILARMAR ET LES POTIERS**. Si vous aimez la poterie – Salé est, avec Fès et Safi, l'un des principaux centres de production marocain – ne manquez pas d'aller flâner dans les **ateliers** qui se trouvent à 2 km de Salé (sur la route de Meknès ; suivez le fléchage « complexe des Potiers »). Près de ces ateliers, se trouve le **Vilarmar** (village des Arts marocains), entreprise privée qui présente dans différents pavillons toutes les richesses de l'artisanat marocain (☎ *037.81.13.32*).

Les jardins exotiques de Sidi-Bouknadel

➤ *10 km au N de Rabat, route de Kénitra. Ouv. t.l.j. à partir de 8 h. Entrée payante.*

Depuis 1951, l'ingénieur horticole M. François a réuni dans ce jardin, propriété du gouvernement marocain depuis 1981, quelque **1 500 espèces de plantes exotiques** qu'il lui fallut acclimater. Deux circuits permettent d'en faire le tour en 45 mn ou en 1 h 30 environ. Vous y verrez les « jardins nature », qui évoquent la végétation des pays lointains découverte par le fondateur lors de ses voyages, et les « jardins culture », qui font appel à une philosophie d'être et à un art de vivre : jardins andalou, chinois, japonais.

Musée Dar-Belghasi**

➤ *17 km au N de Rabat, route de Kénitra* ☎ *037.82.21.78. Ouv. t.l.j. sf j.f. 8 h 30-18 h 30. Entrée payante.*

Ouvert en 1996, ce premier musée ethnographique privé fondé par Abdelilah Belghazi présente une belle collection de plus de 5 000 pièces, témoignages du patrimoine culturel berbère: boiseries, tissus, manuscrits, bijoux, caftans, instruments de navigation… Une salle est consacrée à l'art juif marocain.

Mehdia-Plage et la réserve de Sidi-bou-Ghaba*

➤ *30 km au N de Rabat.*

➤ **MEHDIA-PLAGE** permet une agréable halte repas sur le front de mer dans l'un des nombreux restaurants de poissons. Les vagues, fréquentées par les surfeurs, sont dangereuses à marée descendante.

En quittant le village en direction de Kénitra par la S 212, une petite route à dr. monte vers une **kasbah** *(vis. avec gardien)* en ruine dominant l'estuaire du Sebou.

➤ **LA RÉSERVE DE SIDI-BOU-GHABA***. Formant lagune, elle s'étend à quelques kilomètres à l'intérieur des terres, à l'est de Mehdia-Plage. C'est un joli but de promenade, mais surtout un lieu privilégié d'observation ornithologique, devenu réserve protégée. En effet, le lac Sidi-bou-Ghaba sert de refuge à des milliers d'oiseaux migrant l'hiver entre l'Europe et l'Afrique noire, parmi lesquels des espèces rares comme la sarcelle marbrée ou la foulque à crête. L'ONG qui gère la réserve est affiliée au réseau SPANA anglais (société protectrice des animaux et de la nature) et gère 10 centres au Maroc. Le **Centre national d'éducation environnementale** *(ouv. t.l.j. 9 h-16 h)* s'emploie à rendre la visite fort intéressante: animateurs, exposition interactive, hutte et terrasse d'observation, mise à disposition de matériel d'observation et de documents.

Kénitra et la forêt de la Mamora*

➤ *11 km à l'E de Mehdia-Plage; 40 km au N de Rabat par la P 2 ou l'autoroute. Hébergement à Kénitra p. 134.*

Kénitra fut fondée au début du protectorat et porta plus tard le nom de «Port-Lyautey». Le port fluvial sert à l'exportation des produits de la région, conditionnés sur place. Kénitra est en outre une importante base aéronautique.

En redescendant vers Rabat, prenez la P 29 qui traverse la **forêt de la Mamora** (134 000 ha) dont l'essence principale est le chêne-liège. Ne vous engagez pas en voiture sur les voies non goudronnées, vous risqueriez de vous ensabler!

Au croisement avec la P 1, tournez à dr. vers Rabat, ou rejoignez Meknès *(p. 153)* par Khemisset sur votre g. ∎

La côte atlantique entre Rabat et Tanger

De Rabat à Tanger, l'autoroute et la P 2 suivent approximativement le tracé des deux grandes voies romaines qui reliaient le port de Sala Colonia, aujourd'hui Rabat, aux villes du littoral. La route traverse la **plaine du Rharb**, plat pays à tendance marécageuse et sablonneuse, généralement propice à une agriculture bien gérée.

➤ *Carte p. 109.*

Les réserves naturelles

➤ *140 km au N de Rabat par la P 2, puis la S 206 (après Kénitra). Munissez-vous d'une paire de jumelles.* **Hébergement à Moulay-Bousselham p. 135.**

L'immense **lagune de Merja Zerga*** est une réserve naturelle d'innombrables espèces d'oiseaux, migrateurs ou non (canards, flamants roses, hérons…). La meilleure saison pour les observer est le printemps, et les meilleurs moments de la journée entre 7 h et 8 h du matin et vers 17 h. Les pêcheurs de **Moulay-Bousselham**, station balnéaire très fréquentée en été, vous y conduiront dans leur bateau.

En empruntant la S 216, vous parviendrez au petit village d'**Arbaoua** *(50 km à l'E de Moulay-Bousselham)*. Tout près se trouve une **réserve de chasse** de 35 000 ha où il est possible de pêcher. Au carrefour des routes de Tanger, Rabat et Meknès, à **Souk-el-Arba-du-Rharb** *(25 km au S d'Arbaoua)*, a lieu le mercredi le plus grand souk agricole de la région. Un pittoresque défilé de carrioles tirées par des mulets ou des ânes et transportant des familles entières s'étire le long de la route.

Larache et ses environs

➤ *170 km au N de Rabat, 86 km au S de Tanger.* **Informations pratiques p. 134.**

À l'embouchure du Loukos, face à l'océan, Larache a un air désuet qui fait désormais partie de son charme. C'est dans ses environs que les Anciens situaient le jardin des Hespérides.

Fondée par des conquérants arabes, la ville fut longtemps un port de première importance, successivement occupé par les Portugais et les Espagnols. Elle demeura espagnole jusqu'en 1956, après avoir été, du XVIe au XIXe s., un repaire de pirates. Son

Jean Genet à Larache

L'écrivain Jean Genet a séjourné à Larache et y fut enterré en 1986, dans le cimetière chrétien qui s'étiole derrière un mur : une simple pierre surplombant la mer, à deux pas de la caserne et de la prison, lui qui détestait tant les geôles et les militaires ! Les bus n°s 4 et 5 y conduisent (départ en face de la kasbah de la Cigogne). ❖

port s'étant peu à peu ensablé, Larache devint la petite ville assoupie que l'on voit aujourd'hui.

La **ville espagnole** date du début du XXe s. ; elle s'étend des deux côtés de l'avenue Mohammed-V, qui conduit à la charmante ♥ **place de la Libération**. La splendeur fanée des maisons de style espagnol qui la bordent empreint le lieu de mélancolie.

De l'autre côté du jardin central, une imposante porte en brique garde l'entrée de la **médina** : traversez le souk, particulièrement animé en fin d'après-midi, puis passez sous la porte de la kasbah. Poursuivez jusqu'à la place du Makhzen, sur laquelle se trouvent le **bastion des Cigognes**, forteresse du XVIe s. *(ne se visite pas)*, le **Musée archéologique** *(ouv. 9h-12h et 15h-18h sf sam. et dim. ; entrée payante)*, dont la visite sert à compléter celle du site de Lixus, et la **maison de la Culture**, sise dans un ancien palais du XVIIIe s. édifié par le sultan Moulay Ismaïl et agrandi par les Espagnols.

La promenade sur le front de mer, par l'avenue Moulay-Ismaïl, a elle aussi perdu de son éclat : la balustrade s'écaille, la route se dégrade. Sur la dr. les ruines d'une ancienne kasbah s'accrochent à une avancée rocheuse.

Lixus

➤ *5 km au N-E de Larache, à g. sur la P 2. Les ruines, où paissent chèvres et brebis, ne sont pas gardées.*

Comptoir phénicien puis **carthaginois**, Lixus fut particulièrement prospère sous l'occupation romaine en raison de sa position privilégiée à l'embouchure du Loukos. Elle commença à décliner à la fin du IIIe s., mais resta habitée jusqu'au Ve s. Au bord de la route

LIXUS

de Larache à Tanger se trouvait la partie « industrielle » de la ville, qui comprenait des fabriques de salaisons et de *garum* (sauce à base de poisson fermenté). Un peu plus loin, un chemin monte vers la ville haute. Vous y verrez un **amphithéâtre**, le seul au Maroc, des thermes abritant la **mosaïque du dieu Océan*** (abîmée), ainsi que plusieurs temples sur l'acropole, d'où la **vue** s'étend vers l'estuaire du Loukos et la ville de Larache.

Le cromlech de M'Soura

➤ *25 km au N de Larache, suivre la P 37 vers Souk-el-Tnine de Sidi-el-Yamani, d'où une piste difficile, à 7 km au N, rejoint le cromlech (demandez un guide au village).*

Le cromlech daterait de la période néolithique : près de 200 pierres levées de taille variable entourent un tumulus de 55 m de diamètre.

Asilah*

➤ *41 km au N de Larache; 46 km au S de Tanger.* **Informations pratiques** *p. 129.*

Petite ville paisible, animée le jeudi par un souk pittoresque à l'ombre des remparts, Asilah retrouve un peu de son importance de jadis au cours du mois d'août, grâce au **festival culturel** qui rassemble de nombreux artistes internationaux.

Fondée par les Phéniciens sous le nom de « **Zilis** », elle comptait parmi les villes importantes du royaume de Mauritanie, avant de devenir colonie romaine. Plusieurs fois envahie, elle fut détruite par les Normands, puis reconstruite par les musulmans d'Espagne à la fin du Xe s. En 1471, les Portugais la conquièrent avec une flotte de plus de cinquante bâtiments et l'entourent de remparts. Les Espagnols leur succèdent, mais cèdent la cité à Moulay

La mosquée d'Asilah, dans la ville moderne, date du protectorat espagnol.

Ismaïl à la fin du XVIIe s. Au début du XXe s., un brigand redoutable, **Raissouli**, jette son dévolu sur la ville et s'en empare en 1906. Défiant le pouvoir central, il est nommé « pacha » par les habitants et se fait construire un palais. Il s'allie à l'Allemagne qui lui promet son aide, mais la défaite de celle-ci en 1918 met fin aux ambitions de l'aventurier, qui est fait prisonnier en 1925 par Abd el-Krim.

♥ La médina

➤ *Garez-vous sur la place Zelaka à l'extrémité N-E de la médina au bord de l'océan.*

Cernée d'une muraille du XVe s., la vieille ville est accessible par trois portes. En longeant les remparts sur la g., vous parvenez à **Bab Homar**, la « porte de la Terre », ainsi nommée parce qu'elle défendait Asilah des assaillants venant de l'intérieur. Franchissez-la et prenez à g. Les ruelles sont bordées de maisons blanches rehaussées de teintes pastel et de murs redécorés par les artistes durant le festival. Vous gagnez bientôt le rivage, que domine un petit bastion offrant une belle **vue** sur la médina, la côte et les bateaux de pêche.

Longez l'océan jusqu'à la petite place où se dresse le **palais de Raissouli**, transformé en centre culturel. Plus loin, vous parviendrez à la place Ibn-Khaldoun, puis à la place Sidi-Ali-ben-Hamdouch sur laquelle s'ouvre **Bab el-Bahar**, la porte de la Mer, qui donne sur la plage. Tout près se trouve la tour Carrée. Du même côté une rue conduit à la 3e porte, **Bab Kasaba**, que vous franchirez pour tourner ensuite à dr. et rejoindre la place Zelaka. ■

Casablanca
et ses environs

Si Rabat est la capitale politique du Maroc, Casablanca en est la **capitale économique et financière** : centre des affaires (la majorité des entreprises y sont domiciliées), du commerce (premier port national et grand port international), de l'industrie, c'est aussi le premier **centre universitaire du pays**.

Mais il y a l'envers de la médaille : l'**urbanisation galopante** a engendré des contrastes très marqués entre les différents quartiers de la ville. Ici, le luxe est plus voyant qu'ailleurs et la misère plus choquante : à l'intérieur du périmètre urbain, ce sont les bidonvilles, à la périphérie, les terrains vagues et des kilomètres d'immeubles inachevés, construits n'importe comment, sans autorisation. Casablanca est une ville instable, qu'il a fallu diviser en une superpréfecture et six préfectures pour mieux la contrôler.

Domaine incontesté de l'homme d'affaires, Casablanca ne représente pour le touriste qu'une halte rapide entre deux villes historiques.

Lyautey

Figure emblématique de la colonisation, Lyautey était pourtant assez hostile à l'assimilation et partisan d'un développement culturel spécifiquement marocain.

Sorti de Saint-Cyr à 19 ans, Lyautey (1854-1934) acquiert son expérience diplomatique en Algérie, puis en Indochine où il se lie avec Gallieni, à Madagascar et de nouveau en Algérie où, promu général, il est chargé d'éviter les incidents qui se multiplient à la frontière algéro-marocaine.

Sa nomination comme « premier résident général » lors de l'instauration du protectorat sur le Maroc en 1912 n'est donc pas une surprise. Il a pour objectif d'assurer la sécurité des régions occupées et de développer l'économie en favorisant le « progrès social ». Séduit par le pays et ses habitants, il se donne à sa tâche avec toute son âme. En reconnaissance de son œuvre, il est nommé « maréchal de France » en 1921. Il rentre en France en 1925, âgé de 71 ans, et trouve l'énergie nécessaire à l'organisation de l'exposition coloniale de 1931 à Vincennes. Il meurt dans sa Lorraine natale, en juillet 1934. Sa dépouille repose aux Invalides. ❖

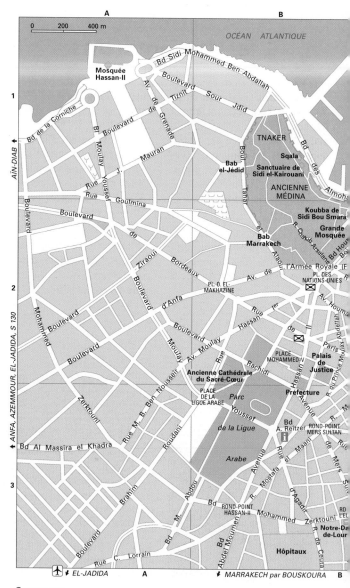

CASABLANCA

LA « VILLE BLANCHE » DU XXᵉ S.

Casablanca n'a conservé pratiquement aucun vestige de son histoire. Pourtant, comme les autres villes côtières, son site fut occupé par les **Phéniciens** dès le VIᵉ s. av. J.-C. Au Moyen Âge, la petite capitale berbère d'**Anfa** est une ville commerçante prospère ; mais elle ne se contente pas de traiter avec les Espagnols, les Portugais et les Italiens, et se livre à la piraterie. Les Portugais la détruisent en 1468. Jusqu'au XVIIIᵉ s., elle reste à leur merci ; ils l'occupent, la fortifient, puis finissent par l'abandonner. Reconstruite à la fin

NOUVELLE MÉDINA OU QUARTIER DES HABOUS ↘ *OUED ZEM, MARRAKECH*

du XVIIIᵉ s. par le **sultan Sidi Mohammed ben Abdellah**, elle prend le nom de «**Dar el-Beïda**», que les commerçants espagnols, installés dans la ville avec l'autorisation du sultan, traduisent par *Casa Blanca*, «Maison blanche». Ce n'est qu'au milieu du XIXᵉ s. que le **port** se développe vraiment et supplante celui de Tanger. En 1907, une entreprise française est chargée de construire un port mieux adapté aux exigences du trafic qui ne cesse de s'accroître; des incidents sur le chantier sont la cause de l'intervention militaire de la France. Sous le

Programme

Une demi-journée suffira si vous n'avez pas l'intention de faire des achats à Casablanca. La **place des Nations-Unies B2** est le centre de la ville. De là, vous pourrez visiter les principaux points d'intérêt de la ville moderne, vous promener à pied dans l'ancienne **médina B1-2**, ou vous diriger en voiture vers le port, pour longer la côte le long de la corniche vers le sud-est. Si vous disposez d'un peu de temps, faites un tour au **musée du Judaïsme marocain hors pl. par B3** au sud de la ville et à la **mosquée Hassan-II* A1** (encadré ci-contre). ❖

protectorat, instauré en 1912, Casablanca connaît son véritable essor économique, tandis que son développement urbain est guidé par **Lyautey** (encadré p. 115), avec l'assistance de l'urbaniste **Henri Prost**. Ce fort développement s'est poursuivi après l'indépendance.

➤ 97 km au S-O de Rabat. **Plan p. 116. Informations pratiques p. 129.**

Le tour de la ville

«**Casa**», pour les familiers, est une ville-champignon au développement très rapide. C'est la plus européenne des villes marocaines: elle présente toutes les caractéristiques d'une grande agglomération, à commencer par les embouteillages et le rythme de vie trépidant! La population, hétérogène, compte 3,5 millions d'habitants environ.

La ville moderne

À l'est de la **place des Nations-Unies B2** se détache le boulevard Mohammed-V, très commerçant;

au nord, le boulevard Félix-Houphouët-Boigny avec ses nombreux bazars mène vers le port; au sud, l'avenue Hassan-II conduit à la **place Mohammed-V B2**, centre administratif de Casablanca, accueillant le palais de justice, le consulat de France, devant lequel se dresse la statue du général Lyautey (encadré p.115), et la préfecture.

En poursuivant l'avenue Hassan-II et en prenant sur la dr. le boulevard Moulay-Youssef, on arrive au **parc de la Ligue-Arabe B2-3** (ex-Lyautey), havre de verdure et de calme.

Le musée du Judaïsme marocain

➤ Hors pl. par B3 81, rue Chasseur-Jules-Gros, quartier Oasis ☎ 022.99. 49.40. Ouv. lun.-ven. sf j.f. 10h-17h (9 h-15 h pendant le ramadan). Entrée payante.

Ouvert depuis peu, ce musée présente de nombreux objets de culte et des vêtements et châles de prière, ainsi qu'une collection de poupées portant les costumes régionaux des Juifs du Maroc.

L'ancienne médina

➤ **B1-2** À partir de la place des Nations-Unies, vous pouvez pénétrer dans la médina par la rue Chakib-Arsalane, ou par Bab Marrakech, en suivant le bd Tahar-el-Alaoui, qui longe les remparts.

Elle ne présente pas l'intérêt des médinas traditionnelles, mais demeure imprégnée de l'atmosphère des anciennes villes musulmanes. C'est un véritable dédale qui vous mènera vers le souk des bijoutiers. Les petites boutiques sont fort bien achalandées en bijoux d'or et d'argent modernes et traditionnels. En partie entourée de remparts, la médina offre un contraste saisissant avec le centre moderne, tout proche.

Le nouveau phare de l'islam

Le minaret de la mosquée Hassan-II s'élève à 200 m au-dessus du sol.

La **mosquée Hassan-II A1**, « plus haut édifice religieux de l'univers », a été inaugurée le 30 août 1993, jour anniversaire de la naissance du Prophète. Le roi du Maroc, Commandeur des Croyants, a offert à la communauté de près d'un milliard de musulmans un « nouveau phare de l'islam », réalisation spectaculaire qui marquera son règne. Le monument, bâti sur l'océan Atlantique à une dizaine de mètres au-dessus du niveau de la mer, est une merveille de technique. Le **minaret**, qui s'élève à **200 m au-dessus du sol** (le double des flèches de la cathédrale de Chartres), est équipé d'un rayon laser indiquant la direction de La Mecque sur une portée de 30 km. Le total de l'espace peut accueillir **150 000 personnes**, quatre fois la capacité de Notre-Dame de Paris. À l'intérieur, la **salle de prière**, haute de 60 m, est d'une pureté aérienne malgré l'extrême richesse de sa décoration. Lieu de prière, la mosquée joue également un rôle de sanctuaire théologique : bibliothèques, salles de conférences, musée, école coranique.

Résultat de la collaboration de l'architecte français **Michel Pinseau** avec le maître d'œuvre Bouygues, la construction a nécessité le travail de milliers d'ouvriers, de centaines d'ingénieurs et de plus de **10 000 artisans** qui se sont relayés nuit et jour pendant cinq ans. Le roi a lancé une grande souscription nationale pour financer une partie du projet. Le Prophète n'a-t-il pas dit : « Quiconque a construit une mosquée où est évoqué le nom de Dieu, le Très-Haut lui construira une demeure au paradis » ? ❖

La corniche, Aïn-Diab et Anfa

➤ *Cette promenade en voiture vous fera parcourir le front de mer et les quartiers élégants de la ville.*

À partir de la place des Nations-Unies **B2**, suivez le boulevard Félix-Houphouët-Boigny **BC2** jusqu'au **port**. Prenez à g. le boulevard des Almohades **B1**, qui longe les remparts de la médina, puis encore à g. le boulevard Sour-Jdid **AB1**. Vous arrivez à l'impressionnante **mosquée Hassan-II* A1**

(☎ 022.30.20.01. *Vis. guidées t.l.j. à 9h, 10h, 11h et 14h30 sf le ven. à 9h et 10h; entrée payante. Durée de la visite : 45 mn. Encadré p. 119*).

Continuez le long de la corniche jusqu'à **Aïn-Diab hors pl. par A1**, station balnéaire florissante. Quittez la côte par le boulevard du Lido pour parcourir le quartier d'**Anfa supérieur hors pl. par A3**, résidentiel et élégant, où eut lieu en 1943 la conférence de Casablanca, qui réunissait Churchill, Roosevelt et de Gaulle. Pour revenir vers le centre, tournez à g. dans le boulevard Alexandre-Ier, prolongé par le boulevard d'Anfa **A2** et l'avenue de l'Armée-Royale (F.A.R.) **B2**.

Les environs de Casablanca

Nous vous proposons deux excursions : l'une le long de la côte, au nord de la ville, vers la station balnéaire réputée de **Mohammedia** ; la seconde dans l'intérieur, en direction du sud, à travers un plateau coupé par la vallée de l'Oum er-Rbia. Chacune demande une demi-journée.

Mohammedia

➤ *30 km au N de Casablanca par l'autoroute ou la route côtière S 111.* **Carte** *p. 109.* **Informations pratiques** *p. 135.*

Mohammedia est à la fois un port industriel important, presque exclusivement pétrolier, et un **centre balnéaire assez chic**, avec une plage de 3 km de long dotée d'une belle digue-promenade. Ces deux vocations apparemment incompatibles ne se gênent aucunement, car les installations portuaires sont à l'écart de la station que fréquentent les citadins de la région. Malheureuse-ment, Mohammedia a beaucoup souffert des innondations de la fin 2002.

♥ La kasbah de Boulâouane

➤ *125 km au S de Casablanca. Quittez Casablanca au S en direction de Marrakech. À Settat, prenez la S 105 à dr. vers Sidi-Bennour. Quelques kilomètres après Boulâouane, tournez à g. sur la S 128 vers le barrage d'Imefout ; 3 km plus loin, une petite route à g. conduit à la kasbah ; vis. par le gardien.* **Carte** *p. 109.*

Perchée sur une hauteur dominant l'**Oum er-Rbia** qui serpente en boucles argentées, cette place forte fut érigée par Moulay Ismaïl pour contrôler la région environnante. Mais la légende dit qu'elle fut bâtie pour l'une de ses favorites. Les ruines s'imposent au regard bien avant de les atteindre. Le nom du fondateur et la date (1710) sont inscrits au-dessus de la **porte monumentale**. Un berger la franchit parfois pour faire traverser son troupeau. À l'intérieur des **remparts**, dont on peut faire le tour, il reste une haute tour carrée et la mosquée où fleurit un grenadier. Il règne ici une paix solennelle et magique et la présence du vieux gardien n'y est pas étrangère.

Pour aller à Marrakech *(p. 177)*, rejoignez la S 124 et prenez à g. en direction de Sidi-Bennour. Vous passerez devant le siège de la **Cobomi** qui produit le fameux «gris de Boulâouane» *(ni dégustation ni achat possibles!)*.

Pour poursuivre vers El-Jadida *(p. 120)*, retournez au village de Boulâouane et prenez à g. la S 105. ■

Entre Casablanca et Agadir

Entre Casablanca et Agadir, la côte présente un intérêt inégal et la route ne la suit pas toujours de près. Quelques villes méritent cependant que l'on s'y arrête : el-Jadida, Safi et Essaouira.

➤ *Carte p. 123.*

El-Jadida*

➤ *99 km au S-O de Casablanca par la P 8 ou par la route côtière S 130. Informations pratiques p. 131.*

Son climat doux et son sable fin font d'El-Jadida un lieu de détente apprécié des citadins des environs et de Marrakech. Cependant, la plage, surpeuplée en saison, est très mal entretenue, et l'eau, polluée. Pour le touriste à la recherche des témoignages du passé, l'attrait de cette petite ville est son admirable **citadelle portugaise** cernée aux 4 angles par 4 bastions : ceux de St-Sébastien et de St-Antoine, celui du St-Esprit et celui de l'Ange.

L'histoire de la ville commence en 1502, lorsque les Portugais entreprennent la construction d'un fortin, transformé plus tard en une cité fortifiée baptisée « **Mazagan** ». Ils s'y maintiennent pendant plus de deux cents ans. Le sultan **Mohammed ben Abdellah** s'en empare en 1769, au prix de lourdes pertes, et la nomme « El-Jadida ». La cité végète ensuite pendant longtemps et ne commence à s'étendre hors de son enceinte qu'au début du XXe s. Sous le protectorat, elle redevient Mazagan et bénéficie d'un essor économique renforcé par la création récente du port de Jorf-Lasfar, à 15 km au sud. Ouvert au commerce international en 1982, ce port constitue l'un des maillons de l'infrastructure portuaire du Maroc. Outre sa vocation première de transit de produits phosphatiers, énergétiques et conventionnels, il dispose de capacités lui permettant de répondre à un trafic maritime de plus de 25 millions de tonnes.

Les remparts*

La route de Casablanca longe la plage pour aboutir place Sidi-Mohammed-ben-Abdellah, où vous pouvez garer votre voiture. Après avoir franchi l'enceinte par la première porte que vous rencontrez, tournez à dr. : vous accédez au sommet des **remparts** par un escalier sous voûte. Suivez le chemin de ronde pour découvrir la vue sur l'océan et la cité. Du **bastion de l'Ange**, qui forme une avancée dans la mer, on a vue sur les symboles des trois religions qui ont cohabité en pleine harmonie à El-Jadida : une église, une synagogue et une mosquée.

La citerne portugaise**

La rampe descend vers une petite place d'où se détache la **rue Mohammed-el-Hachmi-Bahbah** ; celle-ci traverse la cité, bordée de quelques vieilles maisons portugaises, espagnoles et juives ornées de ferronneries et de blasons. À mi-chemin à dr. s'ouvre l'entrée de la **citerne portugaise**. Cette vaste salle de 34 m de côté fut construite au XVIe s. pour y entre-

Le moussem de Moulay-Abdellah

Le village conserve les restes du **couvent fortifié** édifié au XIIᵉ s. sur le site de l'ancienne cité berbère de Tit. Déserté au XVᵉ s. après l'arrivée des Portugais, puis réoccupé par des pêcheurs, il accueille l'un des plus importants moussems du pays. L'immense enceinte aménagée reçoit, le **premier vendredi d'août** et pendant une semaine, jusqu'à 200 000 pèlerins venus assister aux fantasias, aux danses et aux voleries de faucons, un art importé d'Arabie Saoudite qui disparaît progressivement avec les derniers maîtres fauconniers du pays Doukkala. À cette occasion, sont organisées des compétitions visant à désigner le meilleur cavalier, le meilleur cheval et le plus beau costume. Les trophées remportés sont des produits artisanaux en rapport avec le cheval ou l'habillement des cavaliers. ❖

poser les approvisionnements. Ses voûtes de pierre sont supportées par 25 colonnes assez basses en pierres de taille ; le sol pavé de brique est recouvert de quelques centimètres d'eau : combinée avec un éclairage d'appoint, la lumière du jour, pénétrant par une ouverture centrale, produit un effet théâtral qui a séduit plusieurs metteurs en scène, dont Orson Welles qui y tourna des scènes d'*Othello*.

D'El-Jadida* à Safi par la route côtière

➤ *Quittez El-Jadida par la S 121 en direction de Oualidia.* **Informations pratiques à Sidi-Bouzid p. 138.**

Cet itinéraire en **pays Doukkala** alterne plateaux à l'herbe rase où broutent chèvres et dromadaires, langues de sable fin sur des kilomètres de côte pratiquement déserte et cultures maraîchères. Au prix d'un léger détour, vous découvrirez **Sidi-Bouzid** *(7 km d'El-Jadida)*. La plage est belle, mais presque aussi polluée que celle d'El-Jadida. Suit **Moulay-Abdellah**, 7 km plus loin, où se tient en août un **moussem*** très

populaire *(encadré ci-dessus)*. La côte est doublée jusqu'à Oualidia de lagunes souvent aménagées en marais salants et en parcs à huîtres.

Oualidia

➤ *80 km au S-O d'El-Jadida. Souk le sam.* **Informations pratiques p. 135.**

La petite station balnéaire se tient sur une vaste lagune allongée. Juste à l'entrée, un chemin descend à dr. vers le **parc ostréicole 007** où vous pourrez déguster huîtres et moules. Là se situe un très beau spot de surf qui permet l'organisation du «Quick Silver Surf Masters».

Après Oualidia, la route longe une côte rectiligne aux plages de sable fin magnifiques et désertes, car très dangereuses. De minuscules carrés de cultures rejoignent le sable. Cette étroite bande de terre cultivable semble toujours menacée par les flots. Au **cap Beddouza**, la route vire à g. et surplombe la côte rocheuse et sauvage. Là encore, les cultures occupent la moindre parcelle de terre arable, tandis que le plateau est un désert de pierre.

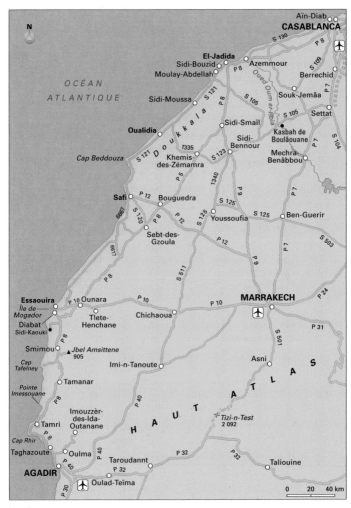

LA CÔTE ATLANTIQUE SUD

Safi

➤ *142 km au S d'El-Jadida par la S 121; 62 km au S de Oualidia; 157 km au N-O de Marrakech par la P 9, puis la P 12.* **Informations pratiques** *p. 138.*

Port industriel et de pêche, Safi n'a pas jusqu'ici éprouvé le besoin de se tourner vers le tourisme, mais elle commence à regarder avec envie sa voisine Essaouira. Si la ville ne possède pas de plage susceptible d'en faire une station balnéaire importante, elle a d'autres attraits, ne serait-ce que son charme authentique, sa **poterie** et son **poisson**, le meilleur de la côte!

Les Portugais occupent Safi au début du XVIᵉ s., mais n'y restent guère : ils en sont chassés en même temps que d'Agadir. Leur présence a cependant donné à la ville le goût du commerce avec l'Europe. Au XVIIIᵉ s., Safi devient le **siège de plusieurs légations étrangères,**

La poterie de Safi

La poterie de Safi, émaillée et très colorée, existe depuis le XIIᵉ s. Elle a connu son apogée vers 1920. Dans les ateliers, rien n'a changé depuis des siècles. Les ouvriers, assis sur le sol, activent le tour avec leurs pieds et appliquent les décors au pinceau. Les couleurs sont dosées à vue d'œil... L'habitude fait toute la différence !

La fabrication comporte **cinq stades** : l'**argile brute**, dégoulinante d'eau, est d'abord concassée, ramollie et pétrie à la main puis tournée. On la laisse sécher à l'air libre avant d'appliquer un engobe à base de kaolin qui donne à la poterie un aspect blanc. On laisse sécher pendant une semaine et l'on procède à une **première cuisson**.

Le refroidissement prend deux jours ; après ouverture du four, on élimine les pièces fêlées et irrécupérables. Vient ensuite la **décoration au pinceau** : chaque artisan a ses motifs, qu'il reproduit des centaines de fois avec un pinceau très fin. L'**émaillage**, qui donne à la poterie sa couleur et son éclat, est spectaculaire : d'énormes bassines alignées dans une cour contiennent un liquide d'un brun plus ou moins foncé que l'on appelle « jus de figue » et dans lequel sont plongées les poteries. Il est difficile pour un non-initié de discerner les nuances de couleur, mais chaque maître sait que tel jus donnera un bleu foncé, tel autre un vert émeraude, tel autre un jaune vif. Le dernier stade consiste en une **seconde cuisson** qui fixe l'émail et la couleur. ❖

---

dont celle de France. Le commerce s'intensifie et le port devient bientôt le premier du Maroc. Après une période de déclin au XIXᵉ s., la pêche puis la chimie lui redonnent une importance considérable. Aujourd'hui, c'est l'un des premiers ports sardiniers du monde, et les phosphates ont assuré sa prospérité industrielle.

➤ **DAR EL-BAHR**. Sur la place de l'Indépendance, face à l'océan, se dresse le château de la Mer, forteresse portugaise du XVIᵉ s. que l'on visite : le bastion sud-ouest offre une **vue** panoramique sur la ville ancienne et moderne.

➤ **LA MÉDINA**. Au bord de l'océan, elle est facilement accessible depuis la place de l'Indépendance. Prenez le boulevard du Front-de-Mer puis à dr. la rue du Souk, la plus animée, flanquée de boutiques. La ruelle qui longe la grande mosquée mène à la **chapelle portugaise**, qui est en fait le chœur de l'ancienne cathédrale du début du XVIᵉ s.

➤ **LA COLLINE DES POTIERS***. Revenez dans la rue du Souk, et sortez de la médina pour aller visiter la **colline des Potiers**. Sur un versant abrupt s'étagent des ateliers vétustes où l'on fabrique les célèbres poteries de Safi (encadré ci-dessus). Les boutiques des artisans sont regroupées en contrebas. Depuis vingt ans, le maître **Ahmed Serghini**, au nº 7 du souk des Poteries, collectionne les trophées.

Non loin de la colline des Potiers se dresse la puissante **Kechla***, ancienne forteresse portugaise. Elle abrite le **musée national de la**

Céramique *(ouv. t.l.j. sf mar. 8h30-12h et 14h-18h)*, qui permet d'avoir un aperçu sur les poteries de Fès, de Meknès et de Safi (ancienne et moderne). De sa tour, la vue plonge superbement sur la médina.

Essaouira***

➤ *129 km au S de Safi ; 175 km à l'O de Marrakech par la P 10 ; 344 km au S-O de Casablanca par la P 8. **Plan** p. 126. **Informations pratiques** p. 132.*

Blottie dans ses murailles rosées sur une **presqu'île rocheuse** dont l'avancée abrite une belle plage, cette ville intemporelle attire artistes et amateurs d'atmosphère. Il n'y règne jamais une chaleur accablante car le vent souffle en permanence, surtout entre avril et septembre. Les femmes s'enveloppent dans de lourds haïks de cotonnade blanche pour s'en protéger, tandis que les véliplanchistes profitent de sa constance.

MOGADOR, CITÉ OCÉANE

Dès l'Antiquité, les navigateurs phéniciens y font escale. Plus tard, Rome vient y chercher la fameuse **pourpre**, substance extraite d'un coquillage, qui a donné son nom aux îles Purpuraires voisines. Occupée au XVIe s. par les Portugais, la cité reçoit le nom de « **Mogador** ». En 1764, le sultan **Sidi Mohammed ben Abdellah** décide d'y fonder un port pour rivaliser avec Agadir qui lui résiste. Les plans en sont tracés par un architecte français, Théodore Cornut : *As-Sawiram* ou Essaouira signifie d'ailleurs « la bien dessinée ». Après avoir abrité la flotte des corsaires du sultan, le port devient le débouché du trafic saharien et le principal centre d'importation des produits européens. Essaouira reste de nos jours un important **port sardinier**, mais elle subit de plus en plus la concurrence des villes voisines dotées d'installations modernes.

Les remparts ocre d'Essaouira, contrastant avec le bleu de l'océan, n'ont cessé d'inspirer les artistes.

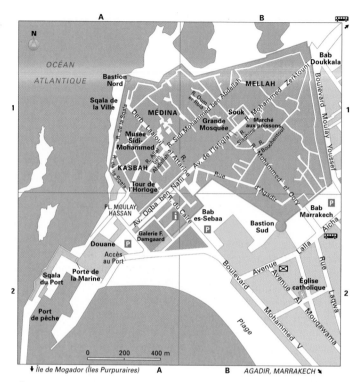

Essaouira

La sqala de la Ville***

➤ *Le bd Mohammed-V* **B2** *longe la plage jusqu'au port de pêche. Vous trouverez un parking* **A2** *devant les bâtiments de la douane.*

➤ **LE PORT**. Les charpentiers y construisent de lourdes embarcations de pêche selon des méthodes ancestrales. Il règne, à l'heure de la **criée**, une animation haute en couleur et en odeur. Au moment de la sieste, les filets entassés servent de matelas aux marins. Passez sous la **porte de la Marine*** **A2**, construite par un Anglais en 1769, qui reliait autrefois le port à la ville. Un escalier à g. conduit à la **sqala du Port*** **A2**. Du haut de la tour de cette forteresse, la vue embrasse la ville, le port et les îles.

➤ **LA MÉDINA.** On accède à ce labyrinthe de maisons blanches et bleues par la **place Moulay-Hassan A2**. Au fond à g., empruntez la ruelle voûtée, puis suivez les remparts le long desquels les **ébénistes** travaillent le bois de thuya. On en voit de moins en moins, les ateliers, transférés ailleurs, ont été transformés en boutiques. Une rampe d'accès mène à la **sqala de la Ville*** **A1**, dont le mur crénelé surplombe magnifiquement l'océan. Les canons de bronze sont espagnols. C'est là que furent tournées par Orson Welles les principales scènes de son *Othello*, qui devait obtenir la palme d'Or au festival de Cannes de 1952. Au-dessous de la plate-forme, dans les anciens arsenaux où étaient construits les bateaux des pirates

Les Gnaoua

Musiciens gnaoua sur les remparts d'Essaouira, munis d'un guenbri (luth à trois cordes), de crotales (krakebs, castagnettes de fer) et de tambours (ganga).

Le nom *gnaoua* (sing. *gnaoui*) désigne les Afro-Marocains et musiciens-guérisseurs. Ils ont à Essaouira un lieu de culte consacré à **Sidna Bilal**, esclave abyssin converti à l'islam et affranchi par Mahomet pour avoir guéri sa fille par la musique. Les Gnaoua se répartissent en deux groupes : les Gnaoua des villes, qui célèbrent le rite de possession (la *derdeba*) avec le *guenbri*, et les Gnaoua des pays berbères, considérés comme les esclaves de Lala Krima (sainte patronne des Gnaoua), qui se servent de crotales et de tambours. Leurs pratiques rituelles et thérapeutiques se font en trois étapes : le sacrifice d'un animal, le repas cérémonial (symbole de la *baraka*) et le rite de la possession qui se déroule pendant la nuit. Depuis 1998, l'association Essaouira-Mogador organise pendant le mois de juin un festival gnaoua (rens. : *www.festival-gnaoua.co.ma*). ❖

et entreposées les munitions, sont aménagés des ateliers où subsistent quelques **artisans en marqueterie** (l'essentiel de la production ayant été excentré), qui font des incrustations de citronnier, de nacre et d'argent dans le bois de thuya. Le **musée Sidi-Mohammed * A1** *(rue Laalouj. Ouv. t.l.j. sf mar. 9h-12h et 15h-18h30)* rassemble de belles collections d'instruments de musique, de tapis, de tissage, de marqueterie et de bijoux, ainsi que des objets concernant les différentes confréries de transe.

La rue Laalouj se prolonge par la rue el-Attarine. Tout de suite à g., les **souks B1** se répartissent des deux côtés de l'avenue de l'Istiqlal et de la rue Mohammed-Zerktouni. Les commerces sont rassemblés par spécialité : poissons, épices, vêtements, etc. Le souk des bijoutiers – situé près de la rue Mohammed-el-Qory, au coin de la rue Siaghine – jadis prospère, ne présente plus qu'un intérêt limité.

Revenez à la place Moulay-Hassan par l'avenue de l'Istiqlal et l'avenue Oqba-ben-Nafi où se trouve la **galerie d'art Frédéric Damgaard A2** (encadré p. 133). Une halte à l'une des nombreuses terrasses de café de la place viendra clore le tour de la ville ancienne.

La plage et l'île de Mogador

La **plage AB2** s'étire sur plus de 6 km; c'est l'une des plus belles du Maroc, mais aussi la plus ventée. Des courants violents rendent la **baignade dangereuse**. Prenez la route de Diabat, à quelques kilomètres au sud d'Essaouira : la plage y est beaucoup plus agréable et moins fréquentée, ce qui n'exclut pas de rester vigilant.

L'**île de Mogador** que l'on voit au large ne se visite pas. Les Phéniciens occupaient déjà cet îlot sept siècles avant notre ère. Transformé par la suite en bagne, puis en **réserve ornithologique**, il abrite quelques couples de faucons Éléonore, une espèce très rare, et des milliers de mouettes.

D'Essaouira à Agadir

➤ *Itinéraire de 175 km. Sortez d'Essaouira par la P 8.* **Carte p. 123.** *Hébergement à Sidi-Kaouki p. 138.*

La route, qui au début s'éloigne de la mer, offre de beaux panoramas sur la côte rocheuse où s'accrochent arganiers et cactus. Au bout de 15 km, une route rectiligne de 12 km, sur la dr., conduit à **Sidi-Kaouki**, du nom d'un marabout réputé pour guérir les femmes stériles. Sa tombe se dresse au bord d'une immense plage balayée par le vent (*moussem très populaire à la mi-août*). Les parents viennent y faire couper pour la première fois les cheveux de leurs bébés. La plage est très **dangereuse** mais appréciée des surfeurs (*location de planches, 100 DH l'heure*). Des gargottes servent tagines, couscous et poissons.

Après Smimou, se dresse sur la g. le **jbel Amsittene**. Le Haut Atlas vient ici se jeter dans l'océan. Une piste, déconseillée aux véhicules de tourisme (*22 km A/R en pleine arganeraie*), permet d'atteindre une tour d'observation; Hassan, le gardien apiculteur, peut héberger une douzaine de personnes dans son **refuge** (☎ *mobile 066.64.16.10*).

De retour sur la P 8, 6 km plus loin à dr., une autre piste aux magnifiques paysages conduit au **cap Tafelney*** (plage de Tafadna) en 15 km. Après **Tamanar** où se trouve la **coopérative d'huile d'argan Amal** (☎ *044.78.81.41, encadré p. 230*), une petite route à dr. mène à la **pointe Imessouane**, où un port a été construit avec l'aide du Japon. La côte est d'une grande beauté. À mesure que l'on se rapproche d'Agadir, les **arganiers** se font plus nombreux, pour le plus grand bonheur des chèvres, qui grimpent allégrement sur leurs branches tordues.

Après Tamri, la route épouse les contours de la côte, tantôt rocheuse, tantôt accueillante, avec quelques **belles plages**, comme celle de Taghazoute, paradis des surfeurs (*p. 242*). Juste avant Agadir se détache à g. la route en direction d'Oulma et d'Imouzzèr-des-Ida-Outanane (*p. 242*). La route descend enfin vers la baie d'Agadir (*p. 239*). ∎

Cartes côte atlantique p. 109 (nord) et 123 (sud).

■ Asilah

Hôtels

▲▲ **Zelis**, 10, av. Mansour-Eddahbi ☎ 039.41.70.69/29, fax 039.41.70.98. *55 ch. dont 10 suites avec air cond.* Près de la médina. Certaines chambres ont vue sur la mer. Restaurant sans alcool.

▲▲ **El-Khaïma**, à 2 km sur la route de Tanger ☎ 039.41.74.28, fax 039.41.75.66. *113 ch. avec balcon ou terrasse dont 12 studios pour 4 pers.* Près de la plage. Piscine, tennis et discothèque. Restaurant avec alcool.

▲▲ **Patio de la Luna**, 12, place Zelaka ☎ 039.41.60.74. *7 ch. avec s.d.b.* Petit hôtel aux allures de riad. De la terrasse, vue sur la mer.

➤ **CAMPINGS.** Au N de la ville, le long de la plage. **Es-Saada** est sans doute le plus recommandable (☎ 039.91.73.17).

Restaurants

◆◆ **Oceano Casa Pepe**, 8, place Zelaka ☎ 039.41.73.95. Des poissons et produits de la mer frais et variés, cuisinés à l'espagnole.

◆ **Sevilla**, 18, av. Iman-el-Assili ☎ 039.41.85.05. Cadre modeste, mais les poissons, cuisinés à la marocaine, sont savoureux.

■ Casablanca

Plan p. 116.

❶ **ONMT**, 55, rue Omar-Slaoui **B3** ☎ 022.27.11.77/95.33. *Ouv. lun.-ven. 8h 30-12h et 14h30-18h30.* Inefficace. **Syndicat d'initiative C2**, 98, bd Mohammed-V ☎ 022.22.15.24. *Ouv. t.l.j. sf dim. 9h-12h et 15h-18h30.*

Arrivée

➤ **EN AVION.** Aéroport Mohammed-V, à 35 km au S-O **hors pl. par A3** ☎ 022.53.90.40. Des trains desservent les deux gares de Casablanca et continuent vers Rabat *(de 6h45 à 22h45)*. On peut rejoindre la ville en **car** *(départ de l'aéroport de 7h30 à minuit; départ de Casablanca de 6h à 22h)* ou en **taxi** *(coût: env. 200 DH)*.

➤ **EN CAR.** CTM, rue Léon-l'Africain **C2** ☎ 022.54.10.10 et **Gare des Oulad-Ziane**, route des Oulad-Ziane **D3**.

➤ **EN TRAIN.** Gare Casa-Port, à l'angle du bd Félix-Houphouët-Boigny et du bd Moulay-Abderrahmane **C2** ☎ 022.27.18.37. Gare Casa-Voyageurs, place Pierre-Semard **D3** ☎ 022.24.38.18.

Circuler

La ville étant très étendue, une voiture est indispensable. La circulation est dense, surtout aux heures de pointe.

Hôtels

▲▲▲▲ **Holiday Inn**, rond-point Hassan-II **B3** ☎ 022.29.49.49, fax 022.39.13.45. *180 ch. dont 22 suites.* Très confortable. Piscine, 3 restaurants. Piano Bar.

▲▲▲▲ **Hyatt Regency**, place des Nations-Unies **B2** ☎ 022.26.12.34, fax 022.22.01.80. *229 ch.* Au centre du quartier des affaires. Piscine climatisée, squash, etc.

▲▲▲▲ **Riad Salam**, bd de la Corniche **hors pl. par A1** ☎ 022.39.13.13, fax 022.39.13.45, www.salamhotels.ma. *197 ch et 4 suites.* Face à la mer. Piscine ouverte aux non-résidents. 5 restaurants, night-club et cabaret oriental.

▲▲▲▲ **Royal Mansour Méridien**, 27, av. des F.A.R. **B2** ☎ 022.31.30.11, fax 022.31.48.18. *182 ch.* au luxe classique. 2 restaurants et un piano-bar.

▲▲▲▲ **Sheraton**, 100, av. des F.A.R. **C2** ☎ 022.43.94.94, fax 022.31.51.36. *304 ch.* au luxe coutumier à cette chaîne. 2 bars, 3 restaurants et un centre de remise en forme.

▲▲▲ **Les Almohades**, av. Moulay-Hassan-Ier **B2** ☎/fax 022.22.05.05. *138 ch.* En plein centre-ville. Petite piscine. Restaurant marocain agréable.

▲▲▲ **Kenzi Basma**, 35, av. Moulay-Hassan-Ier **B2** ☎ 022.22.33.23/58, fax 022.20.89.36. *115 ch.* confortables entièrement rénovées.

▲▲▲ **La Corniche**, bd de la Corniche à Aïn-Diab, à 4 km du centre **hors pl. par A1** ☎ 022.36.30.11, fax 022. 39.11.10. *53 ch.* Petite piscine avec terrasse et animation musicale en été.

▲▲▲ **Suisse**, bd de la Corniche, à Aïn-Diab **hors pl. par A1** ☎ 022.36.60.61, fax 022.36.77.58. *192 ch.* Rénové en 2002. Piscine, sauna, discothèque, billard. 3 restaurants, 2 bars.

▲▲ **Ibis Moussafir**, place de la gare Casa-Voyageurs **D3** ☎ 022.40.19.84, fax 022.40.07.99. Architecture marocaine. Jardin intérieur. Pas de piscine.

Restaurants

CUISINE MAROCAINE

♦♦♦ **El-Mounia** ♥, 95, rue du Prince-Moulay-Abdellah **B2** ☎ 022.22.26.69. *F. le dim.* Dans un pavillon de style traditionnel. Le raffinement et la richesse de la cuisine marocaine.

♦♦♦ **Le Basmane**, à l'angle du bd de l'Océan-Atlantique et du bd de la Corniche **hors pl. par A1** ☎ 022.79. 75.32. Dîner spectacle *(sf le dim)*. Très bonne cuisine traditionnelle. Alcool.

♦♦♦ **La Fibule**, bd de la Corniche (phare d'El-Hank, près du restaurant *La Mer*) **hors pl. par A1** ☎ 022.36.06. 41. Cuisine marocaine dans un cadre traditionnel.

CUISINE EUROPÉENNE

♦♦♦ **À ma Bretagne** ♥, bd Sidi-Abderrahmane **hors pl. par A1** ☎ 022. 36.21.12. *F. le dim.* La meilleure table de Casa, tenue par des Français. Terrasse face à l'océan dans le jardin.

♦♦♦ **La Gondole**, 16, rue Rouget-de-Lisle **B2** ☎ 022.27.74.88. *F. le dim.* Établissement très bien tenu. Excellent rapport qualité/prix pour une bonne cuisine gourmande.

♦♦♦ **Le Neroli**, 63, bd d'Anfa **A2** ☎ 022.26.37.00. Cadre raffiné. Les meilleures viandes de Casablanca.

♦♦♦ **Rétro 1900**, Centre 2000, Casa-Port **C2** ☎ 022.27.60.73. *F. dim. et j.f.* Cuisine raffinée de tradition française avec un menu surprise.

♦♦ **Le Petit Poucet**, 86, bd Mohammed-V **D2** ☎ 022.27.54.20. Créé en 1920, c'est une institution. Au mur, des lettres de Saint-Exupéry. Menu bon marché et carte européenne.

SPÉCIALITÉS DE POISSONS

♦♦♦ **Le Cabestan**, phare d'El-Hank **hors pl. par A1** ☎ 022.39.11.90. *F. le dim.* Excellents plats servis dans une jolie maison.

♦♦♦ **El Cenador**, bd de la Corniche (phare d'El-Hank) **hors pl. par A1** ☎ 022.39.57.48. *F. le dim.* Tenu par un couple d'Espagnols. Cuisine créative de grande qualité dans un cadre fort agréable.

♦♦♦ **La Mer**, phare d'El-Hank **hors pl. par A1** ☎ 022.36.33.15. Cadre original avec vue sur l'océan.

♦♦♦ **Ostrea**, port de pêche de Casa, après la douane **C2** ☎ 022.44.13.90. Une table de pêcheurs aux mets délicats. Les crustacés proviennent du parc privé du propriétaire.

♦♦ **Taverne du Dauphin** ♥, 115, bd Félix-Houphouët-Boigny **B2** ☎ 022. 22.12.00. Une vénérable institution tenue par une famille de Marseille. Cuisine française et espagnole.

♦♦ **Restaurant du port de pêche**, dans le port, après la douane **D1** ☎ 022. 31.85.61. Très fréquenté. *Rés. conseillée.*

Pâtisseries

Les amateurs de **douceurs orientales** (amandes, miel et pâtes feuilletées) ne manqueront pas de se rendre aux deux temples de la gourmandise: chez **Bennis** (2, rue Fikh-el-Gabbas, dans le quartier des Habous **hors pl. par D3**), la pâtisserie marocaine traditionnelle la plus réputée de Casa; et à la **Pâtisserie Amoud** ♥ (26, bd Massira-el-Khadra **A3**. *F. le dim.* ; 142, bd Emile-Zola **D2**. *Ouv. t.l.j.*). Tout y est bon: pains spéciaux, glaces, viennoiseries, gâteaux marocains et à la crème, petits fours... Un régal pour les papilles et pour les yeux.

Sports

➤ **ÉQUITATION. Club de l'Étrier**, quartier des stades **hors pl. par A3** ☎022.98.95.42.

➤ **GOLF. Royal Golf d'Anfa**, hippodrome d'Anfa **hors pl. par A3** ☎022.36.53.55. 9-trous.

➤ **SPORTS NAUTIQUES.** Le long de la corniche, en allant vers Aïn-Diab **hors pl. par A1**.

➤ **TENNIS. Club olympique de Casablanca**, quartier des stades **hors pl. par A3**. **Cercle municipal de Casablanca**, parc de la Ligue-Arabe **B3**.

Vie nocturne

Night-clubs et discothèques sont concentrés à Aïn-Diab **hors pl. par A1**, comme **Villa Fandango**, très à la mode, et l'**Amstrong Jazz Bar**, sympathique et décontracté. Signalons la **London Town Discothèque** de l'hôtel *Safir* (160, av. des F.A.R. **C2**).

Shopping

➤ **ARTISANAT.** Vous trouverez à Casablanca tous les produits de l'artisanat marocain *(p. 40)* à des prix avantageux. Le choix est vaste, particulièrement pour les tapis et les articles de cuir. C'est dans le **quartier des Habous** (ou nouvelle médina), bd Victor-Hugo **hors pl. par D3**, que vous ferez les meilleures affaires; vous y serez plus tranquille que dans les médinas traditionnelles.

➤ **BIJOUX.** Le **quartier des bijoutiers**, situé dans l'ancienne médina **B2**, propose sur des étalages en plein air des articles de grandes marques internationales à des prix dérisoires et à l'authenticité douteuse... Attention à la nouvelle réglementation sur les contrefaçons!

Adresses utiles

➤ **BANQUES. Crédit du Maroc**, av. Hassan-II, près de la poste **B2** et 48, bd Mohammed-V **C2**. **BMCE** à l'angle de la rue Nationale et de l'av. Lalla-Yacout **C2** et à l'aéroport Mohammed-V.

➤ **COMPAGNIES AÉRIENNES. Air France**, 15, av. des F.A.R. **B2** ☎022.29.40.40. **Royal Air Maroc**, 44, av. des F.A.R. **B2** ☎ 022.31.11.22 et 44, place des Nations-Unies **B2** ☎022.20.32.70 à 76.

➤ **CONSULATS. France**, rue du Prince-Moulay-Abdellah **B2** ☎022.48.93.00. **Belgique**, 13, bd Rachidi **B2** ☎ 022.22.29.04. **Suisse**, 119, av. Hassan-II **B2** ☎022.26.02.11.

➤ **INSTITUT CULTUREL FRANÇAIS.** 121, bd Mohammed-Zerktouni **B3** ☎022.25.90.78.

➤ **LIBRAIRIES. Le Carrefour des Livres**, angle rue des Landes et rue Vignemal **hors pl. par A3** ☎022.25.87.81. La meilleure librairie de Casablanca. Tout à côté, **Le Carrefour des Arts**, angle rue Daguerre et rue de Chevreuil **hors pl. par A3** ☎022.29.43.64. Très belle boutique.

➤ **LOCATION DE VOITURES. President Car**, 27, rue Ghali-Ahmed ☎022.26.07.90 et 022.27.96.07. Possibilité de transfert gratuit à l'aéroport.

➤ **URGENCES. Pharmacie de garde**, place Mohammed-V **B2**. *Ouv. de 21h à 7h*. **SOS Médecins** ☎ 022.44.44.44.

■ El-Jadida

❶ **Délégation provinciale du tourisme**, av. Ibn-Khaldoun ☎023.34.47.88. *Ouv. lun.-ven. 8h30-12h et 14h30-18h30*. **Syndicat d'initiative**, place Mohammed-V ☎023.37.06.56. Le guide Larbi Smili (☎mobile 061.62.13.53) vous révélera tous les secrets de la ville.

Hôtels

▲▲▲▲ **Sofitel Royal Golf Hôtel**, à 7 km au N sur la route de Casablanca ☎023.35.41.41 à 48, fax 023.35.34.73. www.accorhotels.com-sofitel.com. *107 ch. et 10 suites.* Sauna, piscine, hammam, tennis, golf de 18 trous. Bel environnement sur 120 ha, entre forêt et océan. 4 restaurants, 3 bars et un piano-bar.

▲▲ **Hôtel Andalou**, rue du Docteur-Delanoë, à côté de l'hôpital Mohammed-V ☎ 023.34.37.45, fax 023.35.16.90. *28 ch. et 1 suite.* Dans l'ancien palais d'un pacha. Belle cour intérieure bordée de petits salons individuels. Pourrait être mieux entretenu. Restaurant marocain et international.

Restaurant

♦♦ **Ali Baba**, av. Al-Jamia-el-Arabia, route de Casablanca. Vue sur la mer. Bonne cuisine. Excellent service.

■ Essaouira

Plan p. 126.

🛈 Rue du Caire **A2** ☎ 044.47.50.80. *Ouv. lun.-ven. 9 h-12 h et 15 h-18 h 30.*

Hôtels

Il est impératif de réserver longtemps à l'avance en saison.

DANS LA VILLE

▲▲▲▲ **Sofitel Mogador**, bd Mohammed-V **B2** ☎ 044.47.90.00, fax 044.47.90.30. www.thalassa.com. *117 ch. ou suites* meublées par les artisans souiris. Inspiré de l'architecture d'un riad. S.d.b. décorées de *zelliges*. Piscine, solarium, hammam, bibliothèque. Restauration allégée et traditionnelle. Institut de thalassothérapie.

▲▲▲ **La Maison du Sud** 29, rue Sidi-Mohammed-ben-Abdallah **B1** ☎ 044.47.41.41, fax 044.47.68.83. *8 ch.* avec mezzanine, *6 suites*, 3 salons et une terrasse. Dans un riad du XVIIIe s. de style arabo-andalou, au cœur de la médina piétonnière.

▲▲▲ **Riad Al-Madina**, 9, rue El-Attarine **A1** ☎ 044.47.59.07/57.27, fax 044.47.66.95. *27 ch.* petites. Toutes décorées différemment. Riad agréable, même s'il est proche du haut-parleur de la mosquée. Très bon restaurant marocain.

▲▲▲ **Riad Al-Zahia**, 4, rue Mohammed-Diouri **A1** ☎ 044.47.35.81. *6 ch. et 2 suites* pleines de cachet. Très belle

maison d'hôtes. Salons, patio avec fontaine et terrasse. Une adresse de charme tenue par des Français.

▲▲▲ **Villa Maroc**, 10, rue Abdellah-ben-Yassin **A2**, derrière les remparts et la tour de l'horloge ☎ 044.47.61.47, fax 044.47.58.06. *24 ch. et suites* dans deux maisons particulières. Décoration exceptionnelle, meubles anciens. Repas sur commande servis dans le patio ou dans les salons.

▲▲▲ **Villa Quieta** ♥, 86, bd Mohammed-V **B2** ☎ 044.78.50.04/05, fax 044.78.50.06/32. *14 ch. dont 2 suites et 4 bungalows.* Dans une belle maison marocaine ; jardin et agréable terrasse installée en solarium. Un havre de paix et de confort.

▲▲ **El-Jasira**, 18, rue My-Ali-Chrif dans le quartier des Dunes **hors pl. par B2** ☎ 044.78.44.03, fax 044.47.60.74. *39 ch.* fonctionnelles. Piscine. Restaurant.

▲▲ **Riad Lalla**, 12, rue de l'Iraq **B2** ☎/fax 044.47.67.44. *Studios et ch. d'hôtes* dans une maison traditionnelle souirie restaurée.

▲ **Cap Sim**, 11, rue Ibn-Rochd, à deux pas de la place Moulay-Hassan **A1** ☎/fax 044.78.58.34. *27 ch.* réparties sur trois étages dans un petit riad. Terrasse avec vue sur la mer.

▲ **Hôtel Souiri**, 37, rue El-Attarine **A1** ☎/fax 044.47.53.39. *20 ch.* Très propre, central. Une excellente adresse économique.

AUX ENVIRONS

▲▲▲ **Riad Mogador**, à 1 km sur la route de Marrakech ☎ 044.78.35.35, fax 044.78.35.56. *139 ch. et 16 suites.* Piscine. Restaurants. Pas d'alcool.

▲▲ **Auberge Tangaro**, à 5 km au S sur la route d'Agadir, tournez après le pont vers Diabat et continuez pendant env. 700 m ☎ 044.78.47.84. *17 ch.* agréables en pleine nature. Dîner aux chandelles (il n'y a pas d'électricité) dans un décor rustique. Demi-pension obligatoire.

Location d'appartements

Jack's, place Moulay-Hassan **A2** ☎ 044.47.55.38, fax 044.47.69.01. www.essaouira.com. Excellente for-

Les peintres d'Essaouira

Œuvre de Mohammed Tabal, artiste de l'« école d'Essaouira » d'inspiration gnaoui, exposée à la galerie Damgaard.

En 1988, le Danois **Frédéric Damgaard** quitte Nice pour le Maroc : il est tombé amoureux des artistes dits « libres d'Essaouira » qu'il compte bien promouvoir sur la scène internationale. Carrefour des traditions berbère, arabe et juive, la ville est riche de son métissage culturel, ce qui explique ce foisonnement. Ces peintres n'appartiennent à aucune école.

Ils sont maçon comme **Ali Maimoune**, marin comme **Rachid Amarhouch**, philosophe comme **Ahmed Harrouz**, ou sculpteur comme **Abdelmalek Berhiss** : leur art, baptisé par certains critiques « art tribal », mêle dans un luxe de couleur toutes les influences, qu'elles soient primitives, naïves ou contemporaines. Leurs œuvres sont exposées dans les galeries d'art suivantes : **Frédéric Damgaard**, av. Oqba-ben-Nafi **A2** ☎ 044.78.44.46. **Galerie Harabida**, 10, rue Ibn-Rochd **A1**. **Espace Othello**, rue du Caire, face au syndicat d'initiative **AB2**. **Abdellah Oulamine**, 7 *bis*, rue Houmman-el-Fetouaki **A1**. ❖

---

mule. Location possible pour une seule nuit dans des appartements joliment décorés.

▲▲▲ **Riad Es-Salam**, rens. au restaurant *Es-Salam* **A2** ☎ 044.47.55.48, fax 044.47.62.42. *3 appart.* confortables et bien décorés dans une authentique maison souirie.

Restaurants

♦♦♦ **Riad Bleu Mogador** ♥, 23, rue Bouchentouf **B1** ☎ 044.78.41.28. Très beau riad. Cuisine raffinée (occidentale ou marocaine) de Christine Bertholet. Inoubliable charriot de desserts. La meilleure table d'Essaouira. Réservez et l'on vous accompagnera à travers la médina.

♦♦ **La Licorne** 26, rue Scala **A1** ☎ 044 47.36.26. Très accueillant. Tenu par un couple de Français. Cuisine française et cuisine marocaine traditionnelle.

♦♦ **Le Coquillage**, dans le port **A2** ☎ 044.47.66.55. Terrasse sur la mer et grande salle accueillant surtout des groupes.

♦♦ **Dar Loubane**, 24, rue du Rif **A1** ☎ 044.47.62.96. Dans un riad du XVIIIe s., avec un patio à arcades. Tenu par des Français. Bonnes spécialités françaises et marocaines. Concerts de musique *gnaoui (le sam.)*. *3 ch.* disponibles.

♦ **Les Alizés**, 26, rue de la Sqala **A1** ☎ 044.47.68.19. Spécialités marocaines, dans un décor très agréable. Alcool. Menu économique. Accueil souriant.

Essaouira en fête

➤ **ACHOURA**. Fête des pauvres et des enfants *(p. 34)*. À ne pas manquer.

➤ **FÊTE DE LA CONFRÉRIE DES REGRAGA**. Le **1er jeudi d'avril**. Les Regraga sont les héritiers de sept sages berbères qui ont été chargés par le Prophète de diffuser au Maghreb la nouvelle religion. Si cette version n'a pas été retenue par l'histoire officielle, chaque année, des milliers de membres de cette confrérie effectuent néanmoins un pèlerinage de 40 jours à pied dans la région. Ils visitent 44 sanctuaires et terminent leur périple à Essaouira où se déroulent de grandes fêtes et des manifestations de joie de la part de la population.

➤ **FESTIVAL DE MUSIQUE GNAOUA**. Tous les ans, au mois de **juin**, pendant 4 jours *(encadré p. 127)*.

➤ **PRINTEMPS MUSICAL DES ALIZÉS**. Dernier-né des festivals de musique, il célèbre en **avril** la musique classique. ❖

♦ **Les Chandeliers**, 14, rue Laalouj, face au musée **A1** ☎ 044.47.64.50. Dans une belle maison souirie, spécialités du Sud-Ouest de la France et pizzas.

♦ **Chez Françoise**, 1, rue Houmman-el-Fetouaki **A1** ☎ 044.47.44.11. *F. le dim.* Pour un snack de tartes salées ou sucrées préparées par la propriétaire. Pas d'alcool. Adresse économique.

♦ **Dar Baba**, 2, rue Marrakech, une ruelle sur la dr. de la rue Allal-ben-Abdellah **A1** ☎ 044.47.68.09. *F. en nov. et le lun. hors saison.* Cuisine italienne. Alcool.

♦ **Es-Salam**, place Moulay-Hassan **A2** ☎ 044.47.55.48. Une adresse économique avec terrasse et petit salon pour dîner à la bougie. Pas d'alcool.

Café-galerie

Taros, 2, rue de la Sqala **A1** ☎ 044.47.64.07. *Ouv. t.l.j. sf dim. 11h-19h.* Magnifique réalisation dans une belle maison souirie. Splendide terrasse dominant le port. Café, bar, salon de lecture, galerie. Un lieu de rencontres très convivial.

Adresses utiles

➤ **LIBRAIRIE. Aïda**, 2, rue de la Sqala **A1** ☎ 044.47.62.90. Le meilleur choix de livres. Fait aussi de la **brocante** : une vraie caverne d'Ali-Baba.

➤ **PHARMACIE. Hamad Ismaïl**, place Chefchaouri, près de l'horloge **A1**.

➤ **CYBERCAFÉ. Téléboutique**, 8, rue du Caire (tout près du syndicat d'initiative) **A2** *Ouv. 9h30-23h.*

➤ **LOCATION DE QUADS. Aladin Location**, 62, av. du 2 Mars ☎ 044.78.42.53

➤ **PLANCHE À VOILE. Océan Vagabond** et **centre UCPA AB2,** installés sur la plage, bd Mohammed-V ☎ mobile 061.10.37.77.

■ Kénitra

Hôtel

▲▲▲ **Mamora**, av. Hassan-II, place administrative ☎ 037.37.17.75, fax 037.37.14.46. *66 ch. dont 3 suites.* Air cond. Près des plages de Mehdia et de Bouknadel, appréciées des surfeurs. 2 bars avec alcool. Night-club. Restaurant.

■ Larache

Hôtels

▲▲ **Riad**, 87, rue Mohammed-ben-Abdellah ☎ 039.91.26.26, fax 039.91.26.29. www.hotelriad.com. *26 ch., 2 suites et 4 bungalows* confortables. Bonne situation au calme dans un jardin. Tennis. Piscine. Poney-club et aire de jeux. Bar et restaurant.

▲ **España**, 2, av. Hassan-II ☎ 039. 91.31.95, fax 039.91.56.28. *45 ch.* propres avec vue sur la jolie place de la Libération.

Restaurant

♦♦ **Cara Bonita**, 1, place de la Libération ☎ 039.91.16.68. Bons produits de la mer dans un cadre sympathique.

■ Mohammedia

Restaurants

♦♦ **La Frégate**, rue Oued-Zem ☎ 023.32.44.47. Bonne cuisine. Service rapide et chaleureux.

♦♦ **Restaurant du port**, 1, rue du Port ☎ 023.32.24.66. Terrasse. Cadre agréable et cuisine raffinée.

Sports et loisirs

➤ **GOLF. Royal Golf** ☎ 023.32.46.56. *F. le mar.* 18-trous. Restaurant-bar.

➤ **TENNIS.** À proximité du golf.

■ Moulay-Bousselham

Hébergement

▲ **Le Lagon** ☎ 037.43.26.50. *30 ch.* simples avec vue sur le lagon. Pas de restauration.

▲ **Villa Nora**, sur le front de mer au bout de la ville ☎ 037.43.20.71. *5 ch.* charmantes dans une maison d'hôtes tenue par des Anglais. Repas en famille. *Réserver, surtout l'été.* Khalil peut vous conduire au large à la rencontre des flamants roses *(☎ 063.09. 53.58. 100 DH l'heure, jusqu'à 4 pers.).*

■ Oualidia

Hôtels

▲▲▲ **Hippocampe** ♥ ☎ 023.36.61.08/ 64.99, fax 023.36.64.61. *23 ch. et 2 suites en bungalows* sur la plage. Superbe jardin envahi de fleurs. Piscine. Demi-pension obligatoire. Repas de poissons et de crustacés, un vrai régal. Vue sur la lagune.

▲▲▲ **L'Initiale**, Oualidia-plage (près du club de tennis) ☎/fax 023.36. 62.46. *6 ch.* dont 3 donnant sur la mer et 2 sur la lagune. Au restaurant, poissons, fruits de mer et spécialités italiennes. Piano-bar (jazz en saison).

▲▲ **À l'Araignée Gourmande**, au bord de la plage ☎ 023.36.61.44. *15 ch.* dont 4 donnent sur la mer. Spécialités de poissons et de fruits de mer. Très bon accueil. Demi-pension obligatoire. *Réserver.*

▲▲ **Le Lagon bleu**, près de l'*Araignée gourmande* ☎ 023.36.64.47. *25 ch. avec s.d.b.*, simples, propres et fonctionnelles dont 5 avec vue sur mer.

Parc ostréicole

Ostréa, parc à huîtres 007 ☎ 023.36. 63.24. Dégustation d'huîtres et de coquillages de première fraîcheur.

Sports et loisirs

➤ **SURF. Surfland** ☎ 044.36.61.10. Cours et location de matériel.

■ Rabat

Plan I (ensemble) p. 102, plan II (médina) p. 104.

ⓘ **Délégation régionale du tourisme** 29, av. Mohammed-Lyazidi **I-D2** ☎ 037.73.05.62, fax 72.79.17. **Office du tourisme** 31, av. Abtal, angle de la rue Oued-Fès **hors pl. I par B3** ☎ 037. 68.15.31/32/33, fax 037.77.74.34. *Ouv. lun.-jeu. 8h30-12h et 14h30-18h30, ven. 8h30-11h30 et 15h30-18h30.*

Accès

➤ **EN AVION.** Aéroport de Rabat-Salé, à 10 km au N-E de la ville **hors pl. I par D1**. Location de voitures. Seuls les taxis desservent le centre-ville.

➤ **EN CAR.** Gare routière à 3 km au S-O du centre, sur la route de Casablanca **hors pl. I par A3** ☎ 037.75.59. 24. Prendre le bus n° 30.

➤ **EN TRAIN.** Gare centrale de Rabat-ville, av. Mohammed-V **I-C2** ☎ 037. 76.73.53.

Circuler

Si vous êtes en voiture, la circulation dans Rabat ne pose aucun problème et il n'est pas difficile de se garer. Un boulevard extérieur contournant le centre-ville du côté du Bou Regreg

Festivals à Rabat

➤ **LE PRINTEMPS DES OUDAÏA**. Festival culturel en mai dans la kasbah des Oudaïa : jazz, concerts classiques, modernes, rock, musiques et chansons traditionnelles.

➤ **LES ESTIVALES**. En juin, concerts organisés par l'Institut français.

➤ **LE FESTIVAL DE RABAT**. 2e quinzaine de juillet. ☎ 037.70.89.51. Cinéma essentiellement.

➤ **LE FESTIVAL MAWAZINE**. 2e quinzaine de mai ☎ 037. 77.63.64. Rythmes du monde.❖

permet de se rendre aisément de la médina au Chellah et au palais royal. Le centre-ville n'étant pas très étendu, vous pourrez faire l'essentiel de la visite de Rabat à pied.

Hôtels

▲▲▲▲ **Hilton**, Souissi **hors pl. I par D3** ☎ 037.67.56.56, fax 037.67.14.92. www.hilton.com. *269 ch. dont 20 bungalows et 27 suites.* Près du palais royal. Fitness, sauna. Boutiques de luxe. Navette aéroport. Courts de tennis, practice de golf, piscine, hammam. Restaurants, piano-bar, café-patio.

▲▲▲▲ **Sofitel Diwan** ♥, place de l'Unité-africaine **I-D2** ☎ 037.26.27.27, fax 037.26.28.28. *94 ch. dont 6 suites.* Décoration alliant élégance et modernité. Navette aéroport. Hammam. 2 restaurants (brasserie parisienne et cuisine méditerranéenne). Piano-bar.

▲▲▲▲ **Sol Mélia Morocco**, place Sidi-Makhlouf **I-D1** ☎ 037.73.47.47, fax 037.72.21.55. *197 ch. avec air cond. dont 8 suites.* Domine le Bou Regreg, près de la tour Hassan ; piscine panoramique au 5e étage, fitness, sauna, boutiques. 3 restaurants avec alcool et un piano-bar.

▲▲▲▲ **La Tour Hassan** (Méridien), 26, rue Chellah **I-D2** ☎ 037.23.90.00, fax 037.72.54.08. *139 ch.* Palace du début du XXe s. en plein centre-ville. Délicieux jardin andalou. Piscine, sauna, hammam. 2 restaurants dont un marocain. Bar.

▲▲▲ **Chellah**, 2, rue d'Ifni **I-C2** ☎ 037. 70.10.51, fax 037.70.63.54. *115 ch. dont 5 suites.* Air cond. Moderne et fonctionnel.

▲▲ **Shéhérazade** (Relais Mercure), 21, rue de Tunis **I-D2** ☎ 037.72.22.26 à 28, fax 037.72.45.27. Bien situé. *78 ch.* confortables et fonctionnelles. Au restaurant, grillades à la mode australienne. 2 bars.

Riads

▲▲▲▲ **Villa Mandarine**, 19, rue Ouled-Bousbaa, Souissi **hors pl. I par D3**. ☎ 037.75.20.77, fax 037.63.23.09. www.villamandarine.com. *30 ch. et 6 suites* autour d'un patio. Ancienne demeure familiale. Grand jardin, 2 piscines. Sauna, hammam, billard. Restaurant franco-marocain. Excursions. Prix relativement élevés.

▲▲▲ **Riad Oudaya**, 46, rue Sidi-Fatah **II-A2** ☎ 037.70.23.92. *2 suites et 2 ch.* Maison d'hôtes appartenant à un Français. Salon marocain. Restaurant installé dans le patio central.

▲▲ **Dar el-Batoul**, 7, derb Jirari **II-A2** ☎/fax 037.72.72.50. *7 ch. d'hôtes* meublées de façon traditionnelle. Restauration traditionnelle. Hammam. Terrasse avec vue panoramique.

À SALÉ ET TÉMARA

▲▲▲ **Dawliz**, av. du Prince-Héritier-Sidi-Mohammed, Salé ☎ 037.88.32.77, fax 037.88.32.79. *45 ch. avec air cond. dont 8 suites* confortables sur les bords du Bou Regreg. 4 restaurants, piano-bar, piscine au bord du fleuve, salles de cinéma, bowling. *Réserver.*

▲▲ **Saint-Germain-en-Laye**, plage de Témara au S de Rabat ☎ 037.77.47.04 et 037.77.48.49. *21 ch.* Charmant hôtel, les pieds dans l'eau. A de nombreux amateurs, surtout en été. Piano-bar. *Réserver longtemps à l'avance.*

Restaurants

♦♦♦ **Dar Rbatia**, 6, rue Ferrane-Khachane **II-A2** ☎037.70.13.17. Au cœur de la médina, dans une belle demeure bourgeoise. Table marocaine de qualité.

♦♦♦ **Dinarjat**, 6, rue Belgnaoui **II-A2** ☎ 037.72.23.42. On vient vous chercher sur le parking face à la kasbah des Oudaïa. Bonnes spécialités marocaines. Pas d'alcool.

♦♦♦ **Les Casseroles en folie**, 4, av. de l'Atlas, Agdal **hors pl. I par A3** ☎/fax 037.67.42.47. *F. le dim.* Très bonne cuisine méditerranéenne à dominante catalane.

♦♦♦ **L'Entrecôte**, 74, av. Fal-Ould-Oumeir, Agdal **hors pl. I par A3** ☎037.67.11.08. *Air. cond.* Bonne cuisine française traditionnelle, poissons de première fraîcheur. Alcool.

♦♦♦ **Le Goéland**, 9, rue Moulay-Ali-Chérif **I-D3** ☎037.76.88.85. *F. le dim.* Joli cadre. Cuisine française de qualité.

♦♦♦ **Le Puzzle**, 79, av. Ibn-Sina, Agdal **hors pl. I par A3** ☎037.67.00.30. *F. le dim. midi. Air cond.* Cuisine et cadre méditerranéens de qualité. Pub et piano-bar.

♦♦ **El Rancho**, 30, rue Michlifen, Agdal **hors pl. I par A3** ☎037.67.33.00. *F. pendant fêtes religieuses et le ramadan.* Le tex-mex de Rabat.

♦♦ **La Mamma**, 6, Zamkat-Tanta (ex-Paul-Tirad) **I-C2** ☎037.70.73.29. En centre-ville. Pizzeria très appréciée des R'batis. Livraison à domicile.

♦ **El-Bahia**, bd Hassan-II **I-C1** ☎037. 73.45.04. Cuisine marocaine sans prétention. Bon rapport qualité/prix. Cadre assez exceptionnel : la muraille des Andalous. Patio intérieur. Pas d'alcool.

♦ **La Caravelle**, sur la terrasse du fort des Oudaïa **II-B1** ☎037.73.88.44. Belle vue sur les plages, face à Salé. Cadre original. Cuisine simple. Alcool.

À SALÉ

♦♦♦ **La Péniche**, ancrée sur le Bou Regreg, juste avant le *Royal Motonautic Club* **II-B1** ☎037.78.56.59/61. Cuisine raffinée. Vous dînerez face aux monuments illuminés.

Les tapis de Rabat

Les tapis de Rabat, d'origine citadine, sont fabriqués depuis le XVIIIe s. Ils s'inspirent de modèles orientaux. Si l'on en croit la légende, une cigogne de retour d'Orient aurait laissé tomber un tapis dans le patio d'une maison et les femmes de Rabat en auraient pris modèle pour leurs propres créations. Leur décor floral, parfaitement symétrique, comprend un motif central *(koubba)* et une frise en bordure. Traditionnellement, sept couleurs doivent être utilisées.

Les tapis que l'on trouve dans le commerce présentent des différences de qualité, que vous pourrez vous faire expliquer au **centre artisanal II-B1** situé en contrebas de la kasbah des Oudaïa. ❖

Pâtisserie-salon de thé

Paul, 82, av. des Nations-Unies, Agdal **hors pl. I par A3** ☎037.67. 20.00. Pains spéciaux, viennoiseries, gâteaux de qualité.

Shopping

Les deux grandes spécialités de l'artisanat sont le cuir et les tapis d'inspiration orientale, aux couleurs très chaudes. Tentez votre chance dans la **médina**. La rue des Consuls **II-B1-2** est spécialisée dans la vente des **tapis** à la criée. Dans les vieilles rues, vous trouverez des **tentures** de Salé, des **cuivres** martelés et des **cuirs** repoussés. Les **soies brodées** se vendent dans la rue Souika **II-B2**. Pour les **babouches**, rendez-vous dans une ruelle couverte de treillage de roseaux, dans le souk Es-Sebat **II-B2**. Le **centre artisanal II-B1**, à côté de la kasbah des Oudaïa, se présente comme un centre commercial.

Sports et loisirs

➤ **GOLF. Royal Golf Club** de Dar-es-Salam, 10 km de Rabat ☎037.75.59.60. *F. le lun.* 3 parcours, dont 2 de 18 trous. Championnat international en mars.

➤ **REMISE EN FORME. Thalaforme**, allée de Princesse, Souissi ☎037.63.82.94.

➤ **SPORTS NAUTIQUES.** Le port leur est entièrement consacré. **Yacht-Club**, quai de la Tour-Hassan **I-D1** ☎037.20. 67.54. Piscine d'eau naturelle. Tennis.

Adresses utiles

➤ **AMBASSADES ET CONSULATS. Consulat de France**, 49, av. Allal-ben-Abdellah **I-C2** ☎037.76.38.24. **Ambassade de Belgique**, 6, rue de Marrakech **I-D2** ☎037.76.47.46. **Ambassade de Suisse**, square Berkane **I-D2** ☎ 037.76.69.74.

➤ **BANQUES. BMCE**, 350, av. Mohammed-V, après la poste **I-C2**. **Wafa**, sur la même av., à l'angle du bd Hassan-II **I-Cl**.

➤ **COMPAGNIES AÉRIENNES. Air France**, 282, av. Mohammed-V **I-C2** ☎ 037.70.77.28. **Royal Air Maroc**, angle av. Mohammed-V et rue Moulay-Abdellah **I-C2** ☎037.70.97.10.

➤ **CYBERCAFÉ. Cybercapitale**, 6, rue Sefrou **I-D2** ☎ 037.26.36.62.

➤ **INSTITUT FRANÇAIS**, 2, rue El-Yanboua **I-C2** ☎037.70.11.38. *F. le lun. et en août.*

➤ **POSTE ET TÉLÉPHONE. Poste centrale**, av. Mohammed-V **I-C2**. Services du **téléphone** *(ouv. jour et nuit)*, et de la **poste restante**, rue Soekarno, dans un immeuble voisin.

➤ **TAXIS**, à la gare ferroviaire **I-C2**.

➤ **URGENCES. Pharmacie de nuit**, rue Moulay-Rachid **I-D1**, face au théâtre national Mohammed-V. *Ouv. 24 h/ 24 h.* **SOS Médecins** ☎037.20.20.20.

■ Safi

ⓘ rue Imam-Malek ☎ 044.62.24.96.

Hôtels

▲▲▲ **Atlantide**, 50, rue Chaouki ☎044.46.21.60/61, fax 044.46.45.95, *51 ch.* Dans le quartier résidentiel.

Établissement de style années 1930 dans un joli jardin. 2 piscines. Accueil et cuisine laissent à désirer.

▲▲▲ **Assif**, av. de la Liberté (près de la place Mohammed-V). Deux ailes : l'une ancienne de *24 ch.* avec cabinet de toilette et l'autre de *38 ch.* avec s.d.b. et air cond. Garage, parking. Restaurant.

Restaurant

♦♦♦ **Riad du Pêcheur**, 1, rue de la Crète ☎ 044.62. 69.10. Poissons et fruits de mer d'une grande fraîcheur.

■ Sidi-Bouzid

Hôtel

▲▲▲ **Beach Club La Perle**, Centre balnéaire ☎ 023.34.84.04, fax 023.34. 83.90. *40 ch. et 28 bungalows.* Cadre très agréable. Piscine. Restaurant international, piano-bar.

Restaurant

♦♦♦ **Le Requin bleu**, Centre balnéaire ☎ 023.34.80.67. Spécialités de poissons et de fruits de mer. Salle climatisée ou belle terrasse avec vue sur la mer.

■ Sidi-Kaouki

Arrivée

➤ **EN BUS.** Au départ d'Essaouira, bus n° 5 (9 fois/jour).

Hôtels

▲▲ **Auberge de la plage** ☎ 044. 47.33.83, fax 044.47.66.00. *10 ch.* simples mais propres avec vue sur la mer. Club équestre.

▲▲ **Villa Soleil**, à 20 km sur la route d'Agadir, sur la plage ☎ 044.47.20.92. *5 bungalows de 9 ch.* avec patio et cabinet de toilette, dans un cadre de verdure, conçu comme une médina. Simple, propre.

▲ **Résidence Le Kaouki** ☎044.78.32.06, fax 044.47.28.06. *10 ch.* Salle de restaurant avec cheminée et éclairée aux chandelles. Pas d'électricité. Réservé aux amateurs de planche et... de vent. ■

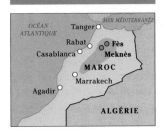

FÈS, MEKNÈS ET LE MOYEN ATLAS

Située au cœur même du Maroc, la **plaine du Saïs** qu'occupent Fès et Meknès est depuis toujours une région dominatrice. Son rôle économique et politique fut primordial dans l'évolution historique de ce pays où la montagne a de tout temps imposé ses conditions à l'homme. La présence d'un ancien lac tertiaire, de plusieurs oueds et de sources vauclusiennes, ainsi qu'un niveau moyen de précipitations donnent un sol fertile qui permet des cultures intensives et variées. En outre, la plaine jouit d'une situation stratégique, au débouché des seules voies de communication entre le Nord et le Sud ainsi qu'entre l'Est et l'Ouest.

Dès l'occupation romaine, elle fut un pôle d'attraction pour les conquérants, qui y établirent la capitale de la province de **Mauritanie tingitane**, **Volubilis**. Puis y virent le jour deux villes impériales, **Fès** et **Meknès**.

Le **Moyen Atlas**, qui borde la région au sud, complète l'attraction touristique des villes de la plaine par la beauté de ses paysages et la fraîcheur de ses étés.

➤ *Carte p. 166.*

Fès*** et ses environs

Ville de tradition et d'ouverture à la fois, pieuse et cultivée, décrépite et splendide: difficile de cerner la personnalité de la plus ancienne des cités impériales ! Il semble pourtant facile d'expliquer le concours de circonstances qui lui a permis de s'épanouir et de rayonner sur le pays tout entier. Son site privilégié la prédisposait à un destin glorieux: comme toile de fond, un cirque de collines d'où descend en abondance l'eau bienfaisante; à proximité, la pierre à bâtir et les forêts de cèdres indispensables à la construction.

Cité chérie des dynasties successives, même si toutes n'en firent pas leur capitale, elle fut la rivale heureuse des autres villes impériales, y compris Marrakech. Jamais complètement délaissée depuis sa fondation, elle est d'une richesse extraordinaire en architecture hispano-mauresque. L'installation dans ses murs de Berbères, de musulmans chassés d'Espagne et d'Arabes fuyant le Maghreb oriental a contribué à en faire très tôt le **centre intellectuel et culturel du Maroc**, et sa renommée a franchi les frontières du pays. Pourtant, Fès ne se livre pas aisément: du haut de la colline où se dressent les ruines des tombeaux mérinides, elle offre au regard l'anonymat de ses maisons blanches blotties au creux de leur cadre de verdure, tandis qu'au cœur de son immense médina elle se retranche à l'abri des portes closes, énigmatiques, qui ne laissent rien deviner de ce qui se cache derrière leurs admirables vantaux de cèdre sculpté.

Fès a beau cultiver la discrétion, elle n'est pas moins animée et active. Inscrite au **Patrimoine mondial de l'humanité par l'Unesco** en 1980, afin de sauvegarder son centre historique et son riche artisanat, elle s'efforce de conjuguer le passé et le présent en donnant du sens à l'un et à l'autre.

La médina de Fès, resserrée autour de ses murs austères et mystérieux, dessine un labyrinthe dont la topographie est restée inchangée depuis le XIIᵉ s.

Programme

➤ **EN UNE JOURNÉE**, vous ne pourrez voir qu'une partie de l'immense médina. Vous pourrez faire le **tour de Fès** *(p. 142)* dans la matinée, en vous arrêtant aux **tombeaux mérinides**** **I-B1** *(p. 143)* d'où l'on jouit d'une vue inoubliable sur la ville blanche. L'après-midi sera consacré au **cœur de la médina***** **III-C2**, quartier qui entoure la **mosquée Karaouiyine**** **III-C2** *(p. 147)*. En 3 h, vous verrez l'essentiel des monuments et des souks. Sur le chemin du retour, passez par **Fès el-Jédid*** **I-A1** *(p. 151)*, en suivant la Grande-Rue de Fès el-Jédid, qui conduit à Bab Dekakene et au Vieux Méchouar **I-A1** *(p. 152)*.

➤ **DEUX JOURNÉES** vous permettront de visiter, en plus, le quartier de **Bab Bou Jeloud**** **III-A2** *(p. 145)*, le musée **Dar-Batha*** **III-A3** *(p. 145)* et le **quartier des Andalous*** **III-D2** *(p. 151)*. Vous pourrez refaire le **tour de Fès** au coucher du soleil pour admirer les nombreux minarets brillant dans la nuit, et vous arrêter pour boire un verre sur la terrasse de l'**hôtel Méridien III-A1** et jouir pleinement de la vue. ❖

LA FONDATION

En 789, **Moulay Idriss**, premier sultan de la dynastie des Idrissides, décide de fonder une ville dans la plaine du Saïs. La légende veut que le nom de Fès vienne de la pioche (*fas*, en arabe) en or offerte au sultan pour en tracer le pourtour. La petite bourgade prend donc le nom de «Médina Fas» et ne reste pas longtemps tapie sur la rive droite de l'oued du même nom. Peu de temps après sa fondation, Idriss Ier meurt empoisonné et son fils **Idriss II** développe la ville sur la rive gauche.

UNE VILLE REFUGE

Vers 818, des **musulmans chassés du royaume de Cordoue** se réfugient à Fès et s'installent sur la rive droite qui prend le nom de «quartier des Andalous», qu'elle porte toujours. Presque en même temps, des **Arabes de Kairouan**, en Tunisie, fuyant les persécutions fréquentes à cette époque, s'établissent sur la rive g. qui devient le quartier Karaouiyine ou des Kairouanais. L'apport des connaissances techniques et des traditions artistiques de ces deux communautés bien distinctes est si bénéfique qu'il marque le début d'un essor de plusieurs siècles.

L'ÂGE D'OR

La mosquée Karaouiyine, qui symbolise le rayonnement spirituel de Fès, est construite dès le IXe s. Sous le prince almoravide **Youssef ben Tachfine**, la ville est agrandie et les deux quartiers, jusque-là bien distincts, sont réunis à l'intérieur d'une même enceinte. C'est le début de la prospérité commerciale de Fès. Les Almohades font éclater les limites de la ville ancienne et lui donnent ses proportions actuelles.

Au XIVe s., sous les **Mérinides**, Fès connaît son âge d'or: trop restreinte pour être la digne capitale de ces sultans épris de luxe, elle voit surgir à ses côtés une ville toute neuve, avec ses remparts, son palais, sa mosquée et son marché, auxquels vient bientôt s'ajouter un *mellah*, c'est-à-dire un «quartier juif». **Fès el-Jédid**, Fès la

Nouvelle, à côté de la ville ancienne devenue **Fès el-Bali**, Fès la Vieille, s'enrichit de nombreuses médersas, témoins d'un art hispano-mauresque à son apogée. L'université attire les plus grands penseurs du monde islamique, tandis que l'artisanat et le commerce sont florissants.

ÉCLIPSE ET RENOUVEAU

Cet éclat se voile une première fois sous les Saadiens, installés à Marrakech (malgré leur effort pour embellir la ville, notamment en agrandissant la mosquée Karaouiyine), puis sous le règne de Moulay Ismaïl (1672-1727), qui choisit Meknès pour capitale. Après la mort de ce dernier, de grands travaux de restauration sont entrepris, et la ville ne cesse de consolider son rôle prépondérant jusqu'à la signature du **traité de protectorat en 1912**, date où elle perd son titre de capitale au profit de Rabat.

LA CAPITALE SPIRITUELLE DU MAROC MODERNE

Son ascendant est toutefois trop grand et trop solidement établi pour qu'une telle mesure le compromette : l'**université** continue d'être le foyer d'où rayonne la pensée islamique, tandis que la **bourgeoisie fassie** fournit un grand nombre de cadres aux gouvernements successifs. Quant aux commerces et à l'artisanat local, leur réputation n'est plus à faire. Fès se met au rythme de la vie moderne en accueillant de grandes entreprises et en se dotant d'une nouvelle université sans toucher à la tradition de la Karaouiyine.

➤ *Plan I (ensemble) ci-contre, plan II (ville nouvelle) p. 144, plan III (el-Bali) p. 146, plan IV (el-Jédid) p. 151. Informations pratiques p. 171.*

Le tour de Fès

➤ **Plan I** *Depuis la place de la Résistance* **I-A2** *ou* **II-B2**, *suivez la P1 (bd Allal-al-Fassi* **I-A2-B1**) *à dr. vers Taza et Oujda. Comptez entre 2 et 3 h, avec la visite des musées.*

La promenade en voiture autour de l'enceinte protégeant Fès el-Bali et Fès el-Jédid permet d'admirer les jeux de lumière qui caressent la pierre ocre des remparts et font miroiter les toits de tuiles vertes.

Du Borj-Sud au palais Jamaï

➤ *Suivez le bd Allal-al-Fassi puis la route du Tour-de-Fès.*

Vous laissez sur la g. une route qui mène à **Bab el-Jédid I-B1**, d'où l'on pénètre au cœur de la **médina***** (p. 147). C'est par là que vous accéderez aux quartiers de la Karaouiyine et des Andalous.

Un peu plus loin à dr., un chemin monte vers le **Borj-Sud I-B1**, l'un des deux bastions élevés sur l'ordre du sultan saadien Ahmed al-Mansour, à l'époque où, installé dans sa capitale (Marrakech), il craignait de perdre le contrôle de Fès. Du pied des fortifications, on découvre un beau panorama sur la ville en terrasse. Juste à côté, se trouve Le **Msallah**, mosquée en plein air où les officiels viennent prier deux fois par an : à la fin du ramadan (*Aïd el Séghir*) et le jour de la fête du Mouton (*Aïd el Kébir*). Rejoignez la route principale et tournez à dr.

Longez les remparts jusqu'à **Bab Ftouh I-B1**, qui permet l'accès direct au quartier des Andalous (p. 151). Vous pouvez également bifurquer à dr. sur la P1 vers Taza et Oujda, qui mène au nouveau quartier artisanal **Aïn-Nokbi**

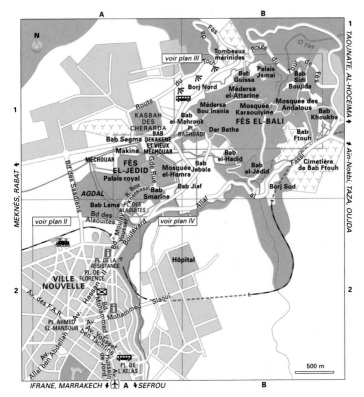

FÈS I : PLAN D'ENSEMBLE

hors pl. I par B1. Là sont installés les célèbres potiers fassis qui travaillent de l'argile grise extraite des carrières de Fès et avec laquelle ils font des poteries décoratives, des pièces de céramique culinaire ou des zelliges.

De Bab Ftouh, le tour de ville se poursuit vers la g. en laissant sur la dr. la P 1 et la S 302 vers Al-Hoceima. Vous traversez des quartiers périphériques qui offrent au regard une confusion très différente de celle de la médina : ce n'est pas la place qui manque ici, mais plutôt un plan d'urbanisation.

La route traverse l'oued Fès ; peu après, une autre route se détache à dr. en direction de Ouezzane. La route du Tour-de-Fès se rap-

proche des remparts à la hauteur du **palais Jamaï I-B1**. Construit au XIXᵉ s. par un riche vizir, il est aujourd'hui converti en hôtel ; on le découvre en pénétrant dans la médina par Bab Jamaï.

Des tombeaux mérinides* au Borj-Nord

La route s'éloigne ensuite de la ville et s'élève dans les collines jusqu'aux **tombeaux mérinides I-B1**, dernière nécropole des sultans de cette dynastie ; un sentier y conduit. Depuis le site qu'occupent ces ruines grandioses, la **vue*** s'étend sur la ville entière. La solitude altière du lieu échappe au brouhaha et à l'agitation de la foule en contrebas.

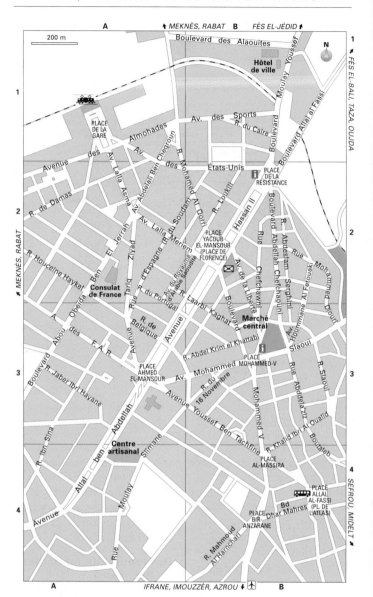

FÈS II : LA VILLE NOUVELLE

En reprenant la route du Tour-de-Fès, on parvient à un chemin qui se détache à g. vers le **Borj-Nord I-B1**, contemporain du Borj-Sud et transformé en **musée d'Armes** *(ouv. t.l.j. sf mar. 8 h 30-12 h et 14 h 30-18 h; entrée payante)*. Vous y verrez des armes blanches, en particulier des sabres et des épées, remarquables par leur diversité et le raffinement de leur décoration; une collection retrace l'évolution des armes à feu depuis les origines (XVe s.), jusqu'à l'époque moderne (beaux canons). De la terrasse du fort, vue magnifique sur la ville.

La route contourne ensuite la **kasbah des Cherarda I-A1**, dont le mur d'enceinte est de toute beauté. À **Bab Segma I-A1**, tournez à dr. et longez le mur du palais royal, puis, au carrefour, prenez à g. le boulevard des Saadiens **I-A1** qui ramène au centre.

Fès el-Bali

I-B1 et plan III Ce joyau mystérieux et fascinant fait rêver les historiens, les amateurs d'art et tous les passionnés d'une forme authentique d'exotisme. Vous y serez constamment bousculé par une foule qui va de l'avant sans se préoccuper des badauds ou par un muletier peu soucieux des obstacles, lançant à la cantonade un *« Balek ! »* (« Attention ! ») en guise d'avertissement.

Nous vous proposons **trois promenades** dans la médina, qui vous en révéleront des aspects différents et vous plongeront dans un monde où le passé est si réel que l'on ne remarque même pas les anachronismes. Demandez un guide à l'office du tourisme, au syndicat d'initiative *(p. 171)* ou dans les agences de voyages.

Le quartier
de Bab Bou-Jeloud**

➤ **III-A2** *De la place de la Résistance* **I-A2**, *prenez le bd Allal-al-Fassi, puis, à la fourche, l'av. du Batha. Tournez à g. au rond-point dans l'av. de l'Unesco puis à dr. dans l'av. des Français. Continuez jusqu'à la place de l'Istiqlal où vous pourrez vous garer. Comptez 1 h 30, plus si vous décidez de poursuivre jusqu'au cœur de la médina.*

Cette promenade vous fera découvrir l'une des deux plus belles médersas de Fès (l'autre étant la médersa El-Attarine) et l'animation

de la rue principale de la médina, Talaa Kebira, bordée de boutiques.

➤ **LE MUSÉE DAR-BATHA* III-A3.** *À env. 100 m de la place de l'Istiqlal sur la dr. Ouv. t.l.j. sf mar. 8 h 30-12 h et 14 h 30-18 h, ven. 8 h 30-11 h 30 et 15 h-18 h. Entrée payante.* Construit à la fin du XIXe s. dans le style hispano-mauresque, ce palais est composé de deux bâtiments séparés par un beau jardin andalou et reliés par des galeries couvertes. Il a été transformé en **musée des Arts et Traditions de Fès et sa région** et abrite une collection d'astrolabes (les plus anciens datent du XIIe s.), des tapis et des bijoux du Moyen Atlas, de belles reliures, des monnaies frappées par les différentes dynasties, des bois sculptés de la ville de Fès.

De retour sur la place de l'Istiqlal, on rejoint le quartier de Bab Bou-Jeloud en suivant la rue ed-Douh.

➤ **BAB BOU-JELOUD** III-A2.** Cette porte, recouverte d'un décor émaillé bleu (couleur de Fès) à l'extérieur et vert (couleur de l'islam) à l'intérieur, fut reconstruite en 1913 dans le style hispano-mauresque. Une fois la porte franchie, tournez immédiatement à g., puis à dr., dans **Talaa Kebira** (la « Grande Montée »), une des principales artères de la médina. Très longue, elle représente pour le flâneur une source inépuisable d'émerveillement avec ses innombrables boutiques colorées. L'une d'entre elles est occupée par Ahmed Lahlou *(derb Mhirou ☎ 055.74.14.92)* qui réalise des aquarelles.

➤ **LA MÉDERSA BOU-INANIA** III-A2.** *Au-delà de la petite mosquée Sidi-Lezzar, sur la dr. Ouv. 8 h 30-19 h en été, 8 h 30 au coucher du soleil en hiver. Restauration de certaines pièces, des étages et de la terrasse fermés au public.* Construite

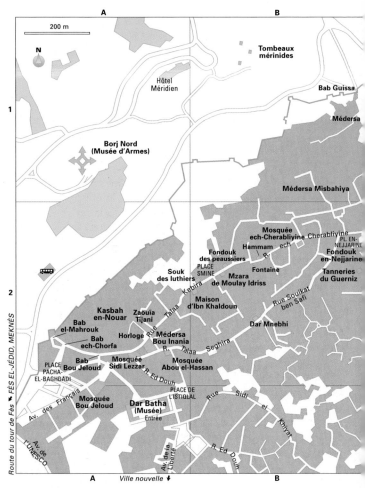

FÈS III : EL-BALI, LA MÉDINA

en 1350-1357 par le sultan Abou Inan, c'est la dernière et la plus grande des médersas mérinides. Sa salle de prière reçoit toujours les fidèles le vendredi *(vis. suspendue 12 h-13 h)*. Ses proportions lui confèrent une majesté qu'accentue la somptuosité de la décoration intérieure. Son **architecture** est un modèle du genre : au-delà des deux portes contiguës (la plus modeste était réservée aux va-nu-pieds), la vaste cour, flanquée de deux salles où étaient dispensés les enseignements, est entourée au rez-de-chaussée et au 1er étage de cellules destinées au logement des étudiants ; au fond se trouve la salle de prière. L'**ornementation** est grandiose : dans l'entrée, le plafond de bois sculpté et peint forme une coupole à stalactites ; le sol de la cour est dallé de marbre et d'onyx ; les piliers sont ornés de magnifiques zelliges ; l'auvent repose sur des consoles d'un travail admirable. Une très belle porte sculptée donne sur la salle

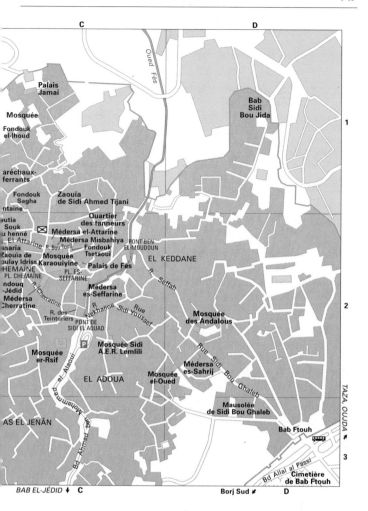

BAB EL-JÉDID ↓ **C**   Borj Sud ↙ **D**

de dr. La salle de prière n'est jamais accessible aux non-musulmans, mais on aperçoit son *mihrab* éclairé par trois vitraux anciens. Face à la médersa se dresse une ancienne **horloge** au mécanisme compliqué, construite en 1357. Des timbres en bronze formaient le carillon.

En continuant à descendre la rue Talaa-Kebira, vous arrivez aux **souks III-BC2** *(p. 148)*, puis à la **mosquée Karaouiyine** **III-C2** *(p. 150)*. Pour retrouver votre voi-

ture, remontez Talaa-Kebira et franchissez Bab Bou-Jeloud. Vous pouvez obliquer à dr. vers la **place Pacha-el-Baghdadi III-A2**, dominée par les remparts, où se tient une sorte de marché aux puces.

Le cœur de la médina : le quartier de la Karaouiyine***

▶ **III-C2** *Entrez dans la médina par Bab el-Jédid* **I-B1**. *La route construite sur l'oued Fès mène à une vaste place où se trouve la mosquée*

Sauvegarder la médina de Fès

Conjointement avec l'Unesco et l'Association Fès-Saïs, l'Agence pour la dédensification et la réhabilitation de la médina de Fès (ADER-FÈS), créée en 1989 et aidée par des donateurs privés, a entrepris de restaurer le patrimoine bâti sans toutefois le vider de ses habitants. Les travaux de la **médersa Mesbahiya III-B1** et de la maison de l'astrologue de la Karaouiyine, futur **musée de l'Astrolabe**, sont bien avancés. Les **métiers traditionnels** y seront protégés et la qualité de la vie améliorée tout en ramenant le taux de peuplement à des niveaux compatibles avec la capacité d'accueil de la médina. Cette opération de longue haleine avance lentement, mais sûrement. ❖

er-Rsif. Vous pouvez vous garer au fond de la place. Comptez 3 h, si vous prenez soin d'exiger de votre guide qu'il ne presse pas le pas.

La concentration des lieux à visiter est très importante. L'itinéraire ci-dessous combine la visite des principaux monuments avec une flânerie dans les souks les plus intéressants. Avant de commencer la visite, précisez à votre guide ce que vous souhaitez voir. Il apportera peut-être quelques modifications au parcours tant les possibilités sont innombrables !

➤ **LES SOUKS III-BC2.** Traversez le pont de Sidi-el-Aquad : sur votre g. se tient le **souk des teinturiers**, où sont teints les écheveaux de laine vierge, de soie et de coton ; sur les pavés de la ruelle étroite ruisselle une eau multicolore. À l'entrée du souk, la rue Cherratine conduit à la **médersa Cherratine*** *(ouv. t.l.j. 8 h-12 h et 14 h 30-18 h 30. Restauration des étages et de la terrasse fermés au public ; entrée payante)*, désertée par les touristes et d'autant plus paisible. Édifiée en 1670 sous Moulay Rachid, elle accueillait 150 étudiants. Son atout est sa simplicité jouant de l'opposition entre le dépouillement de ses murs blancs

et l'élaboration des décors en cèdre sculpté.

En revenant au souk des teinturiers et en continuant le long de la rue principale, vous débouchez sur la **place es-Seffarine**, fief des **dinandiers**. Au pied des quelques arbres qui dispensent une ombre agréable s'entassent chaudrons et bassines de cuivre ; tout autour, dans les ateliers sombres, résonne le marteau des artisans. C'est ici aussi que se trouve l'entrée de la bibliothèque de l'université Karaouiyine.

La rue Mechatine, à dr., conduit au **quartier des tanneurs****, **Chouara**, qui longe l'oued Fès. Votre guide vous fera monter sur la terrasse d'une vieille maison d'où vous aurez une vue d'ensemble des tanneries. Vous pourrez voir les cuves énormes dans lesquelles les peaux sont traitées et teintes ; des ouvriers en short les foulent aux pieds *(encadré ci-contre)*. Lorsqu'il fait chaud, l'odeur qui se dégage des tanneries est presque insupportable.

En quittant le quartier des tanneurs, dirigez-vous vers la place el-Attarine. Vous passerez devant la **zaouïa de Sidi-Ahmed-Tijani III-C1**, mosquée funéraire consa-

L'art difficile du tannage

Jambes et mains nues, un tanneur plonge les peaux dans la teinture d'une cuve de tannage.

Les grandes cuves, où s'activent pieds nus les tanneurs, correspondent à différentes phases de préparation des peaux. Ces dernières sont d'abord débarrassées de leurs poils dans des **bains de chaux** où elles macèrent trois semaines. Rincées, elles trempent dans un mélange d'acide sulfurique et de sel marin pour s'assouplir, puis dans un mélange d'huile et de tannants naturels. Séchées, elles sont devenues du **cuir** qu'on nourrit d'une solution grasse avant de le racler et de l'amincir. Il est enfin trempé dans un **bain de teinture naturelle**. Aux produits traditionnels s'ajoutent aujourd'hui des produits toxiques comme le chrome, très polluant. Quand on se trouve à proximité des cuves, il est d'usage de sentir quelques feuilles de menthe pour atténuer les odeurs qui s'en dégagent. ❖

crée à un bienfaiteur de la ville, dont l'entrée est soulignée par un arc outrepassé orné de plâtre sculpté et de zelliges d'un raffinement exquis.

➤ **LA MÉDERSA EL-ATTARINE**** **III-C2**. *Ouv. 9h-17h30, 18h30 en été. Fermeture des étages et de la terrasse. Entrée payante.* Vous abordez la place el-Attarine, en ayant sur votre dr. la rue el-Attarine (**souk aux épices**) et sur votre g. la **médersa el-Attarine****, construite au début du XIVᵉ s. et considérée comme le chef-d'œuvre de l'art mérinide de Fès. Sa porte

monumentale en bronze ne laisse rien deviner de la splendeur que cachent ses vantaux. Dès que l'on pénètre dans la **cour** dallée de marbre, cette perfection éblouit. Est-elle due aux proportions modestes de l'édifice, aux colonnes graciles qui ornent les quatre coins de la cour et dont les lignes verticales allègent l'ensemble, à l'élégance des arcs, à l'infinie variété de la décoration, qui n'est pourtant jamais surchargée, à la douceur des couleurs ? Une vasque de marbre blanc contribue à faire de ce lieu de méditation un havre de paix.

> ### LA MOSQUÉE KARAOUIYINE**

III-C2. En contournant la médersa, vous apercevrez par la porte principale de la rue Bou-Touil l'intérieur de cette mosquée dont l'entrée est interdite aux non-musulmans. Construite au IXᵉ s. par **Fatima el-Fihria**, originaire de **Kairouan**, la mosquée Karaouiyine atteint ses dimensions actuelles au XIIᵉ s., sous les Almoravides. Elle peut contenir 20 000 fidèles. Embellie par les dynasties suivantes, elle accueille l'un des principaux centres culturels de l'Islam et le **siège de l'université de Fès**; dès le XIVᵉ s., la célébrité de cette dernière justifia la construction de plusieurs médersas pouvant abriter les étudiants qui s'y pressaient toujours plus nombreux. Sa **bibliothèque** est riche en manuscrits et en anciens corans enluminés. Les deux **kiosques** de la cour, des XVIᵉ et XVIIᵉ s., évoquent ceux de la cour des Lions de l'Alhambra, à Grenade.

> ### LA ZAOUÏA DE MOULAY-IDRISS*

III-C2. Continuez tout droit, puis tournez à dr. sur la **place Chemaïne**, où se tient le marché des fruits secs. Obliquez encore à dr. en direction de la **zaouïa de Moulay-Idriss**, lieu saint de Fès où repose **Idriss II** (732-828). Les ruelles attenantes sont barrées par une poutre de bois sous laquelle on ne passe qu'en se baissant, ce qui empêche les animaux d'entrer dans le périmètre sacré. Tout au long du jour, une foule nombreuse se presse à l'intérieur de ces limites pour attirer sur elle la *baraka* du saint patron de la ville. À l'extérieur du mur, près duquel est situé le tombeau d'Idriss II, une **plaque de cuivre** est percée d'un trou où les fidèles placent la main pour se sanctifier et où ils déposent des offrandes.

La porte principale est formée de trois baies par lesquelles vous apercevez la salle de prière recouverte de tapis multicolores et, au-delà, le **tombeau** richement décoré.

> ### DE LA PLACE EN-NEJJARINE*** À LA KISSARIA III-BC2.

Face à l'entrée principale de la zaouïa, une ruelle conduit à la **place en-Nejjarine**, centre de la médina. La **fontaine en-Nejjarine** est l'une des plus belles de la médina avec son bassin décoré de zelliges et surmonté d'un auvent de cèdre sculpté, recouvert de tuiles vertes. Non loin de là, on admire l'impressionnante porte de cèdre du **fondouk en-Nejjarine****, superbement réhabilité et transformé en **musée du Bois** comprenant une salle d'exposition et un laboratoire de restauration (*vis. t.l.j. 10h-17h; entrée payante*). Tout de suite à dr., dans le **souk des menuisiers***, sont fabriqués des meubles en bois de cèdre dont l'odeur agréable imprègne les alentours.

La placette étroite que vous atteignez accueille le **souk du henné III-C2** : les femmes y achètent des produits pour le maquillage, en particulier le khôl à base d'antimoine pilé utilisé pour border les yeux de noir. Tournez à dr., face au restaurant *Saada*, puis entrez dans la **Kissaria**, marché couvert regroupant de minuscules boutiques de tissus, de passementerie, de bijoux et de babouches.

En ressortant de la Kissaria, traversez le quartier Chemaïne pour prendre en face la rue Sbitriyn, puis tournez à dr. vers le pont Tarafin (des Cordonniers) pour rejoindre votre point de départ, la place de la mosquée er-Rsif. Si votre véhicule est garé place de l'Istiqlal, prenez un taxi qui vous y conduira en quelques minutes.

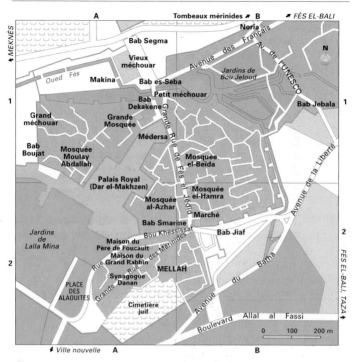

FÈS IV : EL-JÉDID

Le quartier des Andalous*

➤ **III-D2** *Cette promenade sur la rive dr. de l'oued Fès se fait à partir de la place de la mosquée er-Rsif* **III-C2**. *Comptez 1 h env.*

Au fond de la place, prenez la rue Nekhaline dans le prolongement du pont de Sidi-el-Aquad. Continuez le long de la rue Sidi-Youssef, qui amorce un grand tournant à dr. Lorsque vous atteindrez un atelier de textiles sur votre g., tournez dans la même direction.

La **médersa es-Sahrij*** (*ouv. 8h-12h et 14h30-18h; entrée payante*), ou médersa du Bassin, se trouve sur la dr., un peu plus loin. Elle doit son nom à la grande vasque ornant la cour intérieure. De construction mérinide, cette médersa de taille modeste est bien proportionnée et décorée avec raffinement.

À deux pas se dresse la **mosquée des Andalous***, édifiée au IXᵉ s. par la sœur de la fondatrice de la mosquée Karaouiyine. Agrandie à plusieurs reprises, elle arbore une **porte monumentale** d'époque almohade.

Revenez sur vos pas et descendez vers l'oued Fès par la rue Seffah. Traversez-le au pont Ben-el-Moudoun, tournez à g. et revenez vers la mosquée er-Rsif en longeant l'oued.

Fès el-Jédid*

➤ **Plan IV** *De la place de la Résistance* **I-A2**, *suivez le bd Moulay-Youssef jusqu'à la place des Alaouites* **IV-A2**. *Garez-vous et continuez à pied. Comptez 1 h 30 de visite.*

Cette partie de la ville fut ajoutée au XIIIᵉ s. à la médina qui ne pouvait absorber l'accroissement de la population; elle n'a pas du tout le même caractère que Fès el-Bali, car elle fut conçue comme un quartier résidentiel pour les princes et leur suite cosmopolite. Sur la g. se trouve le **palais royal* IV-A1-2**; au fond de la place, admirez **trois portes monumentales** dont les vantaux de cuivre brillent comme de l'or. De construction récente, elles perpétuent la tradition de l'art marocain. L'entrée principale du palais royal est utilisée lors des cérémonies.

Dans la **rue Bou-Khessissat IV-AB2**, vous pourrez voir des maisons aux façades parfois colorées agrémentées de balcons de bois dans lesquelles vivaient les Juifs : en effet, c'est là que se trouvait le Mellah, comme en témoignent la **synagogue Danan**, restaurée en 1999, la **maison du Grand-Rabbin**, dans la rue des Mérinides, ou le **cimetière** un peu plus bas. Toujours dans la rue des Mérinides, on peut voir également la maison où fut hébergé Charles de Foucauld. Tournez à g. un peu plus loin et franchissez Bab Smarine **IV-B2** pour accéder à la Grande-Rue de Fès el-Jédid, commerçante et animée en soirée. Au bout de cette rue, une fois franchie Bab es-Seba, parvenez au **Vieux Méchouar IV-A1**, place en longueur entourée de murailles. Sur la g., la **Makina** est une ancienne manufacture d'armes transformée en fabrique de tapis.

En sortant du méchouar par Bab Segma, prenez à g., traversez les jardins de Lalla-Mima qui séparent Fès el-Jédid de la ville nouvelle, puis à dr. rejoignez la place des Alaouites.

Les environs de Fès

Les régions montagneuses qui entourent Fès se prêtent à plusieurs excursions dont l'intérêt réside essentiellement dans la **variété** et la **beauté des sites naturels**.

➤ *Carte p. 166.*

Sidi-Harazem

➤ *15 km à l'E de Fès.*

Cette station à l'air désuet est envahie de curistes au printemps : ils boivent aux fontaines, sans contrôle médical, se baignent dans les piscines et prient pour que Sidi-Harazem, saint patron des sources, leur accorde sa bénédiction. L'eau à 34 °C agirait sur les reins et le foie.

Moulay-Yakoub

➤ *19 km au N-O de Fès.* **Hébergement** *p. 176.*

Dans un attrayant paysage de collines, cette petite **ville d'eau** est depuis des lustres un lieu de pèlerinage en quête de guérison des rhumatismes. Un complexe a été construit à l'écart de l'ancienne station. L'établissement thermal s'est doté des appareils les plus modernes pour utiliser au mieux l'eau chlorurée, sodique et sulfurée à 53 °C et qui, contrairement à l'eau de Sidi-Harazem, ne se boit pas. Vous pourrez y séjourner dans un très beau cadre pour vous ressourcer.

Le jbel Tazzeka**

➤ *À 90 km à l'E de Fès en direction de Taza. Ce circuit est décrit dans le sens Taza-Fès (p. 94).* ■

Meknès★★
et ses environs

Fès, Meknès, deux cités si proches que les comparaisons sont inévitables. Comme Fès, Meknès est une **ville carrefour**, à la croisée des grands axes nord-sud et est-ouest, au cœur d'une riche région agricole dont les principales cultures (céréales, olivier, vigne) lui assurent une prospérité stable. Sur le plan commercial, les deux villes n'ont rien à craindre l'une de l'autre : il y a largement la place dans ce secteur actif pour deux marchés agricoles importants. Comme Fès, elle fait partie depuis 1996 du **Patrimoine mondial de l'humanité** et restaure ses trésors culturels.

De même qu'à Fès, trois agglomérations distinctes se sont développées sur son site : la **médina**, la **ville impériale** et la **ville nouvelle**. On pourrait penser que les deux cités étaient vouées à de semblables destinées. En fait, leur proximité même devait les séparer et favoriser l'une aux dépens de l'autre.

Fès fut fondée la première par Moulay Idriss, vénéré au Maroc comme roi, mais aussi comme saint ; cela explique la prédilection marquée des dynasties successives pour la ville, qui n'a cessé de s'agrandir et de s'embellir par la volonté de nombreux souverains.

Moulay Ismaïl

Contemporain de Louis XIV, le grand sultan alaouite avait une ambition à la mesure de celle du Roi-Soleil. Pendant ses **cinquante-cinq ans de règne**, de 1672 à 1727, il allait tout faire pour l'assouvir. Il consolida son pouvoir à Marrakech et dans le Sud, n'hésitant pas à massacrer des populations entières, puis il s'attaqua à l'est du pays. En vingt-cinq ans, il s'imposa sur le Maroc entier. Il créa une **armée personnelle de 150 000 hommes** dont il s'assura la fidélité d'une façon curieuse : ses esclaves noirs et les compagnes qu'il mit à leur disposition lui fournirent des générations successives de jeunes soldats dévoués.

C'est surtout pour sa passion des **constructions grandioses** que le sultan est resté célèbre. La ville de **Meknès** fut son chantier de prédilection. Pour assouvir sa mégalomanie, il n'hésita pas à détruire l'œuvre de ses prédécesseurs à Marrakech et à Volubilis notamment ; le sort voulut que ses réalisations fussent à leur tour détruites.

Cruel et violent, il tuait de sa propre main, souvent par fantaisie, les esclaves qui lui déplaisaient. Il avait, dit-on, un harem de 500 femmes qu'il ne cessait de renouveler. Il admirait Louis XIV, dont il enviait la gloire, et lui envoya à plusieurs reprises des ambassadeurs chargés de présents. Il s'avisa même de demander la main de la fille du souverain et de la duchesse de La Vallière, que le roi avait légitimée, mais sa proposition fut rejetée et la jeune fille épousa le prince de Conti. ❖

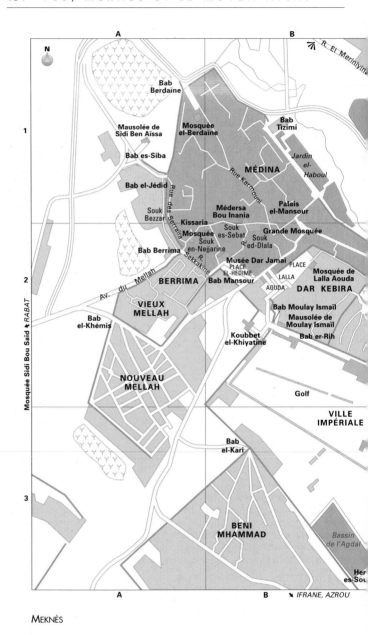

MEKNÈS

Meknès, quant à elle, fut la **ville d'un seul roi**, expression concrète et figée de ses idées de grandeur. Sa personnalité n'a qu'une facette, celle que la vanité démesurée de Moulay Ismaïl lui imposa, envahissante pour que ses héritiers acceptent de s'y mouler.

➤ *65 km à l'O de Fès.* **Informations pratiques** *p. 175.*

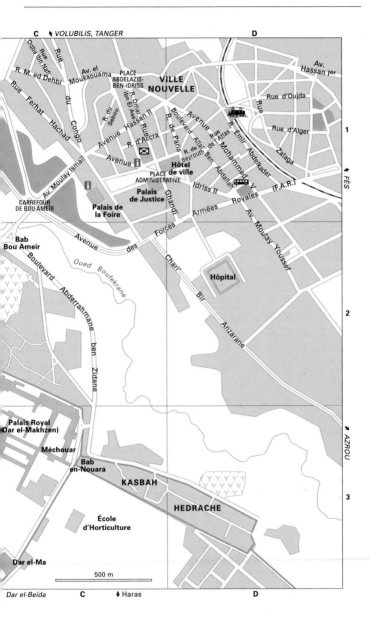

C ↖ VOLUBILIS, TANGER   D

Av. el Moukaouama

PLACE ABDELAZIS-BEN-IDRISS

VILLE NOUVELLE

Rue Dar ben Naïr

R. M. ed Dehbi

Rue du Congo

Rue Ferhat Hachad

R. du Sebou

R. Omar Ibn El Aâs

Avenue Hassan II

Rue d'Accra

R. de Paris

Boulevard Allal ben Abdallah

Avenue

R. de Beyrouth

Rue de l'Atlas

Rue Emir Abdelkader

Av. Hassan Ier

Rue d'Oujda

Rue d'Alger

Zalaga

Rue Mohammed V

Avenue

Hôtel de ville

PLACE ADMINISTRATIVE

Idriss II

Palais de Justice

Av. Moulay Ismaïl

CARREFOUR DE BOU AMEÏR

Palais de la Foire

Ghandi

Armées Royales

Av. Moulay Youssef

(F.A.R.)

→ FÈS 1

Bab Bou Ameïr

Boulevard Abderrahmane ben Zidane

Avenue des Forces

Oued Boufekrane

Chari-

Bir

Anzarane

Hôpital

↖ AZROU

2

Palais Royal (Dar el-Makhzen)

Méchouar

Bab en-Nouara

KASBAH

HEDRACHE

École d'Horticulture

Dar el-Ma

500 m

Dar el-Beïda   C   ↓ Haras   D

3

LA CAPITALE DE MOULAY ISMAÏL

Fondée au Xe s. par la tribu des **Meknassa**, venue de l'Est, «Meknès aux Oliviers» n'est d'abord qu'un ensemble de villages pros-père sur les rives de l'oued Boufekrane. Les Almoravides la fortifient et élèvent une kasbah. Les Almohades et les Mérinides s'y intéressent suffisamment pour l'agrandir

Programme

On peut voir l'essentiel de Meknès en une demi-journée, si l'on combine le **tour des remparts et de la ville impériale**** avec une courte incursion dans la **médina*** **B1-2**. ❖

et l'orner de monuments comme la médersa Bou Inania (XIVe s.).

La ville tombe ensuite dans l'oubli jusqu'à la fin du XVIIe s., lorsque **Moulay Ismaïl** *(p. 153)* décide d'en faire sa capitale. Après avoir fait raser tout ce qui gênait son projet grandiose, il fait ériger par une armée d'esclaves les monuments et les remparts de la ville impériale. Après sa mort, aucun de ses descendants ne choisit Meknès comme capitale, et la ville décline irrémédiablement. Pourtant, sa grandeur déchue hante encore les vastes espaces où se dressent des ruines imposantes.

Le tour des remparts et de la ville impériale**

➤ *Comptez env. 2h30 en vous arrêtant pour voir les principaux monuments.*

Cette promenade en voiture contourne la médina par l'extérieur des remparts, puis pénètre dans l'enceinte de la ville impériale afin d'en apprécier l'immensité. À partir de la ville nouvelle, suivez l'avenue Hassan-II **C1** puis l'avenue Moulay-Ismaël jusqu'au carrefour de Bou-Ameïr, puis prenez à dr. la route de Rabat. Après le pont sur l'oued Boufekrane, la route longe la **muraille** massive et bien conservée entre **Bab Tizimi B1** et **Bab Berdaïne A1**, porte

monumentale construite à la fin du XVIIe s. Après avoir contourné le cimetière où se trouve la **koubba** (le «mausolée») de Sidi ben Aïssa, patron de la ville *(encadré ci-contre)*, prenez à g. l'avenue du Mellah **A2** vers la médina.

Vous entrez dans la ville ancienne en franchissant **Bab el-Khémis A2**, qui ressemble fort, par sa décoration de mosaïques vertes, à Bab Berdaïne, sa contemporaine.

Tout de suite après Bab el-Khémis, obliquez à dr. pour traverser le nouveau mellah. Au croisement principal, continuez tout droit; au-delà de la «muraille des Riches», descendez une des rues qui se détachent à g., jusqu'à l'immense **bassin de l'Agdal B3**, aménagé par Moulay Ismaïl pour l'irrigation des jardins royaux; contournez-le sur la dr.

Après avoir longé le bassin, la route fait un coude, et l'on se trouve devant l'entrée des vastes **entrepôts** *(ouv. t.l.j. 8h30-12h et 14h30-18h30, 19h en été; entrée payante)* datant du règne de Moulay Ismaïl. Vous pénétrez d'abord dans **Dar el-Ma*** **C3**, la maison de l'Eau, ensemble de magasins à grains où se trouvent d'énormes cuves destinées à contenir des réserves d'eau considérables. La terrasse, aménagée en jardin, offre une belle vue sur la ville impériale, le bassin de l'Agdal et l'ancien palais du sultan. En arrière, le **Heri es-Souani**** **B3** est un autre corps de bâtiment composé de vingt-trois nefs formant des voûtes hautes de 12 m. Il est surnommé «Greniers» ou «Écuries de Moulay Ismaïl», bien que ces dernières fussent situées ailleurs. Ce bâtiment servait d'entrepôt pour les réserves alimentaires de la ville ainsi que

Les Aïssaoua

La confrérie des Aïssaoua est fondée au XVIe s., par le cheikh **Abou Abdellah Sidi Mohammed ben Aïssa**, dit « cheikh el-Kamel ». Les disciples apprennent à se détacher des désirs mondains, des passions et des prétentions individuelles pour une totale dévotion à Dieu par la prière du prophète Mahomet pendant la *hadra* (« la présence divine »), et la danse pendant des cérémonies organisées chaque année. La confrérie est devenue populaire par ses rites de possession, ses transes et l'automutilation. Elle est caractérisée aussi par l'horreur de la couleur noire pendant ses moussems, par le port de la *gattaya* (natte de cheveux qui part du sommet du crâne rasé) et par les pratiques de conjuration et d'exorcisme. Malgré une critique des réformateurs musulmans contre ces rites, jugés non conformes au dogme de l'unicité de Dieu (le *tawhid*), la confrérie retrouve actuellement une certaine vigueur au Maroc. ❖

pour le foin et le grain nécessaires à l'alimentation des chevaux.

Face à l'entrée de Dar el-Ma, la route traverse un espace découvert, puis entre dans le **méchouar C3**, vaste cour entourée de remparts sur laquelle donne l'entrée du **palais royal (Dar el-Makhzen) BC3**. L'autre extrémité de l'esplanade se rétrécit et l'on tourne à g. pour suivre un long couloir au bout duquel on franchit une autre porte, **Bab er-Rih B2**.

Un peu plus loin à dr. se dresse le **mausolée de Moulay-Ismaïl**** avec sa mosquée **B2**. Il fut restauré par le roi Mohammed V. Ce sanctuaire est ouvert aux non-musulmans *(vis. 9h-12h et 15h-18h, sf le ven. matin; entrée gratuite)*. Après avoir traversé plusieurs cours, on atteint une salle richement décorée d'où l'on voit, dans une pièce contiguë ornée de stuc et de mosaïque, le tombeau du souverain entre ceux de deux de ses fils.

En ressortant du mausolée, tournez à dr.: de l'autre côté de Bab Moulay-Ismaïl, vous verrez à g. le **Koubbet el-Khiyatine B2**, un

pavillon où les sultans recevaient les ambassadeurs. En contrebas s'ouvre un vaste souterrain *(ouv. 9h-12h et 15h-18h30, 17h30 en hiver; entrée payante)* qui, selon la légende, aurait servi de prison à des milliers de chrétiens. En fait, ces anciens silos abritèrent tous ceux qui, capturés lors de batailles navales, étaient condamnés à construire les murailles de la ville. Face à Bab Moulay-Ismaïl, prenez à g., puis à dr. un peu plus loin, pour atteindre la **place Lalla-Aouda B2**, où vous pourrez garer votre voiture pour visiter la médina.

La médina*

➤ **B1-2** *Comptez env. 1h30 à pied à partir de la place Lalla-Aouda.*

Bab Mansour** B2 est la porte la plus célèbre de Meknès. C'est elle qui fut reproduite par Catherine Feff sur la place de la Concorde à Paris en 1999, pendant le Temps du Maroc. Commencée sous le règne de Moulay Ismaïl et terminée par son fils en 1732, elle commandait l'accès à la ville impériale. Le relief de son architecture et son

Dans la médina de Meknès : la ville de Moulay Ismaïl se veut grandiose dans ses moindres recoins.

ornementation fouillée lui confèrent un caractère imposant. Elle aurait été dessinée par un chrétien converti à l'islam, d'où son surnom de « porte du Renégat ».

Le musée des arts marocains Dar-Jamaï

➤ **B2** *Ouv. t.l.j. sf mar. 9h-12h et 15h-18h. Entrée payante. Fermeture pour travaux.*

Une fois franchie Bab Mansour, on parvient sur la **place el-Hédime B2**, animée et désordonnée, située entre la médina et la ville impériale. Son nom de « place des Décombres » rappelle que Moulay Ismaïl fit détruire un quartier entier lorsqu'il entreprit la réalisation de sa ville impériale.

Au fond de l'esplanade, le **musée Dar-Jamaï** loge dans une demeure luxueuse édifiée à la fin du XIXᵉ s.

par le grand vizir Sidi Jamaï. Il est consacré à l'**artisanat de la région de Meknès** ; la plupart des pièces datent des XIXᵉ et XXᵉ s. Remarquez surtout le travail sur bois, la céramique et la broderie. Dans le petit **jardin andalou** planté de cyprès, un ancien oratoire abrite un minbar du XVIIᵉ s.

La médersa Bou-Inania** et les souks

➤ **B1** *Ouv. t.l.j. 9h-12h et 15h-18h, 18h30 en été. Entrée payante.*

En sortant du musée, tournez deux fois à dr. et suivez la rue Sekkakine jusqu'à **Bab Berrima A2**. La rue du souk en-Nejjarine se prolonge par la rue du souk es-Sebat et conduit à la **médersa Bou-Inania**, très bien conservée. Construite au XIVᵉ s. par le sultan mérinide Abou Inan, comme son nom l'indique (elle fut en fait commencée par son prédécesseur, Abou el-Hassan), elle est de conception classique. La **cour** est décorée de zelliges, de plâtres et de cèdre sculptés formant un ensemble harmonieux typique de l'art hispano-mauresque. Le minaret de la **grande mosquée B2**, presque en face, est visible depuis la terrasse de la médersa, qui est entourée de galeries d'où l'on visite les minuscules cellules destinées aux étudiants.

Des **souks** entourent la grande mosquée, entre le musée Dar-Jamaï et la médersa Bou-Inania. La partie la plus intéressante est la **kissaria A1**, le souk des étoffes.

Vous pouvez rejoindre la place el-Hédime en prenant la rue Sidi-Amar, à dr. de la mosquée. Sur la dr. de la place se situe un des plus pittoresques **marchés couverts** du Maroc, dont les étals d'olives sont la grande fierté.

Le haras de Meknès

➤ **Hors pl. par C3** *Av. Ahmed-ben-Hmad-di-Ghoussi. Ouv. lun.-ven. 9h-12h et 14h-17h. Entrée libre.*

Ce haras est le plus important et le plus actif d'Afrique du Nord. Créé en 1912 par la cavalerie française, il élève aujourd'hui principalement des pur-sang arabes, des arabes, des arabes-barbes et des barbes, tous de qualité.

Aux environs de Meknès

Cette excursion se déroule à travers un pays semi-montagneux aux vastes horizons. Prévoyez une demi-journée. Au départ de Fès, on peut combiner la visite de Volubilis et de Moulay-Idriss avec celle de Meknès. Dans ce cas, comptez une bonne journée.

➤ *Excursion à 31 km au N de Meknès.* **Carte** *p. 166.*

♥ Volubilis*

➤ *35 km au N de Meknès. Quittez Meknès par la P 6 en direction de Sidi-Kacem, puis prenez à dr. la P 28. Juste avant Moulay-Idriss, prenez à g. jusqu'à un panneau indiquant Volubilis. Parking. Ouv. t.l.j. du lever au coucher du soleil, 8h 30-17h en hiver. Entrée payante.* **Plan** *p. 160.* **Hébergement** *p. 176.*

Les ruines se trouvent sur une colline, de l'autre côté d'un petit cours d'eau, l'oued Fertassa, traversé par un pont en bois. Formant un ensemble remarquable par la **beauté du site** et l'**ampleur des vestiges**, cette cité antique fera rêver les admirateurs de la civilisation romaine par sa richesse et sa diversité.

Occupée dès le Néolithique, la ville connut un véritable essor lorsqu'elle devint romaine vers

40 apr. J.-C. Plusieurs **huileries** contribuèrent à sa prospérité. Elle atteignit son apogée au IIIe s. mais commença à décliner lorsque l'occupation romaine s'affaiblit sur le territoire. Elle resta habitée jusqu'à la fondation de Fès. Elle fut détruite en grande partie par le tremblement de terre de 1755. Des objets trouvés lors des fouilles sont exposés au Musée archéologique de Rabat *(p. 107).*

Après le pont, un chemin grimpe à travers la végétation dense vers la partie la plus ancienne de la ville, où l'on peut voir une huilerie et surtout la **maison d'Orphée***, qui a conservé d'admirables mosaïques, dont l'une représente *Orphée et sa lyre.* À g. de l'atrium, sur le sol du triclinium, la mosaïque montre neuf dauphins s'ébattant au milieu des vagues. À côté se trouvent les **thermes de Gallien** ; vous distinguez encore les foyers de la chaufferie, autrefois surmontés de chaudières de bronze.

Vers le nord, on atteint le **forum**, place publique entourée de thermes, d'une basilique qui servait à la fois aux transactions commerciales et à la justice, et d'un temple, le **Capitole** ; celui-ci se distingue par ses colonnes aux chapiteaux corinthiens, partiellement reconstituées, et par son petit autel au pied du large escalier. Sur la g., la **maison au Chien** doit son nom au bronze exceptionnel (exposé au musée de Rabat) qui fut découvert lors des fouilles de 1916.

Plus loin, toujours sur la g., se dresse l'**arc de triomphe**, érigé en 217. Il était surmonté par un char tiré par six chevaux s'élançant vers le ciel. Il symbolisait le pouvoir romain dominant la plaine en contrebas et marquait le début du

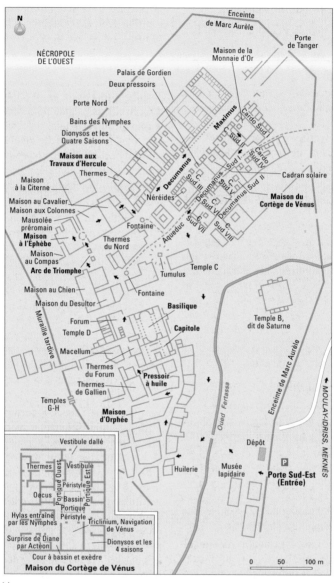

N

Enceinte de Marc Aurèle

Porte de Tanger

NÉCROPOLE DE L'OUEST

Maison de la Monnaie d'Or

Palais de Gordien

Deux pressoirs

Porte Nord

Bains des Nymphes

Dionysos et les Quatre Saisons

Maximus

Cardo Sud

C. Sud III

Cardo Sud IV

Maison aux Travaux d'Hercule

Thermes

Decumanus

Néréides

C. Sud III

Decumanus Sud VI

C. Sud V

Decumanus Sud II

Cadran solaire

Maison à la Citerne

Maison au Cavalier

Maison aux Colonnes

Fontaine

Aqueduc

C. Sud VII

C. Sud VIII

Maison du Cortège de Vénus

Mausolée préromain

Maison à l'Éphèbe

Thermes du Nord

Temple C

Maison au Compas

Arc de Triomphe

Tumulus

Maison au Chien

Fontaine

Maison du Desultor

Basilique

Temple B, dit de Saturne

Muraille tardive

Forum

Temple D

Capitole

Macellum

Thermes du Forum

Thermes de Gallien

Pressoir à huile

Temples G-H

Maison d'Orphée

Oued Fertassa

Enceinte de Marc Aurèle

MOULAY-IDRISS, MEKNÈS

Dépôt

Vestibule dallé

Thermes

Portique Ouest

Vestibule

Portique Est

Péristyle

Oecus

Bassin

Portique

Hylas entraîné par les Nymphes

Péristyle

Triclinium, Navigation de Vénus

Surprise de Diane par Actéon

Dionysos et les 4 saisons

Cour à bassin et exèdre

Maison du Cortège de Vénus

Huilerie

Musée lapidaire

P Porte Sud-Est (Entrée)

0   50   100 m

VOLUBILIS

Decumanus Maximus, la voie principale qui s'étirait sur près de 500 m, jusqu'à la **porte de Tanger**. Le long de cette artère qui s'élève en s'éloignant de l'arc de triomphe s'alignaient les demeures des riches citadins, où vous verrez de belles mosaïques.

Dans la **maison à l'Éphèbe**, sur la g. de l'arc de triomphe, on découvrit la célèbre statue de **l'Éphèbe** couronné de lierre, transférée au musée de Rabat. Quelques pièces sont pavées de mosaïques. Suivent la **maison aux Colonnes**, la **maison au Cavalier** (avec une mosaïque représentant *Bacchus découvrant Ariane endormie*), la **maison aux Travaux d'Hercule** (figurés sur des médaillons dans la cour à péristyle), la **maison des Quatre-Saisons** et celle du **Bain des nymphes** au fond d'une petite cour. Plus loin, sur la g., fut mis au jour le **palais de Gordien**, résidence d'un procurateur romain.

En revenant vers l'arc de triomphe, vous verrez la plus riche demeure de Volubilis, dite du **Cortège de Vénus**✶✶ dont toutes les pièces étaient pavées de mosaïques. La plus belle, celle de la *Navigation de Vénus*✶, est au musée de Tanger *(p. 82)*. Il reste sur place quelques beaux spécimens : *Les Quatre Saisons, L'Enlèvement d'Hylas par les nymphes, Bacchus et Diane au bain.* Toutes ces œuvres datent de la fin du IIᵉ s. ou du début du IIIᵉ s. De la maison du Cortège de Vénus proviennent les bustes de *Caton d'Utique* et de *Juba II*, lequel (52 av. J.-C.-23 apr. J.-C.) fut roi de Mauritanie et beau-fils de Cléopâtre et d'Antoine – on suppose que Volubilis fut l'une des capitales de Juba II avant que les Romains ne conquièrent le pays.

♥ Moulay-Idriss✶✶

➤ *30 km au N de Meknès. De Volubilis, revenez jusqu'à la P 28 ; tournez à dr. sur la S 306. Faites-vous accompagner par un guide officiel. Souk le sam.*

Depuis la route, Moulay-Idriss apparaît accrochée à un piton rocheux, toute blanche sur le fond sombre de la végétation. **Ville sainte** aux yeux de tous les Marocains, elle abrite le **tombeau du premier souverain qui régna sur le Maroc**. Le pèlerinage qui a lieu tous les ans fin août-début septembre revêt un caractère national et attire des fidèles de tous les coins du pays. **Moulay Idriss** était en effet un descendant de la fille du Prophète, Fatima, et de son gendre, Ali. Menacé par le calife de Bagdad, il se réfugia à Volubilis, occupée alors par les Berbères, qui le prirent pour chef. Quelque temps après, il fonda la ville de Fès et fut presque aussitôt empoisonné sur les ordres du calife.

L'agglomération est construite en pente raide, et la plupart des ruelles sont en escalier. Le quartier de **Khiber** domine le reste de la ville, que l'on peut contempler de la terrasse adjacente à la mosquée de Sidi Abdellah. De là, on descend vers la zaouïa de Moulay-Idriss, que l'on ne visite pas. Le **minaret** cylindrique, construit en 1939, est coiffé de céramique verte avec des textes extraits du Coran.

En quittant Moulay-Idriss, vous pourrez continuer soit par la S 306, qui rejoint la route de Sidi-Kacem jusqu'à Fès, soit suivre la P 28, comme à l'aller qui débouche sur la P 6. Tournez à g. en direction de Meknès. ■

Bijoux et poterie

Ce sont deux « musts » de l'artisanat marocain. Bijoux d'or finement ciselé, rehaussés de pierres précieuses, bijoux berbères en argent aux motifs géométriques colorés, partout, ils répondent au goût des femmes pour la parure. La poterie est fabriquée dans tout le pays: pots de terre berbères simplement ornés d'un feston noir, faïence polychrome de Fès ou zelliges colorées de Tétouan, chaque région a sa spécialité.

Les grands centres de fabrication des bijoux en or, autrefois fréquemment tenus par des **familles juives**, se trouvent à Fès, à Essaouira et à Marrakech. Les modèles classiques s'inspirent de ceux que créent de grands bijoutiers français ou italiens.

L'argent, quant à lui, est travaillé à Tiznit et à Taroudant, dans la vallée du Sous. Différentes techniques sont employées pour ce travail selon les régions: le **nielle**, incrustation d'émail noir (à Midelt et à Irhem); le **cloisonné**, composition de fils d'argent dessinant des motifs remplis ensuite d'émail de couleur (région de Tazenakht); ou encore la **ciselure** pour les armes, les étuis à poignard, les boîtes de poudre...

Mariées couvertes d'or et d'argent

Dans les grandes cités, le jour des noces, la mariée se montre couverte de bijoux en or; seules les familles fortunées peuvent s'offrir ce luxe. Pour les autres, les marieuses louent colliers, bracelets et boucles d'oreilles sans lesquels il serait inconcevable de paraître. **Dans les villages**, les femmes se parent de lourds colliers d'argent agrémentés de corail, d'ambre ou de jade. Toutes portent la **fibule**, qui retient le vêtement, et le **bracelet**, souvent acheté à l'adolescence et qui serre le poignet au bout de quelques années. Si le bracelet doit devenir monnaie d'échange, il devra être scié. Le marchand le soudera pour le proposer aux touristes.

Bijoux en or et en argent au souk des bijoutiers de Marrakech. Les bijoux en or sont une tradition des villes arabes, ceux en argent des campagnes berbères. En haut: fibule et bracelet de cheville.

Une riche Fassie au début du XXe siècle portant un cafetan luxueusement brodé et des bijoux en or.

L'art de la céramique

La poterie répond aux mêmes différences entre villes et campagnes. Pour la clientèle citadine, la **terre cuite est émaillée**; la poterie d'origine rurale, moins sophistiquée, est décorée de **dessins simplement peints**.

L'art de la céramique a été introduit au Maroc au XIᵉ s. À l'époque des Almohades, au XIIIᵉ s., pas moins de 180 potiers étaient recensés à Fès. Ils ne sont plus que 50 aujourd'hui. Pour éviter les risques d'incendie dans les médinas aux ruelles étroites ou les nuisances dues à la fumée des fours, les potiers étaient installés à la périphérie des villes. Ils y sont restés : le **quartier des potiers à Salé** se visite comme un musée vivant.

Fès reste la capitale incontestée de la **faïence, bleue ou polychrome sur fond blanc**. Les nuances de bleu permettent de dater la poterie : bleu-gris avant 1853, bleu franc jusqu'à la fin du XIXᵉ s., bleu de cobalt de nos jours. Les motifs sont soit géométriques, soit marins (des dessins de caravelles par exemple), soit faits de tortueux entrelacs.

Les **potiers de Safi**, plus au sud, préfèrent les **émaux aux coloris éclatants**, à base d'oxyde d'antimoine brun mordoré qui fait scintiller les objets de reflets métalliques. L'évolution est incessante selon les modes.

Zelliges de Fès et de Tétouan

Quant aux zelliges, leur utilisation est très à la mode. Ces **mosaïques de faïence** ornent le soubassement des murs des villas, les fûts des colonnes, les patios des maisons et des médersas, les parois des fontaines sur les places. À **Fès**, les pièces de la mosaïque sont coupées au marteau, mises en place à l'envers par terre dans un cadre en bois qu'on recouvre de plâtre. Ce panneau est ensuite posé. À **Tétouan**, les pièces de la mosaïque sont moulées, émaillées, cuites, puis assemblées une par une directement sur le mur à décorer. ■

Circuits
dans le Moyen Atlas*

Fès et Meknès sont à la croisée des **deux principales routes** de pénétration du Sud marocain : l'une traverse le Moyen Atlas et se dirige en ligne dr. vers le Tafilalt, l'autre longe la chaîne montagneuse jusqu'à Marrakech.

➤ *Carte p. 166.*

De Meknès à Oulmès-les-Thermes

➤ *Quittez Meknès par la P 1 en direction de Rabat. Comptez une journée pour réaliser ce circuit, en partant tôt le matin et en prévoyant un pique-nique.* **Hébergement à Oulmès-les-Thermes p. 176.**

Au sein d'une région montagneuse de moyenne altitude, striée de nombreuses vallées, la petite station thermale d'Oulmès-les-Thermes n'est accessible que par une route étroite, sinueuse et mal entretenue, mais encadrée de paysages d'une beauté sauvage.

La P 1 traverse **Khemisset** *(à 57 km O de Meknès ; souk le mar.),* où une coopérative artisanale expose des tapis fabriqués par les Berbères Zemmour. Prenez la S 106 jusqu'à Mâaziz *(souk le dim.),* puis tournez à g. sur la S 209 vers Tiddas *(souk le lun.).*

Au-delà, on pénètre progressivement dans un pays montagneux et boisé où l'on chasse encore le sanglier. La route contourne le **jbel Mouchchene** ; on comprend pourquoi, pendant très longtemps, les Berbères de cette région ont vécu repliés sur eux-mêmes, dans une farouche volonté d'indépendance.

Après El-Harcha, la S 209A se détache à dr. vers **Tarmilate** (1 100 m d'altitude), plus connue sous son ancien nom d'**Oulmès-les-Thermes**. L'eau gazeuse, qui jaillit à 43 °C, est consommée dans tout le Maroc. C'est la seule source gazeuse naturelle. Étant donné qu'il existe une possibilité d'hébergement sur place, vous pourriez vous laisser tenter par les bains d'eau chaude ou de boue à prendre à la source, d'autant plus que vous profiterez du climat vivifiant des montagnes du Moyen Atlas.

Retournez sur la S 209 ; au croisement, prenez à dr. et, peu après Oulmès, encore à dr. en direction de Khénifra, d'où vous pourrez rejoindre Meknès par Azrou et El-Hajeb.

De Meknès à Midelt*, la porte du Sud

➤ *Quittez Meknès par la P 21 en direction d'Azrou. Malgré la traversée du Moyen Atlas, cet itinéraire peut se réaliser en une demi-journée. Si vous avez l'intention de visiter le Tafilalt (p. 227), poursuivez jusqu'à Er-Rachidia. Il faut une demi-journée pour faire le trajet Meknès-Er-Rachidia.*

Après El-Hajeb, la route s'élève vers les premières pentes de l'Atlas et longe le rebord d'un haut plateau. Il surplombe une vaste dépression où coule l'oued Tigrigra, au milieu d'un chaos d'anciens reliefs volcaniques.

Au-delà d'Azrou, la route continue à monter jusqu'à près de 2 000 m d'altitude à travers une magnifique **forêt de cèdres**. Elle parcourt ensuite un paysage volcanique caractérisé par la présence de petits lacs de montagne, les **aguelmanes**. L'**aguelmane de Sidi-Ali**, aux eaux poissonneuses, est le plus important. L'été, c'est un lieu de rassemblement des Beni M'Guild. La découverte récente de schistes bitumineux risque de compromettre cette tradition ancestrale. Après le **col du Zad** (2 178 m), la vue plonge sur la dépression de Midelt avec, en toile de fond, les cimes enneigées du jbel Ayachi.

Midelt

➤ *192 km au S de Meknès. Souk le dim.* **Hébergement** *p. 176.*

Cette petite ville doit son activité à sa position clé entre le Moyen et le Haut Atlas, à mi-chemin entre la région de Fès-Meknès et le Sud. Les quartiers modernes ont été construits non loin d'une ancienne kasbah qui confirme l'importance stratégique du site. Tapis et broderies de qualité sont fabriqués dans l'atelier des sœurs franciscaines de Kasbah-Meriem, sur la route 3418 vers Jaffar. Perchée à 1 500 m d'altitude, Midelt est dominée par le **jbel Ayachi** tout proche, qui culmine à 3 737 m.

Le cirque de Jaffar*

➤ *Circuit de 79 km dont 54 de mauvaises pistes. Guide et 4 x 4 conseillés. Emportez un pique-nique.*

La visite du **cirque de Jaffar*** nécessite une journée et ne peut être effectuée qu'en dehors de la saison des pluies. Le site est splendide avec, en fond de décor, le sommet enneigé de l'Ayachi.

Si vous vous dirigez vers le Sud, vous pourrez vous arrêter au **parc animalier Nzala**, qui présente des spécimens de la faune saharienne, voire y faire une halte prolongée dans un cadre sauvage qui se prête au repos et au ressourcement *(45 km de Midelt et 35 km avant Rich ☎ 055.58.96.26 ; ouv. t.l.j. 7 h-18 h).*

De Fès à la forêt de cèdres d'Azrou*

➤ *Itinéraire d'une journée. Prévoyez un pique-nique. Les routes sont assez éprouvantes.*

Cet itinéraire permet de découvrir deux aspects totalement différents du Moyen Atlas : les **paysages arides** de la région des lacs et le massif du Mischliffen avec sa **forêt de cèdres**.

Bhalil

➤ *Quittez Fès par la P 20 en direction de Sefrou. À 24 km au S de Fès, prenez à dr. la route vers Bhalil (3 km).*

On pense que les habitants de ce village étaient chrétiens à l'époque de l'occupation romaine et furent convertis à l'islam par Idriss II. Les maisons s'étagent en terrasses et certaines sont **troglodytiques**. En suivant la piste qui grimpe au-dessus de l'agglomération, on découvre une belle **vue** sur Fès et sur la plaine du Saïs.

Sefrou et ses environs

➤ *27 km au S de Fès par la P 20. Souk le jeu.*

Cette petite ville très ancienne occupe un site d'altitude moyenne (plus de 800 m) qui marque la transition entre la plaine du Saïs et le Moyen Atlas. Centre d'échanges très renommé dès le XIIᵉ s. entre le nord du pays et le Tafilalt, Sefrou est encore aujourd'hui un marché agricole de premier ordre. Cette

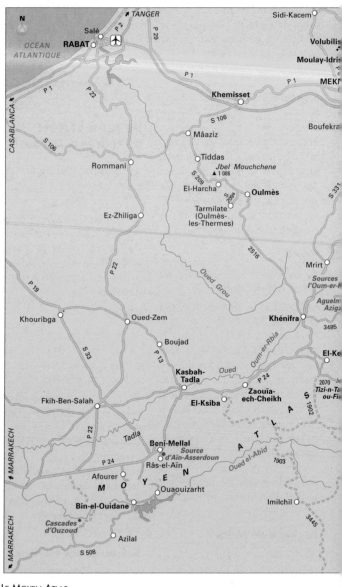

LE MOYEN ATLAS

vocation est célébrée chaque année en juin, lors de la **fête des Cerises**, occasion de toutes sortes de manifestations folkloriques. Au cœur de la médina cernée de remparts du XIIIᵉ s., le **mellah** a conservé en partie son caractère. L'oued Agaï se fraie un chemin à travers les anciens quartiers, qu'il inonde régulièrement.

À partir de Sefrou, la route 4610 en direction d'El-Menzel offre des **vues*** saisissantes sur les **gorges du Sebou**. **El-Menzel** *(32 km à l'E de*

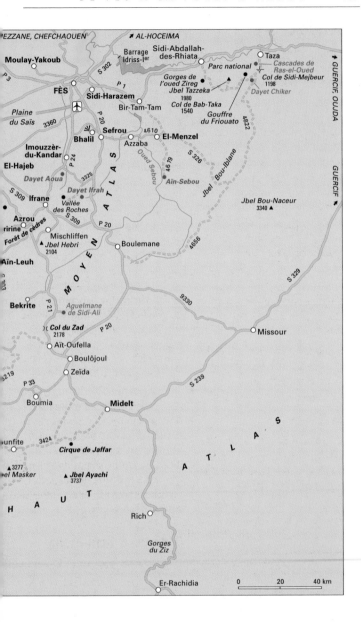

Sefrou) est un gros bourg dominé par les deux minarets de sa kasbah et animé par un marché important. La piste qui conduit aux sources du Sebou, **Aïn-Sebou**, est très mauvaise et déconseillée aux voitures de tourisme. Elle est essentielle-ment fréquentée par des ânes et des mulets chargés de provisions, formant une longue procession le jeudi, jour du souk. Au-delà de la médina, vers la ville nouvelle, une route à dr. mène aux cascades de l'oued Agaï.

Le circuit des lacs

➤ *À env. 25 km au S de Sefrou, la route 3325 se détache à dr. de la P 20 vers les lacs: les dayets Ifrah et Aoua.*

Suivez la 3325, puis tournez à g. vers le **dayet Ifrah***. La route de qualité moyenne est en pente assez forte. Pour rejoindre le **dayet Aoua**, rebroussez chemin puis tournez à g. au croisement et suivez l'unique route (successivement 4630, 4627 et 4629), qui rejoint la P 24 en contournant le lac, asséché pendant l'été.

Les pistes, lorsqu'elles existent encore dans ce pays montagneux aux hivers rudes et à l'érosion rapide, ne sont accessibles qu'aux véhicules tout-terrain.

En été, la tribu des **Beni M'Guild** vient camper sur les rives des dayets. L'élevage du mouton est, depuis toujours, leur seule activité.

Ifrane

➤ *63 km au S de Fès. En quittant la 4629, après le dayet Aoua, prenez à g. la P 24. Souk le dim.* **Informations pratiques** *p. 174.*

Cette petite station à 1 650 m d'altitude surprend par son air suisse, avec ses chalets pentus, disséminés dans la verdure. Elle fut créée en 1929, sous le protectorat. Le roi Mohammed VI y a sa résidence d'été. Lieu de séjour recherché l'hiver comme l'été, Ifrane est le point de départ d'excursions dans le Moyen Atlas.

La forêt de cèdres d'Azrou*

➤ *Quittez Ifrane en direction de Boulemane et Midelt sur la S 309. À 8 km, prenez à dr. vers Mischliffen.* **Hébergement à Mischliffen** *p. 176,* **Imouzzèr-du-Kandar** *p. 175.*

La route s'élève jusqu'à 2 000 m d'altitude au milieu d'une forêt de cèdres aux formes magnifiques et parfois de taille impressionnante. Certains ont 60 m de hauteur et un tronc de 2 m de diamètre.

Continuez sur la 3206, que domine le jbel Hebri. Au croisement avec la P 21, tournez à dr. en direction d'Azrou. Après le passage du col, la route descend en lacet, dévoilant des **vues** remarquables sur toute la région. À 12 km du croisement, une piste améliorée s'enfonce à dr. dans la forêt de cèdres, encore peuplée de **singes**. On peut y admirer plusieurs arbres gigantesques, tel le **cèdre Gouraud** (du nom d'un général qui joua un rôle important au début du protectorat). La piste débouche sur la P 24: vous pouvez tourner à dr. en direction de Fès ou à g. pour arriver à **Azrou** *(p. 169).*

Si vous remontez vers Fès, remarquez la station estivale d'**Imouzzèr-du-Kandar** (1 345 m) très prisée, en particulier par les fassis, qui viennent y chercher en été la fraîcheur qu'ils ne trouvent pas dans leur ville. Dans la kasbah de l'ancien village berbère, on peut voir de curieuses habitations souterraines.

D'Azrou à Beni-Mellal

➤ *Comptez une journée et prévoyez une étape dans les environs de Beni-Mellal, à Afourer, où les conditions d'hébergement sont bonnes (p. 203).*

Massifs montagneux aux couleurs étranges, roches façonnées par l'érosion, forêt dense et sombre, champs de pierres parsemés d'une herbe maigre, gorges profondes où bouillonne une eau généreuse, tels sont les paysages que vous rencontrerez au cours de cet itinéraire à travers le Moyen Atlas.

Les dayets de l'Atlas occupent des cuvettes plus ou moins vastes entourées de cirques montagneux grandioses par leur étendue et leur aspect dénudé.

Azrou

➤ *67 km au S de Meknès, 80 km au S de Fès. Souk le mar.* **Héberge-ment** *p. 171.*

À 1 250 m d'altitude, Azrou, « le rocher », est, comme sa voisine Ifrane, une petite station hivernale et estivale recherchée par les habitants de Fès et de Meknès. Construite à côté d'une ancienne kasbah érigée par Moulay Ismaïl, c'est un marché actif, fréquenté par les nomades sédentarisés Beni M'Guild. Son **centre artisanal** est renommé pour ses tapis et son travail du bois de cèdre (☎ *055.56. 24.30*).

Les sources de l'Oum-er-Rbia*

➤ *62 km au S d'Azrou. Sortez d'Azrou par la P 24 en direction de Khénifra. À la sortie de Tiouririne, tournez à g. et suivez la S 303.* **Hébergement à Aïn-Leuh** *p. 171.*

Vous pourrez faire une halte très agréable à **Aïn-Leuh** (*souk le lun.*

et le jeu.). Le 2e week-end de juillet, a lieu le **festival d'Ahidous** (folklore du Moyen Atlas).

Au-delà, la route (mauvaise dans l'ensemble) monte à l'assaut de montagnes arrondies, fortement érodées et jonchées de cailloux et de rocs de toutes tailles. Seuls quelques bouquets d'arbres tordus par le vent et une herbe rase adoucissent la dureté du paysage. Çà et là, des campements berbères isolés alternent avec des maisons en pisé ou en pierre, rappelant au voyageur que des hommes vivent sur cette terre avare.

La route redescend ensuite vers les **gorges** où l'Oum-er-Rbia et l'un de ses affluents ont creusé un lit étroit. Leurs pentes rougeâtres sont parsemées d'une sorte de maquis. On passe un premier pont sur l'Oum-er-Rbia ; sur la g., un chemin conduit aux sources du fleuve, lieu d'une grande fraîcheur bordé de gargotes, où il fait bon, par grande chaleur, s'asseoir sur des nattes, pour y déjeuner ou boire un thé. Autrefois, les sources jaillissaient sous forme de cascades; elles sont détournées aujourd'hui vers l'autre versant pour les besoins de l'agriculture. Le départ en puissance du plus grand fleuve du Maroc pour son long voyage vers l'Atlantique est malheureusement gâché par quelques canettes abandonnées.

La route remonte et s'accroche de nouveau au flanc de la montagne boisée; on retrouve les champs de pierres qui, par endroits, envahissent tout et empêchent toute forme de végétation. Plus loin, une bonne route à g. conduit en 2 km à l'**aguelmane Azigza** : la pâleur de l'eau contraste avec le cadre sombre de la forêt de chênes qui entoure le lac.

Khénifra

➤ *82 km au S d'Azrou par la P24. Souk le dim.*

Située à 830 m d'altitude sur les rives de l'Oum-er-Rbia, Khénifra est un ancien fief de la tribu des Zaïanes qui résistèrent longtemps à la pacification française. Remarquez le pont en dos d'âne construit par Moulay Ismaïl et les ruines d'une kasbah. Les **tapis zaïanes** aux couleurs sombres et décorés de losanges sont réputés.

En sortant de Khénifra, sur la route de Kasbah-Tadla, une petite route à g. *(17 km)* conduit au pittoresque village d'**El-Kebab** *(souk le lun.)*, dont le centre artisanal est intéressant (poteries, tannage, tissage).

Kasbah-Tadla

➤ *102 km au S-O de Khénifra par la P 24. Souk le lun.*

L'ancienne **forteresse** dont Moulay Ismaïl avait doté Kasbah-Tadla

est encore très bien conservée. Le vieux **pont à dix arches**, construit lui aussi par Moulay Ismaïl, sur l'Oum-er-Rbia offre une belle vue sur la kasbah.

Beni-Mellal et la kasbah de Râs-el-Aïn

➤ *30 km au S de Kasbah-Tadla et 194 km au N-E de Marrakech. Souk le mar. **Hébergement à Afourer** p. 203.*

Ce chef-lieu de province est un marché agricole et un centre commercial en pleine expansion, entouré d'une **oliveraie** remarquablement bien irriguée. On en fait le tour en voiture en suivant les panneaux «circuit touristique» (12 km environ).

On peut faire une halte rafraîchissante à **Aïn-Asserdoun** *(3,5 km au S-E)*, auprès d'une source vauclusienne dont les abords ont été aménagés en jardins. De là, une route s'élève en lacet jusqu'à la **kasbah de Râs-el-Aïn** (1 km) dominant la ville et la plaine du Tadla. C'est de la P 24, quelques centaines de mètres après l'embranchement pour la source, que l'on a la plus belle vue sur la kasbah, au travers d'une végétation touffue dont les couleurs sombres rehaussent l'ocre doré du pisé.

D'**Afourer** *(24 km au S-O de Beni-Mellal)*, une route goudronnée permet d'atteindre le lac de Bin-el-Ouidane *(p. 202)*. En passant par Ouaouizarht (très mauvaise route), vous aurez de jolis points de vue. La baignade est autorisée.

Faites un détour par les **cascades d'Ouzoud** et Demnate. Cet itinéraire est décrit dans le sens Marrakech-Beni-Mellal *(p. 201)*. La P 24 rejoint Marrakech vers l'ouest. ∎

Un artisan potier de Fès au travail.

Carte Moyen Atlas p. 166.

■ Aïn-Leuh

Hébergement

Site touristique Ajaabou ☎ 062.26.29.
09 (s'adresser à Aziz). Une douzaine
de chalets de 2 ou 3 pièces en pleine
forêt.

■ Azrou

Hôtels

▲▲ **Amros**, à 6 km ☎ 055.56.36.63,
fax 055.56.36.80. *78 ch.* à la déco très
fleurie avec air cond. *dont 6 suites.* Piscine, night-club. Spectacles folkloriques. Excursions, randonnées. Restaurant. Bar avec alcool.

▲▲ **Panorama** ☎ 055.56.20.10/22.42,
fax 055.56.18.04. www.hotelpano-
rama.web.com. *40 ch.* simples et
confortables. Style chalet un peu
vieillot mais agréable. En bordure de
forêt. Restaurant. Alcool.

■ Fès

**Plan I (ensemble) p. 143, plan II (ville
nouvelle) p. 144, plan III (el-Bali)
p. 146, plan IV (el-Jédid) p. 151.**

❶ Délégation régionale du tourisme,
immeuble Bennani, place de la Résistance **II-B2** ☎ 055.62.34.60 ou 055.94.
12.70. **Syndicat d'initiative**, place
Mohammed-V **II-B3** ☎ 055.62.47.69.
Guides officiels. Dépliants sur Fès uniquement. *Mêmes horaires : lun.-ven.
matin 8 h 30-12 h et 14 h 30-18 h 30 en
hiver (syndicat d'initiative ouv. aussi le
ven. a.-p.); 7 h 30-14 h 30 en été. Ramadan : 9 h-15 h.*

Arrivée

➤ **EN AVION. Aéroport de Fès Saïs**, à
15 km au S, sur la route d'Imouzzèr
hors pl. I par A2 ☎ 055. 62.48.00. Liaisons avec le centre par grands taxis
(entre 100 et 150 DH) ou en bus
(n° 16 qui va jusqu'au terminus de la
gare ferroviaire). Liaisons avec Agadir,
Casablanca, Marrakech, Ouarzazate,
Paris et Tanger. **Royal Air Maroc**
☎ 055.62.47.12.

➤ **EN CAR. Gare routière** près de Bab
el-Mahrouk **III-A2**. **CTM**, place Allal
al-Fassi, quartier Atlas **II-B4** ☎ 055.
73.29.84. De Bab Ftouh **III-D3**,
départs pour le Rif.

➤ **EN TRAIN. Gare ferroviaire**, rue
Imarate, dans la ville nouvelle **II-A1**
☎ 055.93.03.33.

Circuler

➤ **EN VOITURE.** Les hôtels se trouvent
pratiquement tous dans la ville nouvelle, à une distance considérable
des centres d'intérêt. Il est donc indispensable de vous déplacer en voiture
jusqu'aux abords de la médina ou de
Fès el-Jédid. On trouve à se garer avec
une facilité variable selon l'heure. Le
tour de Fès que nous vous proposons
(p. 142) ne peut se faire qu'en voiture.

➤ **EN TAXI.** Il est difficile de se repérer
dans la ville nouvelle, car les noms des
rues sont presque toujours indiqués en
langue arabe. D'autre part, la médina
est immense et il n'est pas toujours
aisé de se garer à proximité. Pour une
somme modique, un **petit taxi rouge**
vous déposera le plus près possible du
lieu où vous désirez vous rendre. Si
vous êtes accompagné d'un guide offi-

ciel, ce que nous vous recommandons, celui-ci se chargera de trouver un autre taxi pour vous ramener à votre hôtel. Établissez clairement le prix de la course avant le départ si le taxi ne possède pas de compteur en état de marche.

➤ À PIED. Une fois votre voiture garée ou le taxi payé, il ne vous reste plus qu'à parcourir à pied les ruelles étroites de la médina ou les petites rues encombrées de Fès el-Jédid. N'essayez pas de faire le tour de la médina en une seule fois, vous seriez exténué ; abordez-la plutôt par des endroits différents, comme nous vous le suggérons dans l'itinéraire (p. 147).

Hôtels

La capacité d'hébergement de la ville est parfois insuffisante durant la pleine saison (d'avr. à sept.) ; il est alors possible de trouver à se loger dans les environs.

▲▲▲▲ **Jnan Fès** ♥, av. Ahmed-Chaouki **II-A4** ☎055.65.22.30/39.64, fax 055.65. 19.17. 244 ch. avec air cond., duplex et suites somptueuses. Dans un parc de 7 ha, une architecture contemporaine d'expression mauresque. 3 restaurants, 2 bars dont un avec piscine chauffée, courts de tennis, sauna, night-club, mini-golf, piano-bar. Fastueux. Très beaux jardins.

▲▲▲▲ **Menzeh Zalagh**, 10, rue Moham-med-Diouri **II-B2** ☎055.93.22.34 et 055.62.55.31, fax 055.65.19.95. www. fesnet.net.ma/menzeh.zalagh. 149 ch. avec air cond. dont 9 suites confor-tables. Night-club. Beaux jardins avec 2 piscines, sauna, hammam. 4 bars avec alcool. 3 restaurants (cui-sine quelconque).

▲▲▲▲ **Le Méridien** (ancien Mérinides), Borj-Nord **III-A1** ☎055.64.52.26, 62.18 et 60.99, fax 055.64.52.25. 106 ch. avec air cond. et balcon dont 4 suites. Il a perdu un peu de son charme, mais a une vue superbe sur Fès el-Bali. Spectacles le soir. Piscine chauffée. Ascenseur panoramique. 3 restaurants dont un marocain.

▲▲▲▲ **Palais Jamaï**, Bab Guissa, Fès el-Bali **III-C1** ☎055.63.43.31, fax 055.

63.50.96. 123 ch. dont 19 suites. Palais fassi du XVIIIe s. rénové en 1999. Les ch. manquent de charme. Les suites ont de la classe, mais des prix vertigi-neux. Beau jardin andalou, piscine chauffée, tennis, sauna, hammam. Night-club, discothèque. 2 restaurants dont un marocain (El-Fassia).

▲▲▲▲ **Sheraton**, av. des F.A.R. près de la place Ahmed-el-Mansour **II-A3** ☎055. 93.09.09/10.83, fax 055.62. 04.86. www.sheraton.com/fes 271 ch. Dans un parc planté d'orangers, de citronniers et de palmiers. Piscine et courts de ten-nis. Piano-bar. 3 restaurants.

▲▲▲▲ **Volubilis**, av. Allal-ben-Abdel-lah **II-A3** ☎ 055.62.11.26 et 055.65. 44.84, fax 055.62.11.25. Au cœur de la ville nouvelle, 130 ch. spacieuses avec balcon sur la piscine ou le jardin. Tennis, hammam. Discothèque et piano-bar.

▲▲▲ **Ibis Moussafir**, av. des Almo-hades, gare principale **II-A1** ☎055.65. 19.02 à 07, fax 055.65.19.09. 123 ch. avec air cond. dont 3 suites. Belle pis-cine. Bar accueillant. Restaurant avec un menu unique. Alcool.

▲▲ **Grand Hôtel**, bd Abdellah-Chef-Chaouani, près de la place Moham-med-V **II-B3** ☎055.93.20.26, fax 055. 65.38.47. 84 ch. avec air cond. agréables. Salon marocain avec fontaine.

▲▲ **Hôtel de la Paix**, 44, av. Hassan-II, ville nouvelle **II-B2** ☎ 055.62.50.72, ☎/fax 055.62.68.80. 42 ch., certaines avec air cond. et balcon. Restaurant.

Riads et maisons d'hôtes

▲▲▲▲ **Riad Fès**, 5, derb Benslimane-Zerbtana (médina) **III-A3** ☎ 055.74. 10.12/12.06, fax 055.74.11.43. www. riadfes.com. 13 suites, portant les noms des dynasties qui régnèrent sur le Maroc, et 4 ch. Salon marocain, pis-cine, terrasse panoramique. 3 restau-rants. Tous les services de l'hôtellerie de luxe. Prix en rapport.

▲▲▲ **Dar el-Bartal** ♥, 21, rue Sournas, Bab Ziat **I-B1** ☎/fax 055.63.70.53. 4 suites et 2 ch. autour d'un grand patio frais et fleuri. Riad transformé en maison d'hôtes. Salon marocain, cuisine et terrasse panoramique.

▲▲▲ **Riad l'Arabesque**, 20, derb el-Miter, Bab Guissa, près du Palais Jamaï **III-B1** ☎ 055.63.53.21, fax 055. 63.45.90. *7 suites* confortables. Petit jardin. Déco un peu chargée en meubles et plantes et prix relativement élevés. Restauration midi et soir.

▲▲▲ **Riad Louna** ♥, 21, derb Serraj, Talâa Seghira, Bab Bou-Jeloud, près de la médersa Bou-Inania **III-A2** ☎/fax 055. 74.19.85. www.riadlouna.free.fr. *2 ch. et 3 suites* autour d'un agréable patio. Maison traditionnelle tenue par un couple de Belges. Salon marocain, terrasse. Parking. Prix raisonnables.

Restaurants

CUISINE MAROCAINE

Prenez un petit taxi pour vous rendre dans le restaurant que vous aurez choisi. Il est préférable de réserver. Certains restaurants dans la médina ne sont ouverts que pour le déjeuner. Ils ne servent pas d'alcool et reçoivent de nombreux groupes.

♦♦♦ **El-Fassia**, restaurant du Palais Jamaï **III-C1** ☎ 055.63.43.31. Cadre étonnant aux décorations de stuc. Musiciens et danseuses. Cuisine marocaine classique. *Ouv. le soir.*

♦♦♦ **El-Ghalia**, 15, rue Ros-Rehi, Ras el-Jenân à Fès el-Bali **III-C2** ☎ 055. 63.41.67. Dans une vieille demeure fassie. Hammam. Terrasse avec vue sur la médina. Alcool. *12 ch.* avec air cond. *dont 4 suites.*

♦♦♦ **L'Herbier de l'Atlas** ♥, restaurant du **Jnan Fès II-A4** ☎ 055.65.22.30. Décor très soigné. Service impeccable. Un musicien accompagne votre repas d'airs arabes et andalous. Cuisine raffinée, la meilleure actuellement à Fès. *Ouv. le soir.*

♦♦ **Dar Saada**, 21, souk el-Attarine, Fès el-Bali **III-C2** ☎ 055.63.73.70. Beau décor avec patio central sous une verrière. Plusieurs menus. Alcool. *Sur rés. pour les groupes.*

♦♦ **Palais de Fès Dar-Tazi** ♥, 15, rue Makhfia, à l'entrée de la médina par

Bab er-Rsif **III-C2** ☎ 055.76.15.90 et 055.76.26.95. Sur appel téléphonique, on vient vous chercher. Belle demeure fassie, spécialités marocaines. Bon rapport qualité/prix. Spectacle de musique classique. Exposition de tapis. *Sur rés.*

♦♦ **Palais La Médina**, 8, derb Chami-Bourajjoue, quartier er-Rsif **III-C2** ☎ 055.71.14.37. Une table raffinée dans une belle et grande demeure. 2 menus à des prix assez élevés mais justifiés. Spectacle midi et soir.

♦♦ **Palais Mnebhi** 15, rue Souikat-ben-Safi **III-B2** ☎ 055.63.38.93. Un lieu historique : l'ancienne maison où séjourna Lyautey. Pas d'alcool. *Sur rés.*

♦♦ **Palais Tariana**, 25, rue Tala-Kebira, dans la médina, près de Bab Bou Jeloud **III-A2** ☎ 055.63.66.04. Beau décor. Bonne cuisine marocaine. Alcool, spectacles.

CUISINE INTERNATIONALE

♦♦♦ **La Cheminée**, 6, av. Lalla-Asma près de la gare **II-A1** ☎ 055.62.49.02. Cuisine franco-marocaine. Une bonne adresse dans un cadre agréable. Alcool.

♦♦ **Chez Vittorio**, 21, Brahim-Roudani, près de la place Mohammed-V **II-B3** ☎ 055.62.47.30. *F. pendant le ramadan.* Salle climatisée. Bonne cuisine franco-italienne.

♦♦ **La Médaille**, 25, rue Laarbi-Kaghat, face au marché central **II-B3** ☎ 055. 62.01.83. Cuisine internationale. Cadre moderne. Excellent service.

Shopping

Fès a une tradition artisanale variée et ancienne. Vous trouverez un grand choix d'articles dans la **médina**. Rendez-vous d'abord au **centre artisanal** (av. Allal-ben-Abdellah **II-A4**, à côté de l'hôtel Volubilis, *ouv. t.l.j. 9 h-12 h 30 et 15 h-18 h 30*) pour vous faire une idée des prix ; cela vous servira de base pour un éventuel marchandage. La **dorure sur cuir** est une spécialité fassie mondialement connue, appliquée aux reliures, aux porte-documents, sous-main et garnitures de bureau. Plateaux et objets en **cuivre**

Manifestations

➤ **Festival des Musiques sacrées du monde**. 1 sem. en mai-juin, à Fès. Rens. ☎055.74.05.35. www.fezfestival.com.

➤ **Son et Lumière de Fès**. De mars à fin nov. t.l.j. sf dim., au Borj-Sud. Rens. ☎ 055.93. 18.93.

➤ **Festival des Arts tradition-nels et moussem**. En sept., à Sidi-Ahmed-el-Bernoussi (à 15 km au N de Fès sur la route de Ouezzane). ❖

---

sont également réputés, comme la fabrication de **tapis** de qualité supérieure, tel le « Rabat royal, point de Fès ». Le bleu de cobalt est la couleur caractéristique de la **poterie** vernissée ou émaillée. Le **brocart** est une spécialité qui se perd. On peut encore en voir la fabrication dans l'**atelier Ben Chérif** (150 bd Mohammed-V **II-B3** ☎ 055.62.25.32).

Sports et loisirs

➤ **Golf. Royal Golf de Fès**, km 15, route d'Immouzèr ☎ 055.66.52.10. 9-trous.

Adresses utiles

➤ **Banques. BMCE**, place Mohammed-V **II-B3**. **Crédit du Maroc**, à l'angle du bd Mohammed-V et de la rue Mokhtar-Soussi **II-B3**. **Wafabank**, bd Mohammed-V **II-B3**.

➤ **Compagnies aériennes. Royal Air Maroc**, 54, av. Hassan-II **II-B2** ☎055. 62.04.56/57. Représente aussi Air France.

➤ **Consulat de France**. Av. Abou-Obeïda **II-A2** ☎055.62.55.47/48.

➤ **Institut français**. 33, rue A.-Loukili, près de la place de la Résistance **II-B2** ☎055.62.39.21. *F. dim., lun., en août et les vacances scolaires.*

➤ **Location de voitures. Tour Villes**, rue Moktar-Soussi, près du

Grand Hôtel **II-B3** ☎ 055.62.66.35, ☎ mobile 061.18.62.78.

➤ **Poste centrale et téléphone**. À l'angle de l'av. Mohammed-V et Hassan-II, ville nouvelle **II-B2**.

➤ **Urgences. Clinique Agdal**, av. du Prince-Héritier **hors pl. par B2** ☎ 055. 93.16.33/43/53. **Clinique Ryad**, 2, rue de l'Atlas, Agdal ☎ 055.65.65.65. **Pharmacie de nuit**, à la municipalité, bd Moulay-Youssef **II-B1** ☎055.62. 34.93. *Ouv. 20h-8 h.* **SOS Médecins** ☎ 055.94.44.44.

■ Ifrane

ⓘ **Délégation provinciale du Tourisme**, au centre-ville, bd Mohammed-V ☎055.56.68.21, fax 055.56.68.22. *Ouv. 8 h 30-12 h et 14 h 30-18 h 30. F. sam. et dim. (sf en juil-août, 9 h-18 h) et j.f.* Guides de montagne pour des randonnées pédestres, équestres, en VTT ou à ski dans le Moyen Atlas.

Hôtels

▲▲▲ **Le Chamonix**, av. de la Marche-Verte ☎ 055.56.60.28. *64 ch.* grandes, propres, entourées de verdure.

▲▲▲ **Perce-Neige**, rue des Asphodèles ☎055.56.63.50/62.10, fax 055.56.71. 16. *27 ch. dont 2 suites.* Bonne table avec alcool.

▲▲▲ **Les Tilleuls** ☎ 055.56.66.58, fax 055.56.60.79. *28 ch.* confortables. Bar, restaurant (le propriétaire est diplomé de l'Académie culinaire de Paris et de l'ordre de la courtoisie française).

▲▲ **Auberge Dayet Aoua**, à 20 km, route d'Immouzer ☎055.60.48.80, fax 055.60.48.52. *3 ch. et 2 suites* dans un verger, sur une rive du lac (souvent asséché). À 1 400 m d'altitude, en bordure de forêt. Restaurant. VTT, excursions, randonnées.

Restaurants

♦♦ **La Paix**, rue de la Marche-Verte. ☎ 055.56.66.75. Avec terrasse; cuisine marocaine, italienne, chinoise, grillades.

♦♦ **La Rose**, 7, Hay-Riad ☎055.56.62.15. Cuisine marocaine et française.

■ Imouzèr-du-Kandar

Hôtel

▲▲▲ **Hôtel Royal**, bd Mohammed-V ☎ 055.66.30.80, fax 055.66.31.86. *38 ch. et 2 suites* rénovées. Bar, restaurant (cuisine marocaine et européenne), discothèque, parking. Tenu par un couple franco-marocain.

■ Meknès

Plan p. 154.

❶ **Délégation régionale du tourisme,** place Administrative **C1** ☎055.52.44.26. *Ouv. lun.-jeu. 8 h 30-12 h et 14 h 30-18 h 30, ven. 8 h 30-11 h 30 et 15 h-18 h 30.* Guides officiels. **Syndicat d'initiative,** esplanade de la Foire **C1** ☎055.52.01.91. *Ouv. lun.-ven. 9h-12h et 15h-18h.*

Hôtels

▲▲▲ **Ibis**, av, des F.A.R., entre l'ancienne médina et le centre ville, à 5 minutes de la gare **C2-D1** ☎ 055. 40.41.41, fax 055.40.42.42. *104 ch.* au confort propre à la chaîne, dont 2 pour handicapés. Salon marocain, bar avec terrasse sur piscine. Parking. Restaurant (cuisine internationale et marocaine).

▲▲▲ **Transatlantique** ♥, rue-el-Meriniyine **B1** ☎055.52.50.50 à 55, fax 055. 52.00.57. *120 ch. dont 3 suites* réparties dans 2 ailes, l'une traditionnelle (en rénovation) et l'autre moderne. Vue splendide sur la médina et la montagne, parc, 2 piscines, 3 tennis. Buffet en plein air, bon restaurant marocain. Alcool. Beaucoup de charme.

▲▲▲ **Zaki** ♥, bd el-Massira, route d'Azrou à 3 km du centre **hors pl. par B3** ☎055.52.09.90, fax 055.52.48.36. Les plus belles ch. ont des terrasses. Piscine, jardin et discothèque. 2 restaurants (marocain et international).

▲▲ **Akouas**, 27, rue Émir-Abdelkader **D1** ☎055.51.59.67/68, fax 055.51.59. 94. *64 ch.* avec air cond. *dont 2 suites* avec terrasse. Restaurant, bar et night-club. Bon accueil. Un peu bruyant.

▲▲ **Bab Mansour**, 38, rue Émir-Abdelkader **D1** ☎055.52.52.39/40, fax 055. 51.07.41. *80 ch.* avec air cond. *et 2 suites* correctes. Restaurant et bar avec alcool.

Riads et maisons d'hôtes

▲▲ **Riad Dar Lakbira** ♥, 79, Ksar Chaacha **B2** ☎ 055.53.05.42, fax 055. 53.13.20. *3 ch. et 3 suites* dans un très beau jardin. Terrasse et salle climatisée. Restaurant avec spécialités marocaines de qualité. Accueil charmant.

DANS LES ENVIRONS

▲▲ **Domaine Ranch Tijania**, Aït-Berzouine (quittez Meknès en direction d'Ifrane et Er-Rachidia; à El-Menzeh, à 13 km, prenez à dr. en direction du domaine) ☎ 067.82.03.73. *30 ch.* en pleine nature. Équitation, VTT, tennis, parc de jeux et mini-ménagerie.

Restaurants

♦♦ **Le Collier de la colombe**, 67, rue Driba, à Dar Kebira près de la place Lalla-Aouda **B2** ☎055.55.50.41. *F. le ven. soir.* Restaurant panoramique. Salle climatisée. Cuisine marocaine et internationale. Pas d'alcool.

♦♦ **Le Dauphin**, 5, rue Mohammed-V **D1** ☎055.52.34.23. *F. pendant le ramadan.* Choix de bons poissons. Alcool. Calme et excellent service. Tout a été refait à neuf.

♦♦ **L'Hacienda**, route de Fès, à la sortie de la ville **hors pl. par D1** ☎055.52. 10.92. Cuisine internationale. Bonnes grillades. Night-club, bar, piscine.

♦♦ **Palais Terrab**, 18, av. Zerktouni **hors pl. par D1** ☎055.52.61.00. *F. le dim.* Joli décor marocain. Bonnes pâtisseries et spécialités locales. Beaucoup de groupes. *Sur rés.*

♦ **Le Gambrinus**, av. Omar-ibn-el-Ass près du marché central **C1** ☎055.52. 02.58. Bonne table. On y mange en contemplant la fresque coquine d'un peintre français en 1955. Pas d'alcool.

Shopping

L'**av. Mohammed-V D1-2** est bordée de boutiques dont quelques-unes affichent un certain luxe. Dans la **rue en-**

Nejjarine, que vous suivrez pour aller visiter la médersa Bou-Inania, se trouve le **souk ed-Dlala B2**, où ont lieu les **ventes aux enchères de tapis**, spécialité de Meknès (*mer. et dim. a.-m.*). Autre spécialité de Meknès : le damasquinage. **Zeouak Saddik** est un spécialiste (86, Souk Serrairia, à Bab el-Jédid **A1** ☎ 064. 98.83.46).

Sports et loisirs

➤ GOLF. **Royal Golf de Meknès**, Jnan l'Bahraouia (près du Mausolée de Moulay Ismaïl) **B2** ☎ 055.53.07.53. Le seul golf du Maroc à être éclairé de nuit ! Il est nécessaire d'être affilié à un club de golf. Forfait journée : 150 DH.

Adresses utiles

➤ BANQUES. **BMCE**, 98, av. des F.A.R. **D1**. **Wafa**, av. Mohammed-V **D1**. **Crédit du Maroc**, av. Mohammed-V **D1**. **Société Générale**, place Administrative **C1**.

➤ COMPAGNIE AÉRIENNE. **Royal Air Maroc**, 7, av. Mohammed-V **D1** ☎ 055.52.09.63/64 et 055.52.36.06.

➤ GARE FERROVIAIRE, rue de l'Émir-Abdelkader **D1** et av. des F.A.R. **hors pl. par D1**. Liaisons avec Casablanca, Rabat, Fès, Marrakech et Oujda.

➤ GARE ROUTIÈRE. **CTM**, av. des F.A.R. **hors pl. par D1**.

➤ INSTITUT FRANÇAIS, rue Ferhat-Hachad **C1** ☎ 055.51.58.51. *Ouv. lun.-ven. 8 h 30-18 h 30. F. en août.*

➤ URGENCES. **Clinique Kendoussi**. Angle rue de Bandoeng et rue Nehru ☎ 055. 51.76.85. **Pharmacie de nuit.** Hôtel de ville **D1** ☎ 055.52.24.88. *Ouv. 21 h-9 h.*

■ Mischliffen

Hôtel

▲▲▲ **Hôtel Aglias**, station de ski ☎ 055.56.04.92, fax 055.52.23.21. *40 ch. et 16 duplex.* En pleine forêt de cèdres. Piscine chauffée. Ski (il n'y a pas toujours de la neige !), randonnées pédestres ou équestres, VTT. 2 bars et 2 restaurants.

■ Midelt

Hôtels

▲▲ **El Ayachi**, rue d'Agadir ☎ 055.58. 21.61, fax 055.58.33.07. *F. à 21 h 30. 28 ch.* vastes et simples. Fonctionnel, il reçoit surtout des groupes. Restaurant avec alcool.

▲▲ **Kasbah Asmaa**, route d'Er-Rachidia, à 3 km ☎ 055.58.04.05, fax 055.58. 39.45. *20 ch.* 3 salons. Piscine et jardin. Excursions. Bonne cuisine. *Rés. conseillée.*

▲ **Le Roi de la bière**, av. des F.A.R. ☎/fax 055.58.26.75. *16 ch. dont 9 avec douche,* simples mais propres. Restaurant servant une bonne cuisine *sur commande.*

■ Moulay-Yakoub

Hôtel

▲▲▲ **Moulay-Yacoub** ☎ 055.69.40.67, fax 055.69.40.65. *60 ch. et 60 bungalows avec air cond.* L'hôtel s'étage sur le flanc de la colline. Une navette assure la liaison avec l'établissement thermal. Piscine, tennis. Restaurant avec alcool.

■ Oulmès-les-Thermes

Hôtel

▲ **Hôtel des Thermes** ☎ 037.52.31.56 ou 73. *42 ch.* dont 9 avec sanitaires complets. Restaurant avec cuisine marocaine et européenne. Alcool. Aurait besoin d'être rénové, mais pas dépourvu de charme.

■ Volubilis

Hôtel

▲▲▲ **Volubilis Inn** ♥, en face de Volubilis, à Fertassa ☎ 055.54.44.05 à 08, fax 055.63.63.93. Dans la verdure et le calme en face des ruines romaines. *52 ch.* agréables et climatisées dont *4 suites.* Piscine. 2 restaurants (cuisine internationale et marocaine). Repas en terrasse. Alcool. ■

Marrakech a donné son nom au Maroc. Si elle n'en est plus la capitale, si son prestige a connu bien des hauts et des bas depuis un millénaire au gré des dynasties régnantes, la « **Perle du Sud** » bénéficie toujours d'une situation géographique privilégiée.

À la croisée de l'Atlas, du Souss, de l'Anti-Atlas et du Sahara, c'est une excellente base de départ vers l'Atlantique, à l'ouest, ou vers les montagnes du Haut et du Moyen Atlas à l'est.

Marrakech***

La légende rapporte qu'un **nomade**, un homme bleu, avait planté sa tente dans cet endroit austère. Il ne comptait pas y rester longtemps, mais il s'y plut tellement et y mangea tant de dattes durant son séjour que naquit la merveilleuse **palmeraie**. Elle est aujourd'hui en partie urbanisée – c'est la rançon de sa gloire…

Cette gloire, Marrakech la doit à sa réputation. Il suffit de prononcer son nom pour que surgisse à l'esprit l'image de la place Jemaa-el-Fna et de son agitation étourdissante, sur laquelle veille la silhouette épurée de la Koutoubia. Le dénuement du palais el-Badi, la tranquillité énigmatique du bassin de la Ménara, le brouhaha perma-

La place Jemaa-el-Fna, à Marrakech, est une fête de couleurs et d'odeurs.

nent des souks, l'élégance suran-
née du quartier de l'Hivernage, le
calme mystique des tombeaux saadiens composent les mille et un
visages de cette ville.

LA FONDATION DE MARRAKECH

Par une ironie de l'histoire, «Mar-
rakech-la-séductrice» a été fondée
par des ascètes, les **Almoravides**:
ce n'est pas le moindre de ses para-
doxes. Au début du XIe s., les
moines guerriers almoravides,
ayant à leur tête **Abou Bekr**, puis
son cousin **Youssef ben Tachfine**,
entreprennent d'imposer au Maroc
un islam dans toute sa rigueur. Ils
viennent du Sahara, remontent le
Drâa et le Souss, traversent l'Atlas
et arrivent dans cette plaine du
Haouz où ils bâtissent en 1062 un
camp fortifié. Marrakech est née.

LA PROSPÉRITÉ

Le fils de Youssef ben Tachfine,
Ali, hérite d'un **immense empire**
allant de la Castille espagnole
jusqu'à Tlemcen. Marrakech en est
la capitale, protégée par d'épaisses
murailles en pisé. L'art, la culture
et le commerce se développent,
enrichis par les échanges avec
l'Andalousie musulmane.

Mais l'esprit de conquête a fait
perdre aux moines guerriers un
peu de la foi rigoriste qui les ani-
mait. Ils vont trouver plus religieux
qu'eux: les **Almohades**, venus également du Sud et qui, au nom du
respect des canons de l'islam, chas-
sent les Almoravides et assiègent
Marrakech. La ville tombe en 1147.
Les Almohades y font table rase du
passé et la reconstruisent à leur
manière. **Yacoub el-Mansour**
(1184-1199) y fait édifier la Koutoubia, avec son minaret de 69 m
de haut, et de nombreux palais. Il
appelle à sa cour des savants et des
philosophes, parmi lesquels le
fameux **Averroès**. Le commerce avec
l'Orient et l'Europe est florissant.

LE BIJOU SAADIEN

Cette période faste est de courte
durée. Les **Mérinides**, qui succèdent
aux Almohades, choisissent Fès

pour capitale. Marrakech est livrée aux pillards et aux tribus rivales. Il faudra attendre l'arrivée de la dynastie saadienne pour qu'elle retrouve son lustre : **Ahmed el-Mansour** (1578-1603) dit « **le Doré**», un commerçant qui a acquis une immense fortune dans le négoce avec l'Afrique noire, favorise sa renaissance spectaculaire. Il fait construire le palais el-Badi, de marbre, d'or, d'ébène et d'ivoire, ainsi que les tombeaux saadiens, des mosquées, des médersas, des fontaines qui viennent embellir la ville.

LES ALAOUITES : DESTRUCTION ET RENOUVEAU

Ce second souffle devait, lui aussi, être éphémère. Les **Alaouites** s'établissent à Meknès ; **Moulay Ismaïl** *(p. 153)* fait raser le palais el-Badi et en récupère les plus beaux objets pour décorer sa capitale. Marrakech devient un centre régional ne connaissant que quelques moments forts (quand, par exemple, le sultan **Moulay Hassan** s'y fait construire à la fin du XIXe s. le palais de la Bahia).

MARRAKECH AU XXe SIÈCLE

Après la proclamation du protectorat en 1912, la ville de Marrakech connaît un renouveau de prospérité. L'urbanisation saute le mur d'enceinte et des quartiers nouveaux sortent de terre, comme le **Guéliz** ou l'**Hivernage**. On continue à construire à l'extérieur des murailles après l'Indépendance. Marrakech aurait pu som-

Programme

➤ **SI VOUS DISPOSEZ D'UNE JOURNÉE.** Au cours de la matinée, visitez les **tombeaux saadiens**** I-C3, le **palais el-Badi*** I-C3 *(p.182)*, le ♥ **palais de la Bahia**** I-CD3 *(p.182)*, ainsi que le **musée Dar Si-Saïd*** I-C2 *(p.183)*. Terminez par la ♥ **place Jemaa-el-Fna*** I-C2 *(p.184)* en fin de matinée. L'après-midi sera consacré à la **médina***** plan II *(p.185)*, où vous verrez les souks et la ♥ **médersa Ben-Youssef*** II-B1 *(p.185)*, avant de revenir place **Jemaa-el-Fna** à l'heure où elle s'anime, pour l'observer de la terrasse d'un café et admirer la **Koutoubia***** illuminée I-C2 *(p.180)*.

➤ **SI VOUS DISPOSEZ DE 3 JOURS.** Le 1er jour, visitez les **tombeaux saadiens**** I-C3, le **palais el-Badi*** I-C3 *(p.182)* et le ♥ **palais de la Bahia**** I-CD3 *(p.182)* le matin, et consacrez l'après-midi à un bain de fantaisie sur la ♥ **place Jemaa-el-Fna*** I-C2 *(p.184)*, où vous passerez facilement 2 h sans vous ennuyer, et dans les souks de la **médina***** plan II *(p. 185)*. Le 2e jour, faites en voiture le **tour des remparts*** plan I *(p.188)*, en admirant au passage le ♥ **pavillon de la Ménara*** I-A3 *(p.192)*. L'après-midi, flânez dans le **Guéliz** I-A1-2 après avoir visité le ♥ **jardin Majorelle*** I-B1 *(p.191)*. Le 3e jour, entrez dans la médina par **Bab Doukkala** I-B1 *(p.190)*, admirez les **zaouïas de Sidi ben Slimane el-Jazouli** et **de Sidi bel Abbès** I-C1 et promenez-vous dans les souks. En fin d'après-midi, surtout s'il fait chaud, faites le tour de la **palmeraie hors pl. I par A1** *(p.192)* ou flânez dans le quartier résidentiel de l'**Hivernage** I-AB2 *(p. 191)*.

➤ **SI VOUS DISPOSEZ D'UNE SEMAINE.** Faites des excursions autour de Marrakech : dans le **Haut Atlas** *(p.193)* et le **Moyen Atlas** *(p.139)* ou sur la **côte Atlantique** *(p. 99)* et dans le **Sud** *(p. 211)*. ❖

brer dans une torpeur provinciale. Elle tente au contraire de se trouver une autre vocation. Les autorités l'ont ainsi dotée d'un magnifique **palais des Congrès** qui accueille forums, colloques et festivals d'envergure internationale : il joue, donc, un rôle indéniable dans la promotion de la ville.

➤ *Plan I (ensemble) en rabat arrière de couverture, plan II (souks), p. 186. Informations pratiques p. 203.*

Les quartiers Sud

➤ **Plan I** *Promenade de 3 h en voiture ; vous pouvez vous garer à proximité des monuments.*

La Koutoubia***

➤ **I-C2** *Que vous veniez du quartier commerçant du Guéliz **I-A1-2** ou de celui, résidentiel, de l'Hivernage **I-B2**, laissez-vous guider par son minaret que vous apercevrez de loin (illuminé le soir). Si vous arrivez par Bab el-Jédid **I-B3**, vous accédez à dr. au légendaire palace La Mamounia **I-B3** (encadré p.205). Un jardin relie la Koutoubia à La Mamounia. L'accès à la mosquée est interdit aux non-musulmans.*

Aussitôt après la conquête de Marrakech, les **Almohades** entreprirent la construction d'une mosquée sur l'emplacement d'un palais almoravide. Achevée en 1157, cette première mosquée – sans doute parce que mal orientée – ne satisfit pas les bâtisseurs, qui en élevèrent une autre à côté en conservant le minaret. Elle fut inaugurée en 1158.

La nouvelle mosquée reçut le nom de *Koutoubia*, qui signifie « des libraires », car il y avait tout autour de nombreuses boutiques où l'on vendait livres et manuscrits. Le **minaret** *(encadré ci-contre)*, l'un

des chefs-d'œuvre de l'art hispano-mauresque, fut achevé sous le règne d'Abou Youssef Yacoub-bel-Mansour (1184-1199) et servit de modèle à la Giralda de Séville, puis à la tour Hassan de Rabat. De proportions parfaites (69 m de haut et 12,80 m de large), il se compose d'une tour et d'un lanternon surmonté d'une flèche culminant à 77 m, ornée de quatre boules dorées (la plus grosse fait 2 m de diamètre).

Bab Agnaou et la mosquée de la Kasbah

➤ **I-C3** *De la Koutoubia, descendez vers la place Youssef-ben-Tachfine **I-C2**, où se dresse un mausolée dans lequel serait enterré le fondateur de la dynastie almoravide. La rue Sidi-Mimoun conduit à Bab Agnaou.*

Contemporaine de la Koutoubia, **Bab Agnaou** donnait autrefois accès à la kasbah. Construite en grès gris-bleu provenant du djebel Gorreliz et agrémentée d'un beau décor floral, elle témoigne de l'art militaire maghrébin du XIIᵉ s. Son nom, « Porte du bélier sans corne », reste mystérieux. La **mosquée de la Kasbah**, construite au XIIᵉ s. par Yacoub el-Mansour, fut restaurée à plusieurs reprises. Le **minaret***, de modèle classique, est orné dans sa partie supérieure d'un décor de losanges souligné par une frise de faïence émaillée de couleur turquoise. Surmonté d'un lanternon et d'une lampe ornée de trois boules, ce minaret servit de modèle aux architectes pendant des siècles.

Les tombeaux saadiens**

➤ **I-C3** *Sur la dr. de la mosquée, une impasse étroite conduit à l'entrée des tombeaux saadiens. Ouv. t.l.j. 9 h-11 h 45 et 14 h 30-17 h 30 ou 18 h. F. pour Aïd el-Kebir et Aïd es-Seghir. Entrée payante.*

L'un des plus beaux minarets de l'islam

Les quatre boules dorées du lanternon ne sont pas en or, comme le veut la légende, mais recouvertes de plaques de cuivre rivées entre elles.

Face au minaret de la Koutoubia, on ne peut pas manquer d'être frappé par la sobriété de la base, qui contraste avec le raffinement du décor de la partie supérieure. L'ornementation varie de l'une à l'autre des quatre faces. Les ouvertures, soulignées par des arcs en plein cintre ou brisés, se trouvent à des niveaux différents : elles correspondent à six salles superposées qui se partagent l'espace intérieur de la tour et sont reliées par une rampe en pente douce, calculée pour que les ânes puissent transporter jusqu'au sommet les matériaux de construction. Selon Léon l'Africain, on peut voir, depuis la plate-forme, les plaines alentour jusqu'à 50 milles. Remarquable aussi est le décor losangé du lanternon, motif qui fut maintes fois repris par la suite. ❖

Cette nécropole royale, déjà utilisée au début du XIVe s., fut considérablement agrandie et embellie par **Ahmed « le Doré »**, qui y fit inhumer sa mère, Lalla Messaouda, en 1591. Moulay Ismaïl, qui décidément n'appréciait pas les œuvres de ses prédécesseurs, n'osa pas faire raser la nécropole et voulut la cacher au monde extérieur en l'entourant de murailles. Jusqu'en 1917, on ne put y accéder qu'en passant par la mosquée. Le couloir percé dans l'épaisseur de l'enceinte permet désormais aux non-musulmans de la visiter.

La simplicité du **jardin** contribue à l'atmosphère de recueillement que l'on ressent dès le premier abord. Le **mausolée principal** comprend trois salles : la première est divisée en trois nefs par quatre colonnes de marbre blanc. La finesse de la décoration contraste avec la robustesse de ces colonnes. Remarquez le *mihrab* et son arc brisé. La salle centrale abrite les tombes d'Ahmed « le Doré », de son fils et de son petit-fils, entourés de membres de leur famille. La coupole repose sur douze colonnes de marbre toutes galbées, et des zelliges ornent les murs, dont la partie supérieure est en plâtre sculpté. La troisième salle, dite « des Trois-Niches », abrite surtout des tombes d'enfants.

Dans le **second mausolée**, plus simple, se trouve la tombe de Lalla Messaouda, entourée de celles d'autres femmes saadiennes, sous une coupole à stalactites et à niche alvéolée.

Le palais el-Badi*

➤ **I-C3** *Rejoignez la place des Fer-blantiers. La Bab Berrima, surmon-tée de nids de cigognes, ouvre sur le quartier du mellah. Franchissez-la et tournez immédiatement à dr. entre deux hautes murailles pour atteindre le palais. Ouv. t.l.j. 8h30-11h45 et 14h30-17h45. F. pour Aïd el-Kebir et Aïd es-Seghir. Entrée payante.*

Dar el-Badi, le «palais de l'Incom-parable» Ahmed «le Doré», fut construit entre 1578 et 1603 avec les matériaux les plus riches : or, onyx et marbre d'Italie, que l'on troquait alors contre du sucre, poids pour poids! Jaloux de l'œuvre admirable de son prédé-cesseur, considérée comme l'une des merveilles du monde musul-man, Moulay Ismaïl la fit démolir et réemploya les matériaux pour orner les palais de sa capitale, Meknès. Aujourd'hui, il ne reste qu'une immense **esplanade** creu-sée de bassins, plantée d'orangers et entourée de hautes murailles sur lesquelles nichent les cigognes. On peut voir aussi les restes d'un hammam et un dédale de galeries souterraines qui servaient de pri-son. Du sommet des terrasses, on a une belle vue sur la médina.

Dans une salle est exposé provi-soirement le **minbar*** provenant de la Koutoubia. Cette chaire à prêcher est un véritable chef-d'œuvre dû au talent des maîtres ébénistes de Cordoue (début du XIIᵉ s.). Sa restauration a mis en valeur l'admirable travail fait de bois précieux et d'ivoire.

Le mellah

➤ **I-CD3** *Revenez à Bab Berrima, franchissez la porte, traversez la place des Ferblantiers et suivez la rue Riad-ez-Zitoun-el-Jédid.*

Le mellah, c'est-à-dire «l'**ancien quartier juif**», date du milieu du XVIᵉ s. La plupart des israélites ayant quitté le Maroc en 1956, il est aujourd'hui presque entière-ment habité par des musulmans. Au marché, les grossistes broient sous vos yeux les épices que vous leur achetez.

♥ Le palais de la Bahia**

➤ **I-CD3** *De retour sur la place des Ferblantiers, prendre la rue Bab-Rhemat qui conduit au palais de la Bahia. Ouv. 8h30-11h45 et 14h30-17h45 (ven. à 15h). Les horaires peuvent varier suivant les saisons. Entrée payante.*

Érigé à la fin du XIXᵉ s. par **Si Moussa**, grand vizir du sultan, pour son usage personnel, ce palais porterait le nom d'une de ses femmes. Il fut terminé par son fils, **Ba Ahmed**, lui-même grand vizir. Il ne semble pas qu'il y ait eu de plan d'ensemble initial, et l'édi-fice fut agrandi au fur et à mesure des besoins.

On peut ainsi voir successivement les **salles de réception** du grand vizir, les **appartements de ses femmes légitimes** (au nombre de quatre, comme le permet la loi islamique), le **harem**, qui com-prend une vaste cour ornée d'une vasque centrale et entourée de chambres destinées aux concu-bines (cette cour a servi de décor dans plusieurs films), le **grand riad andalou**, sur lequel donne la salle de prière et d'ablutions, et enfin les **appartements de la «favorite»**, où le vizir donnait des réceptions privées.

Remarquez les **plafonds** en cèdre sculpté et peint avec des couleurs naturelles, ainsi que les **sols** aux dalles de marbre entourées de zelliges. À l'exception d'un appar-

Le palais de la Bahia, avec son alternance de pénombre et de lumière apportée par de multiples patios, est tel qu'on imagine une demeure mauresque. Lyautey y résidait, lorsqu'il séjournait dans la ville.

tement, tout le palais est de plain-pied, Ba Ahmed étant si gros et si court de jambe qu'il répugnait à emprunter un escalier. Il mourut en 1900; après ses obsèques, son palais fut pillé sur ordre du sultan. Lyautey en fit sa résidence.

♥ La maison Tiskiwin

➤ **I-C2** *En sortant du palais de la Bahia, suivez à dr. la rue Riad-ez-Zitoun-el-Jédid jusqu'à une petite place où vous pouvez vous garer. Un passage sous voûte donne sur la rue de la Bahia, où se situe la maison Tiskiwin* ☎ *044.38.91.92. Ouv. 9h30-12h30 et 15h30-18h. Entrée payante.*

Cette très belle maison, dans laquelle on se sent plus invité que visiteur, abrite une partie de la collection privée d'un Hollandais, **Bert Flint**, ancien professeur à l'École des beaux-arts de Casablanca. L'ensemble de matériaux et de techniques liés à l'**artisanat**

marocain qui s'y trouve rassemblé offre une excellente initiation à l'art de ce pays, où artisan et artiste se confondent souvent. On peut y voir l'exposition permanente «L'Art de la parure au Sahara», conçue comme un voyage imaginaire sur les anciennes pistes caravanières reliant Maghreb et Sahel.

Dar Si-Saïd*

➤ **I-C2** *De la maison Tiskiwin, continuer la rue de la Bahia, puis prendre la première ruelle à g. qui conduit à Dar Si-Saïd. Ouv. t.l.j. sf mar. 8h30-11h30 et 15h-18h30. Entrée payante.*

Contemporaine de la Bahia, cette demeure fut construite à la fin du XIXe s. pour le frère de Ba Ahmed, **Si Saïd**, lui aussi vizir du sultan. Sous le protectorat, elle devint **musée d'Art marocain** et le resta après l'Indépendance. Elle abrite une collection d'objets artisanaux berbères en rapport avec la vie quotidienne mais aussi avec les fêtes et les moments exceptionnels de la vie. Du dernier étage, la vue s'étend sur la médina et sur un curieux palais construit par le frère du Glaoui, l'ancien pacha de Marrakech. Après avoir découvert dans l'entrée des portes anciennes en cèdre et des éléments de balançoires traditionnelles, vous arrivez dans un très beau **riad** : autour d'un kiosque et sa fontaine sont situées 4 salles d'exposition.

➤ **AU REZ-DE-CHAUSSÉE**, dans la 1re salle, on peut voir de très belles pièces de **poterie** régionale provenant du Sud (amphores, barattes, marmites). La 2e salle, elle, est consacrée au maquillage et à l'**esthétique de la femme au Sud** (henné, khôl, swak, hargous, mais aussi peignes en bois et divers objets reflétant de riches savoir-faire). Dans la 3e salle, sont exposés des **armes** traditionnelles (poignards, poudrières, fusils) et des accessoires richement décorés. Et dans la 4e, des **bijoux** berbères émaillés aux motifs gravés ou ciselés (parures de tête, colliers, bracelets) portés pendant les fêtes et les très grandes occasions.

➤ **AU 1er ÉTAGE**, se trouve la salle de réception au décor hispano-mauresque, avec de superbes plafonds en bois de cèdre peint ; on peut y voir des **costumes de mariage**, en particulier des caftans, et des ceintures en soie brodées ainsi qu'une exposition de photos en noir et blanc consacrée aux femmes berbères.

➤ **AU 2e ÉTAGE** sont exposés des **vêtements** (burnous de laine noire naturelle tissée) et des bottes de bergers du massif du Siroua ainsi que tout ce qui touche à l'art du cuir à Marrakech (coussins en cuir repoussé, portefeuilles, sacs).

➤ **AU SOUS-SOL** sont présentés des tapis du Haut Atlas (gnaoua, ouzguita) et des portes et des panneaux de cèdre sculpté et tourné de l'époque saadienne provenant du palais el-Badi et d'une ancienne maison de Marrakech.

♥ La place Jemaa-el-Fna*

➤ **I-C2** *Revenez sur la rue Riad-ez-Zitoun-el-Jédid et tournez à g. au bout de la rue. La place Jemaa-el-Fna étant le rendez-vous des désœuvrés, des mendiants et des pickpockets, une grande vigilance s'impose.*

Jemaa-el-Fna signifie « assemblée des trépassés », souvenir du temps où les sultans exigeaient que soit exposée sur la place la tête de ceux qu'ils faisaient exécuter. On en compta, certains jours, jusqu'à quarante-cinq. Ce nom lugubre fait aujourd'hui sourire : rien de plus débordant de vie, en effet, que cette place colorée, bruyante, changeant d'aspect à chaque heure.

Au soleil déclinant

C'est en fin d'après-midi qu'il faut voir la place Jemaa-el-Fna, à l'heure où les ombres s'allongent. Lorsque vous êtes las de l'agitation, réfugiez-vous sur l'une des **terrasses de café** qui dominent la place pour déguster un thé à la menthe. Le soleil déclinant nimbe le minaret de la Koutoubia d'une lumière floue, tandis que les restaurants en plein air dressent leurs tréteaux et servent des fritures de poissons, des tripes ou des têtes de mouton, à la lueur des lampes à acétylène. Le spectacle est inoubliable. ❖

Une ruelle de la médina. Le rose et l'ocre rosé sont les teintes typiques de Marrakech.

Son **animation** lorsque le soleil décline fait tout le charme de cette place, qui n'est remarquable ni par sa forme, ni par ses proportions, ni par les édifices qui l'entourent. Tout au long du jour, le spectacle se déroule sous les yeux des badauds : des attroupements se forment aux étalages des marchands, autour des conteurs, des porteurs d'eau ou des charmeurs de serpents ; les couleurs lumineuses des amoncellements d'oranges se mêlent aux parfums des épices et à la fumée des grillades ; les flâneurs vont d'un groupe à l'autre, comme si la vie n'avait d'autre exigence…

Le cœur de la médina***

▶ **Plan II** *Comptez env. 3 h à pied à partir de la place Jemaa-el-Fna.*

En tournant le dos à la Koutoubia, dirigez-vous vers l'angle gauche (place de Bab-Ftouh), puis rejoignez les souks par la rue Mouassine. Le dépaysement est garanti mais, pour que votre enchantement soit complet, prenez un guide.

Les souks des teinturiers, des chouaris et des forgerons

II-A2 Peu à peu vous serez pénétré de l'atmosphère singulière qui se dégage du labyrinthe des ruelles

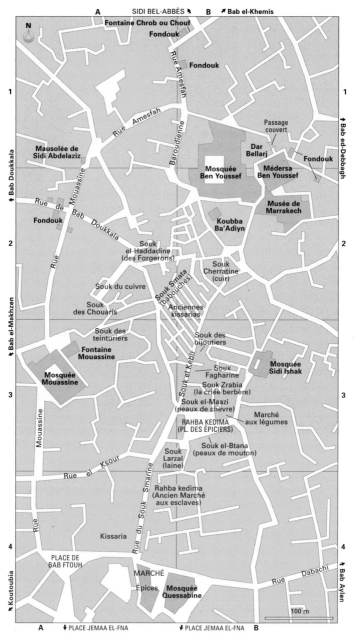

MARRAKECH II : LES SOUKS

encombrées, dans la pénombre que créent les claies de roseaux tendues au-dessus de la chaussée ou les écheveaux de laine et les étoffes négligemment suspendus.

▶ **LA FONTAINE MOUASSINE***. *Dans la rue Mouassine.* La visite commence par cette petite place qui date du XVIe s. Un auvent de tuiles vertes protège le portique de la fontaine orné de bois de cèdre ouvragé. On parcourt cette place allongée bordée de boutiques relativement imposantes, qui regorgent d'articles de toutes sortes.

➤ LES SOUKS DES TEINTURIERS* ET DES CHOUARIS. Sur la dr., une rue traverse le **souk des teinturiers**, où les couleurs criardes sont avivées par les contrastes d'ombre et de lumière. Le décor du souk change chaque jour en fonction des teintes utilisées dans les bains. Prenez à g. pour atteindre le **souk des chouaris**. On y travaille le bois (manches de brochettes, tabourets, etc.) et on y tresse les fibres du palmier nain pour en faire des chouaris, grands paniers doubles que les ânes portent sur le dos.

➤ LE SOUK DES FORGERONS (el-Haddadine) est séparé en deux sections : les boutiques, où l'on vend pêle-mêle tous les articles en fer, et les ateliers, où résonne le son de l'enclume.

La koubba Ba'Adiyn

➤ **II-B2** *Rejoignez la grande place où se trouvent la koubba, la médersa Ben-Youssef et le musée de Marrakech. Ouv. 8 h 30-18 h. Entrée payante.*

Sur une place plus dégagée, apparaît une koubba du XIIe s., **seul bâtiment almoravide de la ville**, malheureusement remanié plusieurs fois. Cette construction rectangulaire est surmontée d'un dôme orné de belles décorations en relief.

Le musée de Marrakech**

➤ **II-B2** *Ouv. t.l.j. sf lun. 9h-18 h. Entrée payante. Tarif réduit pour les étudiants.*

L'ancien **palais Dar M'Nebhi**, construit au XIXe s., présente des collections diverses allant des **monnaies** anciennes aux **costumes** régionaux en passant par des ouvrages calligraphiés, des **bijoux**, des **armes**, des **céramiques**, etc. Cette demeure marrakchie aux très beaux intérieurs est aussi un lieu d'accueil (fondation privée d'Omar Benjelloun) destiné aux activités culturelles et à l'**art contemporain**. La cour décorée de sculptures contemporaines abrite la billeterie, la librairie et la cafétéria.

♥ La médersa Ben-Youssef**

➤ **II-B1** *Ouv. t.l.j. sf ven. matin 8h-11h45 et 14h30-17h45. F. pour Aïd el-Kebir et Aïd es-Seghir.*

Construite au XVIe s. par le sultan saadien **Moulay Abdellah**, cette école coranique était la plus importante du Maghreb.

Un bassin à ablutions occupe le centre de la grande **cour*** rectangulaire dallée de marbre, modèle de l'architecture arabo-andalouse. Sur les murs qui l'entourent, les arcs en plein cintre outrepassés allient la douceur de leur courbe aux arcs brisés, et le plâtre sculpté jauni par le temps forme un heureux contraste avec le décor en zelliges où domine la couleur turquoise. Le cèdre sculpté, presque noir, qui supporte le toit et les galeries donne à l'ensemble un aspect à la fois noble et sévère.

La **salle de prière**, face à l'entrée, se distingue par un beau portail ouvragé. Elle est divisée en trois parties par une double colonnade de marbre et surmontée d'une coupole en cèdre. Vingt-quatre petites fenêtres de stuc ouvragé laissent filtrer un peu de lumière et éclairent le **mihrab** en plâtre ouvragé où sont reproduits des versets coraniques.

Au **1er étage**, le dénuement des cellules, occupées jusqu'au transfert de l'université en 1956, souligne la contradiction toujours présente dans l'art hispano-mauresque entre l'aspiration à l'austérité religieuse et la recherche du raffinement dans le décor.

Dar Bellarj

➤ **II-B1** *Juste derrière la médersa. Fondation pour la culture, 9, Toualat Lahdar ☎ 044.44.45.55.*

La fondation pour la Culture Dar Bellarj (la maison des cigognes) a pour objectif de défendre les **arts traditionnels**. Franchissez la porte principale qui se trouve dans une rue sur la g. pour pénétrer dans cette maison construite au début de la Seconde Guerre mondiale, et qui avait été transformée en hôpital pour les cigognes par son propriétaire. Des expositions temporaires sont organisées dans les salles qui entourent le patio. Un salon de thé permet d'y faire une pause.

Le souk du cuir, la place des Épiciers, le souk des potiers

➤ *Revenez sur vos pas et dirigez-vous vers le souk Cherratine, que l'on aperçoit sur la g.*

➤ **LES SOUKS DU CUIR ET DES BABOUCHES II-AB2**. Le **souk Cherratine** est consacré au cuir travaillé, l'une des grandes spécialités de Marrakech et vous serez peut-être tenté d'acheter un souvenir. Un peu plus loin, les allées de la **Kissaria**, sorte de centre commercial, regroupent une multitude de petites boutiques. Vous traverserez alors le **souk Smata** où l'on vend des babouches et le **souk des chaussures** pour parvenir sur une place.

➤ **LA PLACE DES ÉPICIERS II-B3**. Cette **place Rahba-Kédima**, ancien marché aux grains et aux esclaves, est aujourd'hui plus connue sous le nom de «place des Épiciers», car ils y sont tous réunis, proposant épices et herbes aux vertus curatives, aphrodisiaques ou magiques. C'est là que viennent s'approvisionner les guérisseurs et les sorciers. Autour de la place se trouvent le **souk Larzal** (laine), le **souk el-Maazi** (peaux de chèvre), le **souk el-Btana** (peaux de mouton), et le **souk Zrabia** (tapis vendus aux enchères, dites «criée berbère»).

➤ **LE SOUK DES POTIERS II-B3**. Contournez la place sur la dr. vers la rue Smarine qui rejoint la place Jemaa-el-Fna. En chemin, remarquez le **souk des fruits secs** et le **souk des potiers** où s'entassent des plats à tajines, ces plats en terre cuite au couvercle pointu dans lesquels on prépare les célèbres ragoûts du même nom. Ceux qui sont en céramique polychrome proviennent de Safi.

Le tour des remparts*

➤ **Plan I** *Circuit en voiture de 2h env. autour de la vieille ville.*

L'**enceinte fortifiée**, de 19 km de long, fut construite au XIIe s. par le sultan almoravide Ali ben Youssef, puis élargie à deux reprises sous les Almohades et les Saadiens. Bâtis avec un pisé d'argile et de chaux d'une solidité remarquable, ces remparts sont percés de **dix portes anciennes**, dont certaines sont coudées, et de **quatre portes modernes**. Très bien conservée dans l'ensemble, la muraille, haute de 6 à 9 m et dont l'épaisseur atteint parfois 2 m, varie selon la lumière de l'ocre pâle à l'ocre rouge, et a donné à Marrakech son appellation de «ville rouge».

De Bab el-Jédid au jardin de l'Agdal

➤ *En quittant le quartier de l'Hivernage suivez l'av. de la Ménara* **I-AB3** *en direction de la Koutoubia. Vous parvenez sous les remparts, devant Bab el-Jédid* **I-B3**.

➤ LES PORTES **I-C3**. Sans franchir la porte, tournez à dr. dans l'avenue Bab-el-Jédid pour longer la muraille qui, à cet endroit, est particulièrement belle; elle décrit un coude dont le creux abrite un cimetière. Dans l'angle est percée la porte **Bab er-Robb**, derrière laquelle se trouve **Bab Agnaou**, très belle porte almohade en pierre du Guéliz sculptée, donnant accès à la kasbah et aux tombeaux saadiens *(p. 180)*. La route longe le cimetière et rejoint les remparts à **Bab Irhli**.

➤ LE MÉCHOUAR **I-CD3**. Franchissez la porte Bab Irhli avant de traverser, un peu plus loin, le **grand méchouar**, vaste esplanade où avaient lieu les réceptions des ambassades. Puis, par une autre porte, vous pénétrerez dans le **méchouar intérieur**, plus petit, situé devant le **palais royal**.

➤ LE JARDIN DE L'AGDAL **I-CD3**. Dans le méchouar intérieur, en tournant immédiatement à dr., vous longez le jardin de l'Agdal. Créé au XIIᵉ s. par l'almohade Abd el-Moumen et embelli par les Saadiens, son aménagement fut terminé au XIXᵉ s. Réalisation ambitieuse que ce verger agrémenté d'immenses bassins pour l'irrigation du jardin long de 3 km et large de plus de 1 km. L'on imagine aisément les fêtes fastueuses organisées en un tel cadre! En suivant l'allée centrale, vous verrez le grand bassin et le petit **pavillon** (Dar el-Hana) qui offre, du haut de sa terrasse, un beau panorama.

Du jardin de l'Agdal à Bab Doukkala

➤ *De retour dans le méchouar intérieur tournez à dr. et continuez tout droit au-delà d'une autre porte, puis à travers le méchouar extérieur, jusqu'à Bab Ahmar.*

➤ LES PORTES. **Bab Ahmar I-D3**, ou «Porte Rouge», ouvrait sur le quartier du même nom, occupé jusqu'au début du XXᵉ s. par la Garde Noire (corps de garde du sultan composée de soldats noirs). Vous pouvez alors ressortir de l'enceinte.

Après un nouveau coude dans la muraille, la route passe devant **Bab Aylen I-D2**, célèbre par la défaite qu'y subirent les Almohades vers 1130, lorsqu'ils tentèrent de s'emparer de Marrakech.

➤ LE QUARTIER DES TANNEURS **I-D1-2**. La porte suivante, **Bab ed-Debbagh**, donne accès au **quartier des tanneurs**, choisi par ces derniers à la fois pour sa proximité de l'oued Issil et pour l'éloignement des habitations, ainsi protégées de l'odeur nauséabonde des peaux. Cette porte à cinq coudes est d'origine almoravide. La **vue*** du haut de la terrasse (demandez au gardien de vous y conduire) englobe le quartier des tanneurs mais aussi la ville entière.

➤ SOUK EL-KHÉMIS **I-C1**. Rejoignez la route de Fès; sur votre g. se tient le souk el-Khémis. Il est particulièrement animé le jeudi matin très tôt, grâce au marché des ânes et des dromadaires. Plus loin se dresse **Bab el-Khémis**, porte du Jeudi ou porte de Fès.

À g., une route à quatre voies mène par le boulevard de Safi à Bab Doukkala **I-B1**. Il est possible d'intégrer dans ce circuit la visite du ♥ **jardin Majorelle*** **I-B1** *(p. 191)* en empruntant sur la dr., à mi-chemin entre Bab el-Khémis et Bab Doukkala, l'avenue Yacoub el-Mansour.

De Bab Doukkala à Bab el-Jédid

➤ *La porte Bab Doukkala permet de faire une incursion dans la médina pour visiter la partie nord de la vieille ville.*

➤ **LA MOSQUÉE DE BAB DOUKKALA I-B2**. Bab Doukkala est une porte massive d'origine almoravide, flanquée de deux bastions en saillie. La porte franchie, prenez la rue Fatima-Zohra, qui conduit à la **mosquée de Bab Doukkala**, édifiée au XVIᵉ s. par Lalla Messaouda, mère du sultan saadien Ahmed «le Doré»; remarquez la décoration du minaret.

➤ **LES ZAOUÏAS DE SIDI BEN SLIMANE EL-JAZOULI ET SIDI BEL ABBÈS I-C1**. Continuez dans la rue Fatima-Zorha, puis tournez à g. dans la rue Dar-el-Glaoui et laissez la voiture sur une petite place pour poursuivre à pied jusqu'à la **zaouïa de Sidi ben Slimane el-Jazouli**, l'un des sept patrons de Marrakech. Ce sanctuaire érigé au XVIᵉ s. fut remanié au XVIIIᵉ s. À côté surgit une jolie fontaine. Plus au nord se trouve la **zaouïa de Sidi bel Abbès**, du XVIIᵉ s. Né au XIIᵉ s., c'est le saint le plus vénéré de la ville, auquel on attribue des miracles, ce qui explique les offrandes déposées auprès de son mausolée.

Pour achever le circuit, ressortez de la médina à Bab Doukkala et tournez à g. Longez alors les remparts qui décrivent un double coude avant la ligne dr. qui rejoint Bab el-Jédid **I-B3**. Vous pouvez aussi continuer dans la rue Fatima-Zohra jusqu'à la Koutoubia *(p. 180)*. Vous contournerez celle-ci et suivrez l'avenue Houmman-el-Fetouaki sur la dr. jusqu'à Bab el-Jédid.

La ville moderne et les jardins*

Cette promenade, idéale pour une fin d'après-midi, vous fera découvrir un visage de Marrakech à la fois moderne et empreint de nostalgie, mêlant l'architecture contemporaine du palais des Congrès aux charmes rétro de l'Hivernage et poétique des jardins.

Le Guéliz

I-A1-2 Cette partie moderne de la ville fut créée par **Henri Prost**, l'architecte de *La Mamounia,* pour y loger les Européens.

La ville sainte aux sept marabouts

Les sept saints de Marrakech sont honorés durant un pèlerinage, institué au XVIIᵉ s. sous Moulay Ismaïl, qui se déroule dans un ordre immuable : le mardi, les pèlerins partent du mausolée de **Sidi Youssef ben Ali** (mort en 1196) au sud-est de la ville, le mercredi ils se recueillent devant celui de **Cadi Ayad** (1083-1149), le jeudi devant la koubba de **Sidi Bel Abbas al-Sabti** (1130-1204), le vendredi devant le tombeau de **Sidi ben Slimane el-Jazouli** (XIVᵉ s.), le samedi devant celui de **Sidi Abdelaziz et-Tabba** (XVᵉ s.), le dimanche devant celui de **Moulay el-Ksour** (XVIᵉ s.) ; le lundi, le pèlerinage se termine devant le tombeau de **Sidi Abderrahmane Souheyli** (1115-1185) au sud-ouest. ❖

Le fameux bleu de l'atelier du peintre Majorelle fait chanter les couleurs de la végétation de son magnifique jardin.

➤ L'AVENUE MOHAMMED-V I-A1-B2. Le quartier, traversé par l'avenue Mohammed-V, s'inscrit dans la perspective de la Koutoubia. Il relie la médina au Guéliz, une ancienne carrière dans une colline où les troupes de Lyautey avaient établi un fortin. Les immeubles d'origine ont souvent laissé la place à des constructions plus ambitieuses. La **place de la Liberté I-B2** a été réaménagée récemment. Le rond-point suivant, la **place du 16-Novembre I-AB1-2**, est occupé en partie par l'immeuble des Postes. Dans l'avenue Mohammed-V, vous trouverez l'office du tourisme, le marché municipal, les principales agences de voyages et tous les commerces destinés aux Marrakchis et aux touristes. La **place Abdel-Moumen-ben-Ali I-A1** est entourée de cafés animés. Le plus agréable est *Le Renaissance*, doté d'une terrasse panoramique à laquelle on accède par un ascenseur.

➤ L'HIVERNAGE I-AB2. Dans la partie sud du Guéliz, il fut conçu par Prost comme un lieu de villégiature. Mais les grands hôtels ont pris peu à peu la place des anciennes résidences d'hiver entourées de sompteux jardins privatifs. La construction du **palais des Congrès I-A2** et des hôtels qui l'entourent a fait de ce quartier une zone résidentielle touristique à proximité du centre-ville. Le havre de paix qu'est cette ville-jardin contraste avec l'agitation de la médina.

♥ Le jardin Majorelle*

➤ **I-B1** *De la place Abdel-Moumen-ben-Ali, empruntez le bd Zerktouni, puis l'av. Yacoub-el-Mansour. Après le croisement avec le bd de Safi, prenez la première à g. Ouv. 8h-12h et 14h-17h en hiver et 15h-18h30 en été. Comptez 1h30 de visite. Accès au jardin: 40 DH et au musée d'Art islamique: 15 DH. Seules les photos d'amateurs sont tolérées.*

Le jardin fut créé dans les années 1920 par le peintre français **Jacques Majorelle**, fils de Louis, le célèbre ébéniste. Il y fit planter les essences les plus rares autour d'un petit bâtiment Art déco qui lui servit d'atelier jusqu'à sa mort en 1962. Longtemps abandonné, ce jardin exotique à la végétation luxuriante a été sauvé grâce au couturier Yves Saint-Laurent qui en a fait don à la municipalité. L'ancien **atelier**, d'un bleu extraordinaire, abrite un petit **musée d'Art islamique** et des **œuvres du peintre**. Avec ses vasques, ses bassins, ses bouquets de bambous géants, ses cactées, ses palmiers de toutes espèces où se nichent des centaines d'oiseaux, le jardin Majorelle constitue l'une des balades les plus attrayantes de Marrakech. On comprend que Churchill, grand amoureux de la ville, soit venu à chacun de ses séjours rendre visite au peintre qui avait su créer autour de lui cet environnement exceptionnel.

♥ La Ménara*

➤ **I-A3** *C'est une agréable promenade, à effectuer de préférence en fin d'après-midi. Vous pouvez vous rendre en voiture jusqu'au bassin, à 2 km env. de Bab el-Jédid. Parking et accès au pavillon payants.*

La Ménara est un vaste jardin d'oliviers centenaires. Le bassin central, de 200 m de long sur 150 m de large, date probablement de l'époque almohade (XIIᵉ s.); il permet l'irrigation des jardins par un système très élaboré de khetta-ras (canalisations souterraines). La Ménara fut réaménagée à la fin du XIXᵉ s. Son harmonieux **pavillon** à toiture pyramidale en tuiles vertes qui se mire dans le bassin fut construit à cette époque pour le délassement du sultan.

Le circuit de la palmeraie

➤ **Hors pl. I par A1** *Circuit fléché de 22 km sur la 6007 par la route de Casablanca (P 11). En fin d'après-midi, le coucher du soleil pare le paysage d'une lumière magnifique. Si vous en avez le temps, vous pouvez faire la promenade en calèche.*

La **palmeraie** était l'une des originalités de Marrakech : elle lui apportait un décor inattendu qui frappait l'imagination. Couvrant une superficie de **13 000 ha**, cette forêt naturelle (ses 150 000 palmiers n'auraient pas été plantés) est désormais clairsemée, car l'irrigation est loin d'être suffisante, malgré un réseau très complexe de **khettaras** à faible pente, ponctuées de puits, qui répartissent l'eau des nappes phréatiques de l'Atlas. Malheureusement, beaucoup sont aujourd'hui dégradées, faute d'entretien.

Sur les surfaces dépourvues de palmiers poussent des céréales, des arbres fruitiers, de la vigne et des cultures maraîchères. Plus grave encore, la palmeraie, victime de l'avidité des promoteurs immobiliers, a perdu une grande partie de son intérêt. ■

Autour de Marrakech

Grâce à sa situation géographique privilégiée, au cœur de la plaine du Haouz, Marrakech est le point de départ idéal de nombreuses excursions vers **Essaouira**, sur la côte atlantique *(visite réalisable dans la journée; p. 125)*, vers le Haut Atlas, au sud, vers les **cascades d'Ouzoud**, le **barrage de Bin el-Ouidane** et la **vallée des Aït-Bouguemez**.

➤ *Carte p. 194.*

Au sud : le Haut Atlas

C'est le plus long et le plus élevé des trois plissements qui forment le massif de l'Atlas. Il culmine à 4 167 m au **jbel Toubkal**, le plus haut sommet d'Afrique du Nord. Dans le Haut Atlas, les Marrakchis s'adonnent aux joies des sports d'hiver lorsque la neige est au rendez-vous et viennent chercher la fraîcheur quand la plaine se consume sous l'ardeur du soleil d'été.

Amizmiz* : une oliveraie sur les pentes de l'Atlas

➤ *54 km au S-O de Marrakech par la S 501 en direction de Taroudannt puis, à env. 5 km, bifurquez à dr. sur la S 507. Excursion d'une demi-journée, à faire le mar. matin pour profiter de l'animation du souk. Hébergement à Lalla-Takerkoust p. 203.*

En traversant la plaine du Haouz, vous apercevez plusieurs belles kasbahs, notamment à **Oumnasr**. Plus loin, vous franchissez l'oued Nfiss en aval du **barrage Lalla-Takerkoust** qui porte le nom d'une zaouïa voisine. Cet ouvrage important, long de 357 m et haut de 62 m de long, date du protectorat. Le lac de retenue, de 7 km de long, contient jusqu'à 60 millions de m^3 d'eau. On peut se baigner sur ses rives, faire de la planche à voile, et y séjourner pour une halte agréable.

La route s'élève ensuite vers les premiers contreforts de l'Atlas pour atteindre **Amizmiz***, petite ville active à 1 000 m d'altitude entourée d'oliviers. Le jour du souk, qui se tient aux abords de la kasbah, achetez des **poteries** ornées d'un feston noir, fabriquées par les Regraga, tribu dont le village se situe à dr. à l'entrée d'Amizmiz.

La route du Tizi-n-Test**

➤ *Quittez Marrakech par la S 501 en direction de Taroudannt. Comptez une journée. Informations pratiques à Imlil p. 203, Ouirgane p. 209.*

C'est l'une des plus belles excursions de montagne que l'on puisse faire : les **paysages grandioses**, tantôt marqués depuis des siècles par la présence humaine, tantôt désertiques, offrent une infinie variété de matériaux, de formes et de couleurs. La route, par endroits très étroite, est peu fréquentée.

➤ **VERS TAHANAOUTE**. *31 km au S de Marrakech; souk le mar.* Ce village marque les premiers contreforts de l'Atlas. Peu à peu le paysage devient franchement montagneux. Ce qui frappe, c'est la diversité des massifs : certains sont boisés, d'autres pelés, certains sont arrondis, d'autres présentent leurs flancs ravinés comme une plaie béante, les plus lointains sont coiffés d'une calotte de neige. La route suit les **gorges** de l'oued Reraïa, puis celles de l'oued Nfiss, tantôt au ras de l'eau, tantôt s'élevant en corniche pour redescendre ensuite. De chaque côté, accrochés aux pentes souvent abruptes, des villages aux maisons trapues couvrant toute la palette des ocres se fondent dans la nature.

➤ **IMLIL***. *33 km au S de Tahanaoute ; à la sortie d'Asni, prenez à g. la 6038.* De ce village ombragé sous les noyers, on peut faire l'ascension du **jbel Toubkal**, le sommet le plus élevé d'Afrique du Nord (4 167 m). Vous trouverez sur place guides, muletiers et ravitaillement ; *comptez au moins deux jours.*

➤ **OUIRGANE.** *Revenez sur la S 501 ; 27 km au S-O de Tahanaoute.* Dans son cadre de verdure serti dans les montagnes, Ouirgane est une halte bienfaisante à 1 000 m d'altitude. Au-delà du village, un ancien *agadir* («grenier fortifié») se perche sur un piton. La route continue de serpenter en suivant les gorges de l'oued Nfiss. À **Ijoukak**, on franchit à gué l'oued Agoundis. De part et d'autre de la route se dressent alors plusieurs **kasbahs** édifiées par les Goundafa, puissante tribu berbère qui, au XIXe s., contrôla la route du Tizi-n-Test, jusqu'à ce que son chef ne fît allégeance au sultan.

➤ **LA MOSQUÉE DE TIN-MAL***. *Ouv. 9h-18h. Entrée payante.* On aperçoit ensuite, à mi-hauteur d'un versant rocailleux, la mosquée de Tin-Mal, d'où Ibn Toumert, puis Abd el-Moumen partirent à la conquête de l'Empire almoravide, forts de la puissance de leur foi. Comme leur doctrine reposait sur

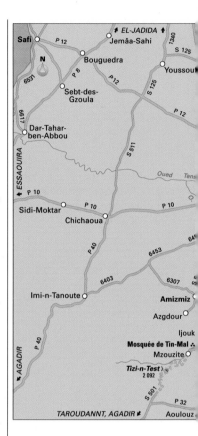

LES ENVIRONS DE MARRAKECH

l'unité de Dieu, on les appela les **Almohades**, les «unitaires». La sobriété des formes de la mosquée rappelle celle de ses contemporaines, la Koutoubia de Marrakech et la tour Hassan de Rabat. Abandonnée après la chute des Almohades, elle a été restaurée et se visite. Le gardien vous guide.

➤ ♥ **LE COL DE TIZI-N-TEST****. Après Tin-Mal, la route se fait plus étroite ; l'ascension du col est assez raide, mais spectaculaire. La **vue** sur la vallée du Souss, 2 000 m plus bas, est grandiose.

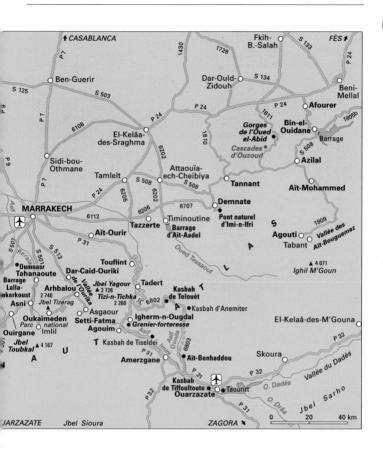

De là, retournez à Marrakech ou continuez 36 km après le passage du col, vous rejoindrez la P 32 : en poursuivant tout droit, vous atteindrez Taroudannt et Agadir *(p. 239)*; en tournant à g., vous contournerez le jbel Siroua pour rejoindre Ouarzazate et le Grand Sud *(p. 214)* en passant par Taliouine et Tazenakht.

La vallée de l'Ourika** et Oukaïmeden*

➤ *Quittez Marrakech par la S 513. Comptez une journée. **Informations pratiques** p. 210.*

Cette excursion vous conduit au cœur de l'Atlas où, lorsqu'il fait 25 °C dans la plaine, il est possible, en hiver, de skier dans la montagne.

➤ **LA VALLÉE DE L'OURIKA****. La route commence à grimper dans la montagne à hauteur de **Dar-Caïd-Ouriki** *(33 km au S-E de Marrakech, prendre à g. sur 3 km la 6703)* dont le souk berbère a lieu le lundi à Thnine-l'Ourika. Pittoresque, elle suit le cours de l'**oued Ourika**.

Suite du texte p. 198 ➤

Tapis marocains

Le tissage tient une place considérable au Maroc. Pas un village qui n'ait son métier à tisser, pas un bazar en ville qui ne vous propose un stock de couvertures, étoffes, burnous, tapis, etc. Asseyez-vous, prenez un verre de thé et laissez-vous guider…

Tapis Tazenacht
à Ouarzazate, aux portes du désert. Ces tapis sont une conjugaison élaborée des motifs géométriques berbères traditionnels.

La matière première est la **laine**, de préférence «vivante», c'est-à-dire tondue sur un animal vivant. Elle occupe une abondante main-d'œuvre féminine qui la lave, la blanchit, la carde, la transforme en fils de différents calibres, puis la teint. Si chaque pièce tissée est un travail original, ce sont les tapis qui offrent le plus de diversité. Il faut en voir la fabrication pour en apprécier toute la valeur.

La plupart des **centres artisanaux** abritent des **métiers à haute lisse** où travaillent de très jeunes filles; leurs doigts agiles vont aisément chercher les fils de laine au milieu de la trame pour les nouer et les tasser avec un peigne spécial à grosses dents. Plus âgées, elles n'ont plus la même dextérité et font alors de la broderie ou de la passementerie.

Des tapis aux quatre coins du Maroc

Les tapis de **Rabat**, raffinés, sont les seuls d'origne citadine (*p. 137*). À l'inverse, le tissage rural est plus fruste, mais

Le métier à tisser vertical, dit de « haute lisse », comporte des fils de chaîne entre lesquels passent des fils de trame horizontaux. La taille, le nombre et l'épaisseur des fils de chaîne déterminent la grandeur, l'épaisseur et le dessin du tapis.

plus varié aussi. Les **Berbères** désignent leurs tapis par le nom de leur tribu.

Parmi les tapis du **Moyen Atlas**, à fond coloré (région de Meknès) ou à fond blanc (région de Taza), les plus connus sont ceux de la tribu Zemmour, à fond rouge garance et à dessins noirs.

Les motifs des tapis du **Haut Atlas** ressemblent aux tatouages géométriques que les femmes portent au front et au menton. Ces tapis, fabriqués dans la région de Ouarzazate, sont de petite taille et de faible épaisseur. Leurs couleurs sont vives, voire agressives, quand la laine n'a pas été teinte avec des pigments naturels. Autrement, ils sont rouge cuivre, orange ou jaune d'or.

Les tapis de **Marrakech** sont plus connus sous le nom de tapis « Chichaoua ».

Écheveaux prêts
à l'utilisation au souk des teinturiers de Marrakech. De laine ou de soie, ces écheveaux aux couleurs vives sont préalablement mis à sécher sur des claies fixées entre les murs.

Sur un fond rouge se dessinent des animaux très stylisés, des serpents par exemple, des motifs schématisés comme des théières ou des peignes, ou encore des figures géométriques.

Les tapis de l'**Oriental**, très sobres, sont les seuls au Maroc à présenter une dominante verte ou bleue sur leur fond rouge. Leur chaîne est un mélange de laine et de poil de dromadaire.

À combien, le tapis ?

La qualité dépend du **type** et du **nombre de nœuds au mètre carré**, qui déterminent la netteté du dessin. Elle est signalée par une étiquette de couleur fixée au verso du tapis, octroyée après contrôle du ministère de l'Artisanat.

Élément indispensable
de la vie quotidienne, le tapis décore les riads (ci-dessous), permet de marcher pieds nus dans les mosquées et protège du froid dans les tentes ou les maisons de terre.

Étiquette verte: qualité courante. Comptez de 600 à 800 DH environ par m^2, pour 20 nœuds/10 cm. **Étiquette jaune:** qualité moyenne. Comptez 750 DH environ par m^2, pour 25 nœuds/10 cm. Se vend peu. **Étiquette bleue:** qualité supérieure. Comptez de 1 000 à 1 400 DH environ par m^2, pour 30 nœuds/10 cm. Pour la qualité extra supérieure (35 à 40 nœuds/ 10 cm), comptez de 1 500 à 1 800 DH environ par m^2. Ces prix indicatifs ne concernent que des tapis de fabrication récente et de dimension moyenne (5 ou 6 m^2). Les tapis plus petits sont proportionnellement plus coûteux. Les meilleures qualités sont en **laine d'agneau**.

Pour les pièces anciennes, le prix dépend de l'âge, de la qualité, de la beauté et du bon état général. ■

Kasbah sur la route du Tizi-n-Test.

La vallée, flanquée de cultures en terrasses, se resserre après **Arhbalou**. Ne prenez pas la route qui se détache à dr. en direction d'Oukaïmeden et continuez tout droit. Sur la g. se dresse le **jbel Yagour** (2 726 m). Plus de mille **gravures rupestres** y ont été dénombrées. Probablement antérieures au Ier millénaire avant J.-C., elles figurent des humains, des animaux, des armes, des chars et des dessins géométriques.

Six kilomètres après Ighref, un chemin muletier permet d'escalader le jbel. Garez votre voiture pour gagner en 1 h de marche le beau village en pisé d'**Anameur***. De là, un itinéraire mène aux gravures. Mais il faut deux à quatre jours pour cette excursion qui ne s'improvise pas. Reprenant l'itinéraire principal, vous suivrez les eaux torrentueuses de l'Ourika jusqu'à **Setti-Fatma** *(62 km au S-E de Marrakech, moussem en août)*, niché au cœur de la montagne à 1 500 m d'altitude. La vue est magnifique sur la vallée et le massif de l'**Angour**, qui culmine à 3 616 m. *Attention aux faux guides à l'entrée du village. Adressez-vous au bureau des guides un peu plus loin (p. 210).*

➤ **OUKAÏMEDEN***. *Redescendez vers Arhbalou et, à la sortie du village, prenez à g. la 6035 A vers Oukaïmeden (31 km). Droit de péage à l'entrée d'Oukaïmeden (10 DH par véhicule). La route grimpe rapidement au-dessus de* la vallée de l'Ourika ; le paysage verdoyant devient austère et dénudé. La route en lacet, souvent très étroite, surplombe des précipices vertigineux et offre par endroits des **vues panoramiques**** impressionnantes sur la plaine du Haouz.

À 2 650 m d'altitude, **Oukaïmeden*** est la plus importante **station de sports d'hiver** du Maroc. Mais c'est aussi une station estivale où viennent se réfugier les Marrakchis, lorsque la chaleur dans la plaine devient trop étouffante. L'été permet de faire des randonnées à pied ou à dos de mulet. Le lac a été récemment aleviné ce qui permet aux amateurs d'aller y pêcher la truite. On peut y voir des **gravures rupestres**, en particulier près des refuges du Club alpin et de la Jeunesse et des Sports *(p. 210)*. Plusieurs rochers de grès rouge ont été gravés à l'âge du bronze. Pour les protéger, un parc national, qui comprend également la province d'Azilal, a été créé en 1994.

Une route monte en 2 km jusqu'au **jbel Tizerag** (2 740 m), d'où l'on a une **vue splendide**** sur les massifs du Haut Atlas au sud et jusqu'à Marrakech au nord.

♥ La route du Tizi-n-Tichka**

➤ *Itinéraire de 198 km. Quittez Marrakech par la P 24 en direction de Fès, puis tournez à dr. au bout de 7 km vers la P 31. **Hébergement à Aït-Ourir** p. 203, **Tadert** p. 210, **Telouèt** p. 210.*

Cet itinéraire permet de rejoindre Ouarzazate et le Grand Sud. Comptez une journée pour profiter de ses paysages très variés sur les versants nord et sud de l'Atlas. Vous pourrez, en cours de route, faire **deux détours** intéressants.

À **Aït-Ourir** *(40 km à l'E de Marrakech ; souk le mar.)*, vous abordez les contreforts de l'Atlas, très peuplés sur ce versant où l'herbe des alpages est grasse. Ce village peut constituer une halte fort agréable.

Les gravures rupestres

Vestiges d'une époque préhistorique (certaines sont vieilles de 5 000 ans), les **gravures rupestres**, ou pierres gravées, sont disséminées dans **300 sites** répartis sur l'ensemble du territoire marocain (Djebel Yagour, Oukaïmeden ou région d'Akka…).

Réalisées par les ancêtres des berbères, elles constituent un témoignage capital sur le mode de vie, les croyances et l'évolution des connaissances de cette civilisation. On peut ainsi comprendre comment ce peuple s'est sédentarisé, grâce à la présence sur les rochers d'images d'animaux d'abord sauvages puis domestiqués, et a développé l'agriculture.

Ce patrimoine encore méconnu du grand public est en danger car il fait l'objet d'une dégradation humaine intense : le pillage est commis par des touristes, « connaisseurs éclairés », ou par les habitants qui s'en servent comme pierre à bâtir ou comme monnaie d'échange. ❖

Le Glaoui

Le Glaoui prend le parti des Français lors de la guerre coloniale. On le voit ici à la gauche de Lyautey qui, décidé à s'appuyer sur quelques « grands caïds » opposés au sultan, lui confie l'administration de tout le sud du Maroc.

Le nom de **Thami el-Glaoui**, dit « **le Glaoui** », évoque l'image d'un Maroc féodal où un chef local se dressait couramment contre le pouvoir central, renversait un sultan ou soutenait un usurpateur, selon les besoins de la cause. Mais les prouesses du Glaoui se déroulent en plein XXᵉ s. et paraissent pour le moins anachroniques. Au moment où l'unité du pays s'affirme une fois pour toutes sous l'impulsion du protectorat et réclame un pouvoir fort du sultan, Thami el-Glaoui (1878-1956) défend ses propres intérêts et obtient même l'appui français. Nommé **pacha de Marrakech**, il devient **chef de la tribu des Glaoua** (montagnards berbères), étend son autorité sur tout le Sud marocain (soit 600 000 habitants), fait édifier des kasbahs et accumule une immense fortune qu'il dépense au fur et à mesure avec une prodigalité peu commune. L'émergence du nationalisme marocain pousse le Glaoui à faire un choix. Il prend parti contre le sultan à la suite d'un désaccord et fait tout pour obtenir sa déposition, qui a lieu en août 1953. Au retour du sultan, deux ans plus tard, il s'humilie devant lui et le reconnaît comme roi légitime sous le nom de « Mohammed V ». Poursuivi par le souverain, le Glaoui meurt peu avant l'Indépendance, ce qui lui évite de voir ses biens confisqués et sa famille dispersée. ❖

Après **Touflint**, la vue plonge sur une dépression entourée de montagnes et hérissée de pitons auxquels s'accrochent quelques villages. Au fond serpente un oued dont vous remontez ensuite les gorges. Les cultures en terrasses et certaines espèces végétales disparaissent peu à peu, cédant la place à une roche très sombre.

➤ **LE COL TIZI-N-TICHKA****. *100 km au S-E de Marrakech ; parfois f. entre janv. et avr. Rens. à l'❶ de Marrakech, p. 203.* Après **Tadert**, la route en lacet s'élève vers le Tizi-n-Tichka (col des pâturages) qui, à 2 260 m d'altitude, est le col le plus élevé du Maroc.

➤ **TELOUÈT**. *20 km du col ; peu après le col, prenez à g. par la 6802.* C'est ici que naquit et mourut **Thami el-Glaoui**, le pacha de Marrakech *(encadré ci-dessus)*. On visite la **kasbah**** où il résidait, malheureusement en très mauvais état. Il reste tout de même une magnifique salle de réception dont l'ornementation raffinée contraste avec la simplicité de l'architecture berbère.

➤ **LA ROUTE DES CARAVANES*****. De Telouèt, avec un véhicule 4 x 4 et, en dehors de la saison des pluies, on peut rejoindre ♥ **Aït-Benhaddou**** *(35 km au S-E, p. 215)* par l'ancienne **route des caravanes** *(se renseigner sur l'état de la piste)*. Elle passe par la **kasbah d'Anemiter** et traverse de splendides paysages.

➤ LA VALLÉE DE L'ASIF-IMINI Au-delà du col, à dr. *(revenez sur la P 31)*, sur le versant sud, les couleurs changent à mesure que l'on descend dans la vallée, déclinant toutes les nuances de l'ocre. **Igherm-n-Ougdal** est un village typique entourant un grenier-forteresse qui se visite *(site restauré en 1999)*. À **Agouim**, la coopérative d'artisanat expose de beaux tapis près de la station-service. La route suit la vallée de l'Asif-Imini, flanquée de plusieurs kasbahs, la plupart en ruine, dont **Tiseldei** sur la g.

➤ ♥ AÏT-BENHADDOU** ET TIFFOULTOUTE**. Après **Amerzgane** *(souk le dim.)*, une petite route à 11 km à g. vous conduit au merveilleux ksar de ♥ **Aït-Benhaddou**** *(p. 215)*.

De retour sur la P 31, tournez à dr. vers Zagora pour parvenir, 3 km plus loin, à la kasbah de ♥ **Tiffoultoute*** *(p. 215)*, d'où la vue embrasse la vallée de l'oued Ouarzazate. Revenez sur Ouarzazate *(p. 214)* en tournant à g. au carrefour suivant.

Les cascades d'Ouzoud** et la vallée des Aït-Bouguemez**

Cet itinéraire du nord-est rejoint celui de Beni-Mellal à Azrou, décrit en sens inverse *(p. 168)*. Il relie l'ancienne capitale du Sud, Marrakech, à l'ancienne capitale du Nord, Fès, et permet de découvrir les paysages du Moyen Atlas.

Demnate et le pont naturel d'Imi-n-Ifri*

➤ *92 km à l'E de Marrakech par la P 24 puis la 6112 vers Demnate.*

Après **Tazzerte** *(à 60 km à l'E de Marrakech ; souk le lun.)*, où se dressent quatre anciennes kasbahs assez délabrées, la route 6202 sur la dr. conduit à Timinoutine et au **barrage d'Aït-Aadel** sur l'oued Tessaout, affluent de l'Oum er-Rbia, construit en terre compactée.

Demnate *(souk le dim.)* s'étage à 961 m d'altitude dans une zone fertile située entre l'Atlas et la plaine que l'on appelle le « Dir ». Oliviers et jardins constituent le décor de cette bourgade entourée de pans de remparts. De Demnate, une petite route pittoresque suit le cours de l'oued Masseur sur 5 km, jusqu'au **pont naturel d'Imi-n-Ifri***, une gigantesque cavité creusée par l'oued, dont l'on a une belle vue quelques centaines de mètres avant d'y arriver. Un chemin *(15 mn)* descend au fond du gouffre, dont l'entrée, ornée de stalactites, est gardée par une nuée de corneilles. Une légende assez macabre raconte qu'un génie malfaisant hantait autrefois le pont, enlevant les jeunes filles ; un héros l'anéantit, mais du corps du génie sortirent des centaines de vers ; ceux-ci se transformèrent en corneilles qui, depuis, voltigent autour du gouffre !

Les cascades d'Ouzoud**

➤ *46 km au N-E de Demnate. Empruntez la 6706, puis à dr. la S 508 vers Tanannt et Azilal. À mi-chemin entre ces deux bourgs, la 1811 sur la g. conduit en 15 km aux cascades. Conseil : visitez-les au printemps, après la fonte des neiges. En été, l'eau se raréfie et le spectacle est moins grandiose. Attention aux faux guides réunis sur le parking et à la baignade dans le bassin! Hébergement à Ouzoud p. 210.*

La route qui mène aux cascades suit une vallée riante qui se rétrécit par endroits; sur les coteaux, çà et là, des maisons en pisé forment des taches rouge foncé. On arrive sur une place, devant un petit restaurant berbère. Prenez sur la g. le chemin qui descend en escalier jusqu'au pied de la cascade. De là, vous pouvez admirer la chute de 110 m de hauteur. En remontant, à dr. du restaurant, allez voir du haut des cascades les multiples ruisseaux canalisés qui font tourner les moulins à orge et à blé. Avec un guide, randonnez dans la vallée où, avec un peu de chance, vous apercevrez des singes. Cette promenade facile prendra une petite journée.

D'Ouzoud, vous pouvez retourner sur la S 508 et rejoindre Azilal *(171 km à l'E de Marrakech; souk le jeu.)*, ou prendre la direction des **gorges de l'oued el-Abid***, où l'on découvre un véritable paysage de western. La route débouche sur la P 24 qui mène à dr. à Beni-Mellal *(p. 170)*.

Le barrage de Bin-el-Ouidane*

➤ *27 km au N d'Azilal par la S 508.*

Après Azilal *(72 km à l'E de Demnate)*, la route descend vers le lac artificiel du **barrage de Bin-el-Ouidane** *(baignade autorisée)*, le plus important du Maroc, long de 285 m, haut de 133 m et large de 28 m à la base. Cet ouvrage colossal a permis l'irrigation de la plaine de Tadla et la production d'une quantité très importante d'électricité.

La S 508 franchit le barrage et remonte de l'autre côté. Laissez à dr. une très mauvaise route qui conduit à Ouaouizarht et continuez vers **Afourer** *(35 km au N de Bin-el-Ouidane)*, excellente étape vers le Moyen Atlas. Au-delà d'Afourer, la S 508 rejoint la P 24. Tournez à dr. en direction de Beni-Mellal *(p. 170)*.

La vallée des Aït-Bouguemez**

➤ *48 km au S d'Azilal en direction d'Aït-Mohammed. 2 km avant ce bourg, une piste conduit à Agouti d'où l'on peut randonner à pied. Informations pratiques p. 210.*

Creusée au pied du **M'Goun** (4 071 m), le deuxième sommet du Haut Atlas, la vallée présente un camaïeu de jardins cultivés et de vergers qui contraste avec l'austérité des montagnes alentour.

Au village de Tabant se trouve le centre de formation aux métiers de la montagne (CFAMN) qui vous renseignera sur les gîtes chez l'habitant. **Agouti** est le point de départ de la **traversée du massif du M'Goun*****, à laquelle on peut consacrer huit jours de fabuleux trekking. ■

Le village d'Aïtiborgh sur la route du Tizi-n-Tichka.

Carte Les environs de Marrakech p. 194.

■ Afourer

Hôtel

▲▲▲ **Le Tazarkount** ☎ 023.44.01.01/02. 01, fax 023.44.00.94. www.tazarkount. com. *140 ch.* avec air cond. *et 9 suites* confortables. Piscine dans un parc, tennis, parcours de jogging, VTT, centre de remise en forme, équitation, parapente, excursions dans le Moyen Atlas, randonnées à dos d'âne ou à cheval… Magnifique vue sur la plaine de Beni-Mellal. Restaurants international et marocain. 2 bars. Night-club.

■ Aït-Ourir

Hôtels

▲ Le Coq hardi ☎ 044.48.00.56. *17 ch. avec s.d.b.* Le jardin au bord du fleuve Zat, la piscine et la terrasse font de ce motel-bar-restaurant un lieu très agréable, surtout par fortes chaleurs.

▲ **Kasbah Tafoukt** ☎ 044.48.11.54, fax 044.40.08.59. *19 ch.* d'hôtes avec *sanitaires communs.* Très propre. Agréable jardin. Cuisine marocaine.

■ Imlil

Hébergement

▲▲▲ **La Kasbah du Toubkal**, Asni, par Marrakech ☎ 044.45.60.96. Face au Toubkal, splendide forteresse restaurée, gérée par l'association britannique Discover et les habitants d'Imlil. Centre de découverte de la région, elle propose excursions et randonnées dans la montagne, guides, chambres d'hôtel, hammam.

Atlas Gîte ☎/fax 044.48.56.09. *3 ch. doubles* et *2 ch. collectives.* Bonne cuisine. Excursions. *Rés. à Marrakech* ☎ 044.44.91.05.

Randonnées

➤ **Bureau des guides**, au centre du village ☎/fax 044.48.56.26. Organise des randonnées dans le Toubkal, où il existe des refuges à 3 000 m et plus. L'un des guides, Aït Idar Lahcen, a aménagé une maison en gîte (le Panorama du Toubkal). 16 personnes peuvent y dormir (☎ 044.48.56.21).

■ Lalla-Takerkoust

Hôtel

▲▲ Le Relais du Lac, à 30 mn de Marrakech, sur la route d'Amizmiz ☎ 044.48.49.24, fax 044.48.49.45.12. www.relaisdulac.com. Les pieds dans l'eau, au bord du lac, auberge et bivouac face à la chaîne de l'Atlas.

■ Marrakech

Plan I (ensemble) en rabat arrière de couverture, plan II (souks) p. 186.

ⓘ ONMT, place Abdel-Moumen-ben-Ali, au Guéliz **I-A1** ☎ 044.43. 61.31, fax 044.43.60.67. *Ouv. 8 h 30-12 h et 14 h 30-18 h 30, en été 9 h-15 h.* Guides officiels. **Informations touristiques**, 170, av. Mohammed-V **I-A1** ☎ 044.43.08.86. *Ouv. 9 h-17 h, sf sam. ap.-m. et dim.*

Arrivée

➤ **En avion.** Aéroport international de Marrakech-Ménara **hors pl. I par B3**, à 6 km au S-O ☎ 044.44.78.62/65. Liaison avec le centre par taxi (pas de navette).

➤ **En car. Gare routière**, place el-Mourabiten, Bab Doukkala, à l'extérieur des remparts **I-B1** ☎ 044.43.39.33.

➤ **En train. Gare ferroviaire**, av. Hassan-II **I-A2** ☎ 044.44.77.03.

Circuler

➤ **À pied.** C'est le seul moyen de visiter la **médina** (**plan II**), où l'on pénètre à partir de la place Jemaa-el-Fna **I-C2**. C'est aussi la façon la plus commode de faire le tour des palais et des tombeaux saadiens **I-C3**, les distances n'étant pas excessives. Il faudra néanmoins vous armer de patience, car on ne progresse pas vite dans les ruelles étroites et encombrées.

➤ **En voiture.** Utilisez votre voiture pour vous rendre de votre hôtel au centre de la ville ; les **parkings** sont indiqués tout au long de la visite de la ville. Surtout, n'oubliez pas les pièces de 1 DH pour les gardiens de voitures ; ils exigeront plus, mais ne leur cédez pas ! Vous pourrez aussi faire un tour des remparts et visiter les jardins.

➤ **En taxi.** Si vous ne voulez pas avoir à chercher un emplacement pour vous garer, faites appel aux **petits taxis** (ocre à Marrakech) qui ont des compteurs, mais refusent souvent de les faire fonctionner. Une course moyenne dans la zone touristique coûte env. 10 DH (majoration de 50 % la nuit). Pour plus de confort, ou si avez l'intention de sortir de la ville, demandez un **grand taxi**.

➤ **En calèche.** Les calèches font partie du folklore. C'est un moyen agréable de faire le **tour des remparts**, de se rendre au **pavillon de la Ménara I-A3** ou de se faire conduire à la **place Jemaa-el-Fna I-C2** pour voir battre le cœur de Marrakech. Elles sont stationnées place Jemaa-el-Fna et aux abords des grands hôtels. On peut y monter à quatre personnes. Le tarif de la course touristique est de 80 DH l'heure (majoration de 10 % à partir de 20h). Ls cochers l'appliquent rarement et cherchent à vous vendre des prestations supplémentaires (visites, achats, etc.).

Hôtels

À PROXIMITÉ DE LA MÉDINA

▲▲▲▲ **La Maison arabe** ♥, 1, Derb-Ashebe, Bab Doukkala **I-B2** ☎ 044.38. 70.10, fax 044.38.72.21 *5 ch. et 5 suites*. Un riad magnifiquement décoré et une hospitalité en harmonie avec le décor. La meilleure adresse de Marrakech. Piscine dans un beau jardin à 10 mn. Pas de restaurant, mais des repas peuvent vous être servis sur place. Prix en conséquence.

▲▲▲▲ **La Mamounia**, av. Bab-el-Jédid **I-B3** ☎ 044.44.44.09, fax 044.44.46.60/ 49.40. www.mamounia.com. *171 ch., 57 suites et 3 villas* climatisées, *5 restaurants*, dont 1 marocain. À côté de la Koutoubia, dans un magnifique jardin cerné par les remparts, cet hôtel célèbre pour son décor somptueux est entré depuis longtemps dans la légende. Rénové en 1986, il allie tradition et confort ultra-moderne. Casino, tennis, piscine chauffée, hammam, sauna. Port de la cravate exigé le soir aux restaurants *L'Impérial* et *Le Marocain*. Bar *Le Churchill* très agréable. *(Encadré ci-contre)*

▲▲▲ **Ryad Malika**, 29, Arset-Aouzal, Bab Doukkala **I-B1** ☎ 044.39.07.68. *5 ch. et 5 suites* toutes différentes avec décoration années 1930 réparties autour du patio. Hammam.

▲▲ **Gallia** ♥, 30, rue de la Recette, près de la place Jemaa-el-Fna **I-C2** ☎ 044.44. 59.13, fax 044.44.48.53. *20 ch.* avec air cond. Établissement de charme, simple mais très agréable. Petit salon avec télévision. Ont ouvert un restaurant tout proche : *Dar Mima. Rés. conseillée.*

▲ **Hôtel Ali**, rue Moulay-Ismaïl, à 50 m de la place Jemaa-el-Fna **I-C2** ☎ 044.44.49.79, fax 044.44.05.22. *48 ch.* sommaires, mais deux avantages : sa situation (de sa terrasse, on a une vue exceptionnelle sur la place et la ville, intéressante de jour et

La Mamounia, hôtel légendaire

Ouvert en 1929 dans un parc de 13 ha aménagé au XVIIIe s. pour Mamoun, le fils du sultan Sidi Mohammed ben Abdallah, ce fabuleux palace construit par deux architectes français, Prost et Marchisio, pour les chemins de fer, alliait avec grâce la luxuriance de la décoration maure et la sobriété de l'Art déco. Filmé par Hitchcock en 1956, il a à son palmarès une longue liste de célébrités, de Colette et Paul Valéry à Richard Nixon ou Jimmy Carter en passant par Winston Churchill, Édith Piaf, Orson Welles, Yves Montand et bien d'autres. ❖

magique de nuit) et le fait qu'on y trouve de tout : restaurant, bureau de change, cybercafé, location de voitures et de vélos, cartes pour treks et randonnées, excursions.

DANS LE GUÉLIZ

▲▲▲ **Nassim** ♥, 115, av. Mohammed-V **I-A1** ☎ 044.44.64.01, fax 044.43.67.10. *50 ch. et 4 suites* bien insonorisées et très confortables. En plein centre-ville, cet hôtel récent offre de nombreux avantages : petite piscine, hammam, sauna, restaurant, snack et bar. Tarifs très raisonnables.

▲▲ **Ibis Moussafir**, av. Hassan-II, place de la Gare **I-A2** ☎ 044.43.59.29/30, fax 044.43.59.36. *103 ch.* Un hôtel fonctionnel, mais bruyant et pas très bien entretenu.

DANS L'HIVERNAGE

▲▲▲▲ **Es-Saadi**, av. el-Qadissia **I-B2** ☎ 044.44.88.11 à 13, fax 044.44.76.44. *150 ch. avec loggia et 4 suites.* Dans le quartier résidentiel près de la médina. Géré par des Français. Piscine chauffée, beau jardin, bar avec pianiste le soir et casino (en cours de rénovation). Luxe traditionnel raffiné et bon restaurant de cuisine française.

▲▲▲▲ **Imperial Borj**, rue Echouhada **I-B2** ☎ 044.44.73.22, fax 044.44.62.06. *187 ch. avec s.d.b. et balcon.* Merveilleusement situé près de la Koutoubia, et très confortable. Sa décoration peut paraître froide et dépouillée.

▲▲▲▲ **Kenzi Farah**, av. du Président-Kennedy **I-B2** ☎ 044.44.74.00/81.26, fax 044.44.87.30. *293 ch. (3 pour handicapés)* vastes et confortables. À 15 mn de la place Jemaa-el-Fna, près du Casino, dans un parc boisé. Environnement agréable. Piscine, tennis, practice de golf, sauna et hammam.

▲▲▲▲ **Pullman Mansour Eddahbi**, av. de France, à côté du palais des Congrès **I-A2** ☎ 044.33.91.00, fax 044.33.91.10. *441 ch. et suites.* Du grand luxe sur un terrain de 8 ha. 5 bars, night-club, boutiques. 7 restaurants.

▲▲▲▲ **Safir Siaha**, av. du Président-Kennedy **I-B2** ☎ 044.44.89.52, fax 044.44.69.27. *187 ch.* avec balcon *et 38 bungalows* dans un parc de 30 ha. Bar, piscine, sauna. Restaurant.

▲▲ **El-Andalous**, av. du Président-Kennedy, à quelques minutes des remparts **I-B3** ☎ 044.44.82.26, fax 044.44.71.95. *195 ch.* Belle piscine, sauna, hammam et salles de gymnastique. Beaucoup de groupes.

▲▲ **Grand Imilchil**, rue Echouhada, face au palais de justice et à 10 mn à pied de la place Jemaa-el-Fna **I-B2** ☎ 044.44.76.53, fax 044.44.61.65. *96 ch.* dont certaines viennent d'être refaites. Petite piscine. Pas d'alcool au restaurant.

QUARTIER SEMALALIA
AU NORD DE LA VILLE

▲▲▲▲ **Kenzi Semiramis**, route de Casablanca **hors pl. I par A1** ☎ 044.43.13.77, fax 044.44.71.27/72.00. *182 ch.* avec balcon, loggia. Beau jardin avec installations sportives et vaste et belle piscine chauffée. Les chambres sont spacieuses et les parties communes

Louer un riad à Marrakech

Marrakech-Médina, 102, rue Dar-el-Pacha **I-C2** ☎044.42.91.33, fax 044.39.10.71. Rens. et rés. à Paris ☎/fax 01.43.25.98.77. www.marrakech-medina.com. Loue des riads restaurés de façon traditionnelle : pour 2 à 14 personnes (3 nuits minimum). Accueil à l'aéroport, ménage quotidien et petit déjeuner inclus. Repas sur demande.

Marrakech Riads, 120, rue Arset-Awsel, Bab Doukkala **I-B1** ☎044.38.58.58 et ☎(mobile) 061.16.36.30, fax 044.38.57.08. Loue des maisons pour 6 à 14 personnes et des chambres d'hôtes.

Riads au Maroc, 72, rue de la Liberté **I-A1** ☎044.43.19.00, fax 044.43.17.86. www.riadaumaroc.com. Propose une quinzaine de riads sélectionnés avec le plus grand soin et classés selon leur confort. Location de chambres d'hôtes dans des riads. ❖

agréables avec leurs jardins suspendus. Bar et mini-golf. Plusieurs restaurants dont un au bord de la piscine.

▲▲▲▲ **Palmeraie Golf Palace**, jardins de la Palmeraie **hors pl. I par A1** ☎ 044.30.10.10, fax 044.30.20.20. *314 ch.* de grand confort dans un superbe complexe hôtelier : 5 piscines, 4 bars, une dizaine de restaurants, courts de tennis, night-club, centre de remise en forme, golfs (9 et 18-trous) et sports équestres. Prix élevés.

▲▲▲ **Tichka**, route de Casablanca **hors pl. I par A1** ☎044.44.87.10, fax 044.44.86.91. *138 ch.* Réalisation architecturale intéressante de Charles Boccarra décorée par Bill Willis. Très belle piscine dans un petit jardin peuplé d'oiseaux. Boutiques. 2 restaurants (marocain et international), buffet copieux pour le petit déjeuner au bord de la piscine.

▲▲▲ **Tikida**, jardins de la Palmeraie **hors pl. I par A1** ☎ 044.32.95.95, fax 044.32.95.99. *206 ch.* 7 ha de terrain. Très beau hall d'entrée. Vaste piscine, 8 courts de tennis, mini-practice de golf, hammam, centre de remise en forme, 2 restaurants, 1 grill. Navettes pour le centre et les golfs.

Chambres d'hôtes et riads

▲▲▲ **Dar el-Farah**, rue Riad-ez-Zitoun el-Jédid dans la médina **I-C2** ☎044.43.15.60, fax 044.43.15.59. *6 ch. doubles*

avec s.d.b., salons, terrasse, jardin et piscine.

▲▲▲ **Villa Hélène**, 89, bd Moulay-Rachid, au cœur du Guéliz **I-A2** ☎/fax 044.43.16.87. *3 appart.* très bien décorés. Magnifique villa coloniale dans un jardin. Piscine. Rens. à Paris ☎01.43.20.41.60, fax 01.43.20.41.80.

▲▲ **Dar Bahia**, près du palais de la Bahia **I-D3** ☎ 044.38.36.33 *2 ch. et 1 suite* dans une maison traditionnelle pouvant accueillir 6 personnes.

▲▲ **La Maison Alexandre-Bonnel**, 4, rue Sania-Laksour **I-C2** ☎/fax 044.42.98.33. *3 ch. dont 1 avec s.d.b.*, patio, terrasse. Dans une ruelle tranquille de la médina, près de la place Jemaa-el-Fna, à 100 m du restaurant *Ksar Es-Saoussan* (p. 207).

▲▲ **Riad Moucharabieh**, à Bab Doukkala **I-B1** ☎ 044.44.02.12, fax 044.44.02.33. Ce joli riad de *3 ch. et 1 suite* peut recevoir 6 personnes. Il se loue dans sa totalité ou à la chambre.

Clubs de vacances

▲▲▲▲ **Les Idrissides Framissima**, av. de France **I-A2** ☎ 044.44.87.77, fax 044.43.80.60. *286 ch. avec air cond.* et loggia. Bars, piscine, courts de tennis, sauna, hammam. Très animé. 2 restaurants dont 1 marocain.

▲▲▲ **Club Méditerranée**, place Jemaa-el-Fna **I-C2** ☎ 044.44.40.16, fax 044.

44.46.47. *218 ch*. Très bien situé. Navette entre le club et les installations sportives de la Palmeraie.

▲▲▲ **Eldorador Palmariva**, route de Fès, à 6 km du centre **hors pl. I par C1** ☎ 044.32.90.58, fax 044.32.90.85. *326 ch*. Bungalows répartis dans un parc de 25 ha, préservant la tranquillité de chacun. Piscine et activités.

Restaurants

CUISINE MAROCAINE

Les restaurants marocains sont plutôt situés dans la médina, où il est difficile de se repérer. Faites-vous conduire en taxi, après avoir réservé sans passer par un concierge d'hôtel. Méfiez-vous de certains restaurants à spectacle folklorique recommandés par des hôteliers qui leur servent de rabatteurs. Faites-vous préciser les prix auparavant. Ceux que nous vous recommandons pratiquent généralement des menus à prix fixes sans surprise et avec la boisson comprise.

◆◆◆ **Dar Yacout**, 79, rue Sidi-Ahmed-Soussi ☎ 044.44.59.13. *Ouv. le soir sf le lun. 150 couverts*. Palais restauré par Bill Willis. Musique andalouse discrète. *Rés. conseillée en haute saison*.

◆◆◆ **Dar Moha Almadina**, 81, rue Dar-Bacha, près du Dar el-Glaoui **I-C2** ☎ 044.38.64.00. *F. le lun. 45 couverts*. Dans l'ancienne résidence de Pierre Balmain transformée en maison d'hôtes. Nouvelle cuisine marocaine raffinée servie dans les salons ou dans le jardin au bord de la piscine en été. À midi, grillades et salades en été. Menus à prix fixes le soir. Alcool non compris.

◆◆◆ **Palais Gharnata** ♥, 5, derb al-Arsa, Riad-ez-Zitoun-el-Jédid, entre la préfecture de la Médina et Dar si Saïd **I-C2** ☎ 044.38.96.15. *F. 15 juil.-20 août*. Les plus fines spécialités de la cuisine marocaine. Dans un palais du XVIe s. superbement aménagé, au son de la musique andalouse. *Sur rés*.

◆◆◆ **Stylia**, 34, rue el-Ksour, dans la médina **I-C2** ☎ 044.44.35.87. *Ouv. le soir. F. en août. 650 couverts*. Beau décor et bonne cuisine.

◆◆ **Al-Fassia**, 232, av. Mohammed-V, près de la place du 16-Novembre **I-B2** ☎ 044.43.40.60. Accueil agréable et cuisine savoureuse. À midi, menu abordable. Le soir, comptez le double, avec musique andalouse.

◆◆ **Ksar es-Saoussan**, 3, rue des Ksour, près de l'av. Mohammed-V, dans la médina **I-C2** ☎ 044.44.06.32. *Ouv. le soir sf le dim. en août*. Accueil chaleureux. Spécialités marocaines. Bon service. Cuisine de qualité. *Rés. conseillée*.

◆◆ **Tobsil**, 22, rue Abdellah-ben-Hessaien-Ksour **I-B2** ☎ 044.44.40.52/15.23/45.35. *Ouv. le soir. 60 couverts*. Cadre raffiné. Cuisine marocaine de bonne qualité.

CUISINE EUROPÉENNE

◆◆◆◆ **Le Pavillon**, 47, rue Zaouïa, à Bab Doukkala, en face de la grande mosquée et au fond d'une impasse **I-B2** ☎ 044.39.12.40. *Ouv. le soir sf le mar*. Une cuisine préparée par un chef français selon le marché du jour, dans le décor raffiné d'un riad.

◆◆◆◆ **La Rotonda**, 19, rue Lamnabha, derrière les tombeaux saadiens **I-C3** ☎ 044.38.15.85. *F. le mar*. 2 restaurants aménagés dans un superbe palais, l'un italien, l'autre marocain. Très belle vue sur la médina de la terrasse.

◆◆◆◆ **Villa Rosa**, 64, av. Hassan-II **I-A2** ☎ 044.43.08.32. *Ouv. le soir*. Spécialités italiennes et poissons servis dans un très beau jardin ou de petits salons. Excellente table.

◆◆◆ **Les Cépages**, 9, rue Ibn-Zaïdoun **I-A1** ☎ 044.43.94.25. *F. le lun*. Très bonne cuisine française traditionnelle. Belle carte. Terrasse et jardin.

◆◆◆ **Comptoir Paris Marrakech** ♥, rue Echouhada, Hivernage **I-B2** ☎ 044.43.77.02. Restaurant, salon de thé avec carte de snack et bar, dans un décor agréable et original. Petit jardin. Boutique de produits locaux et d'objets sélectionnés. *Rés. conseillée*.

◆◆◆ **Villa Tivoli**, route de Casablanca à 3 km du centre **hors pl. I par A1** ☎ 044.31.35.28. *F. le mar*. À midi, en été, menu touristique. Cuisine de qualité dans les jardins et dans une salle avec cheminée en hiver.

♦♦ **Bagatelle** ♥, 101, rue de Yougoslavie **I-A1** ☎ 044.43.02.74. *F. le mer.* En saison, les repas sont servis dans un jardin couvert de vigne. Accueil chaleureux et bonne cuisine française.

♦♦ **Catanzaro**, rue Tarik-ibn-Ziad **I-A1** ☎ 044.43.37.31. *F. le dim. et en août.* Bonne viande, pâtes fraîches, gratins et pizzas. Une adresse incontournable. *Rés. le soir.*

♦♦ **L'Entrecôte**, 55, bd Zerktouni **I-A1** ☎ 044.44.94.28. *F. le dim.* Excellente viande. Plat du jour. Menus économiques. Une qualité constante.

♦♦ **La Jacaranda**, 32, bd Zerktouni **I-A1** ☎ 044.44.72.15. Bon choix de spécialités françaises et marocaines, dans un restaurant-galerie d'art. Musique ven.-dim.

♦♦ **Odissea**, 33, bd el-Mansour-Eddahbi **I-A1** ☎ 044.43.15.45. Restaurant italien et pizzeria le soir seulement.

♦♦ **Pizzeria Niagara**, route de Targa, au petit marché **hors pl. I par A1** ☎ 044.44.97.75. *F. le lun.* Spécialités italiennes. Probablement l'une des meilleures viandes de Marrakech. Salle et terrasse agréables. *Rés. le soir.*

PÂTISSERIES ET SALONS DE THÉ

Mabrouka, rue Bab Agnaou, près de la place Jemaa-el-Fna **I-C2** ☎ 044.44.24. 26. Pâtisserie, glacier, restaurant.

Pâtisserie Amandine, 97, rue Mohammed el-Beqal **I-A1** ☎ 044.44.96.12/ 95.88. Salon de thé, glacier et traiteur.

Saveurs d'Orient ♥, 31, av. Abdelkrim-el-Khattabi, route de Casablanca, à 300 m du bd Mohammed-V, sur le trottoir de dr. **I-A1** ☎ 044. 44.65.01. Dans cette pâtisserie spécialités marocaines de qualité.

Shopping

La **ville moderne** a son quartier commerçant près de l'**av. Mohammed-V I-A1-B2**, au Guéliz, et son **marché couvert I-A1** (à l'angle de la rue de la Liberté) recommandé pour les fleurs et les épices (*partie alimentation ouv. t.l.j. jusqu'à 13 h 30; partie bazars ouv.* *l'ap.-m. sf ven. et dim.*). Dans la **médina**, vous découvrirez les spécialités artisanales.

➤ **DINANDERIE.** Marrakech est réputée pour ses objets en cuivre rouge et jaune. Admirez les artisans à l'œuvre dans le **souk du cuivre II-A2**.

➤ **CUIR.** Le **souk des maroquiniers** et le **souk des babouches II-AB2** permettent d'admirer le travail des artisans fabriquant des sacs, des poufs, des babouches festonnés de soie…

➤ **TAPIS.** Ils sont tissés dans les environs de Marrakech: tapis flamboyants des Aït Glaoua de Chichaoua, où dominent le noir, l'orange, le vert et le blanc, ou tapis à points noirs sur fond jaune, rouge ou bleu des Aouzguit du Haut Atlas… (*p.196*). On peut assister à la « criée berbère » **II-B3** (enchères). Les ventes s'effectuent entre les commerçants du souk et il est déconseillé de surenchérir.

➤ **OBJETS ANCIENS.** Antiquaires dans la **rue du souk Smarine II-A4** où l'on trouve encore parfois des **bijoux** anciens. Visitez le **centre artisanal** (*av. Mohammed-V* **I-B2**, *ouv. 9 h-13 h et 14 h 30-19 h 30*), à l'intérieur des remparts, pour vous informer des prix et des critères de qualité.

Spectacles et vie nocturne

➤ **CASINOS. Grand Casino de La Mamounia I-B3** (*p.204*) ☎ 044.44.45.70. Discothèques et spectacles folkloriques. **Hôtel es-Saadi I-B2** (*p.205*). Machines à sous et dîner-spectacle.

➤ **CINÉMA. Le Colisée**, bd Zerktouni **I-A1** ☎ 044.44.88.93. Une des plus anciennes salles de la ville, au cachet certain. Accueille le Festival international du Film de Marrakech.

➤ **DISCOTHÈQUES.** Plusieurs hôtels ont leur discothèque ou night-club : **Le Paradise** de l'hôtel *Pullman Mansour Eddahbi* **I-A2**, **Le Diamant Noir** de l'hôtel *Marrakech* (place de la Liberté **I-B2**), le **Club Sémiramis** de l'hôtel *Kenzi Sémiramis* et la discothèque de **La Mamounia I-B3** ont bonne réputation. **Le Charleston**, place Abdel-Moumen-ben-Ali **I-A1**.

➤ **SPECTACLES FOLKLORIQUES.** La plupart des grands hôtels organisent des soirées marocaines. Certains restaurants proposent des spectacles de danses folkloriques pendant le dîner. *Chez Ali*, route de Casablanca, dans la Palmeraie à 8 km du centre **hors pl. I par A1** ☎ 044. 30.77.30/93.81. Spectacle de **fantasia** durant le dîner servi dans des tentes caïdales.

Manifestations

➤ **FESTIVAL NATIONAL DU FOLKLORE.** En **juin** dans les ruines du palais El-Badi **I-C3**. Se renseigner auprès de l'❶ car il n'a pas lieu tous les ans.

➤ **FESTIVAL INTERNATIONAL DU FILM.** En **septembre**. www.festivalmarrakech.wanadoo.ma.

Sports et loisirs

➤ **CHASSE ET PÊCHE.** Demande de permis à la **Délégation des eaux & forêts**, rue Abou-el-Abbas Essabti, Le Guéliz **A2** ☎ 044.44.39.90.

➤ **ÉQUITATION. Royal Club Équestre**, route d'Amizmiz, à 5 km de Marrakech **hors pl. I par C3** ☎ 044.38.18.49. **Centre équestre du Palmeraie Golf Palace hors pl. I par A1** ☎ 044.31. 10.10.

➤ **GOLF. Royal Golf Club**, route de Ouarzazate **hors pl. I par C1** ☎044. 40.47.05. **Golf du Kenzi Amelkis**, route de Ouarzazate **hors pl. I par C1** ☎ 044.40.44.14. **Golf de la Palmeraie**, circuit de la Palmeraie **hors pl. I par A1** ☎ 044.30.10.10.

➤ **HAMMAMS. Dar el-Bacha**, rue Fatima-Zohra **I-C2**. Beau décor. Pour les hommes, le matin et en fin de journée. Pour les femmes, le reste du temps. **Hammam Majorelle**, à proximité du jardin **I-B1**. Ils peuvent avoir tendance à majorer les prix pour les touristes! *Ouv. de 6 h à minuit.*

➤ **TENNIS. Royal Tennis Club**, rue Ouad-el-Makhazine, Le Guéliz **I-B2** ☎ 044.42.19.02.

➤ **PARC DE LOISIRS. Parc Aventures**, en face de l'aéroport **hors pl. I par B3**. Navettes gratuites du Guéliz au parc ☎ 044.43.12.51.

Adresses utiles

➤ **COMPAGNIE AÉRIENNE. Royal Air Maroc**, 197, av. Mohammed-V **I-A1** ☎ 044.43.99.33.

➤ **CONSULAT DE FRANCE**, 1, rue Ibn-Khaldoun, près de la Koutoubia **I-C2** ☎ 044.38.82.00, fax 044.38.82.32. *Ouv. 8 h 30-11 h 30.*

➤ **CYBERCAFÉS.** Ils sont nombreux dans le quartier du Guéliz. **Cyber Colisée** (magasin n°13), passage el-Gandoiri (face au cinéma Colisée) **I-A1** ☎ 066.01.55.11. *Ouv. 9 h 30-22 h.* 10 DH/h. En médina, celui de l'**hôtel Ali** (*p. 204*) et **Cyber Atlas**, Bab Agnaou, Kissariat Essalam **I C3**.

➤ **INSTITUT FRANÇAIS DE MARRAKECH**, route de la Targa au Guéliz, à côté du lycée Victor-Hugo **hors pl. I par A1** ☎ 044.44.69.30. Cinéma, expositions, conférences.

➤ **LIBRAIRIES. Chatr Ahmed**, 19, av. Mohammed-V **I-A1**. Livres français. **Ghazzali**, place Jemaa-el-Fna **I-C2**. **ACR**, 55, bd Zerktouni **I-A1**.

➤ **LOCATION DE VOITURES. Avis**, 137, av. Mohammed-V **I-A1** ☎ 044.43. 37.27. **Hertz**, 154, av. Mohammed-V **I-A1** ☎ 044.43.13.94. **Inter-Rent-Europcar**, 63, bd Zerktouni **I-A1** ☎044.43.12.28.

➤ **POSTE ET TÉLÉPHONE. Poste principale**, place du 16-Novembre **I-A2**.

➤ **URGENCES. Pharmacie centrale**, 166, av. Mohammed-V **I-A1**. **Pharmacie de nuit**, rue Khalid-ibn-el-Oualid, chez les pompiers **I-B1** ☎044. 40.47.92. **Polyclinique du Sud I-A1**, 2, rue de Yougoslavie ☎ 044.44.79.99. **Samu** ☎ 044.43.30.30. **SOS médecins** ☎ 044.40.14.01.

■ Ouirgane

Hôtels-restaurants

▲▲▲ **La Roseraie**, val d'Ouirgane ☎ 044.43.91.28, fax 044.43.91.30. *40 ch.* Tourisme équestre. Piscines et courts de tennis. Prix élevés.

▲▲ **Au sanglier qui fume**, val d'Ouirgane ☎ 044.48.57.07/08, fax 044.48. 57.09. *23 ch.* agréables. Après les dommages occasionnés par les crues de 1995, tout est rentré dans l'ordre.

▲ **La Bergerie**, «Marigha», à 59 km de Marrakech (10 km après Asni, 2 km avant Ouirgane) ☎ 044.48.57.16/17, fax 044.48.57.18. *12 ch.* très agréables avec cheminée et belle s.d.b. Auberge tenue par des Français. Bar. Accueil excellent.

■ Oukaïmeden

Hôtels-restaurants

▲▲▲▲ **Kenzi Louka** ☎ 044.31.90.80 à 86, fax 044.31.90.88. *104 ch.* Vue sur la montagne. Piscine couverte et chauffée. Pêche sur le lac. Bon restaurant.

▲ **Hôtel de l'Angour** ☎ 044.31.90.05, fax 044.44.83.98. *F. en juin. 18 ch.* Simple mais bien tenu. Demi-pension obligatoire. Restaurant et bar. Rapport qualité/prix assez moyen.

▲ **Refuge du Club alpin français**, chalets de la Jeunesse et des Sports ☎ 044.31.90.36. *168 lits (dortoirs).* Priorité aux adhérents. Repas sur commande. Bar avec alcool.

■ Ouzoud

Hôtel-restaurant

▲▲ **Riad Cascades d'Ouzoud**, tout près des cascades ☎ 023.45.96.58, fax 023.45.88.60. *F. en déc. 8 ch.* avec s.d.b. décorées dans le respect de la tradition berbère. Rustique et sobre. Terrasse.

■ Tadert

Hôtel-restaurant

Auberge des Noyers, à 96 km de Marrakech sur la route de Ouarzazate ☎ 044.48.45.75. Très simple.

■ Telouèt

Hôtels-restaurants

▲ **Auberge de Telouèt**, face à la kasbah du Glaoui ☎044.89.07.17, fax 044.63.18.39. *7 ch.* Chez Ahmed Boukhas, qui est lui-même guide local.

Gîte du lac, chez Mohammed Bennouri, à 500 m du village ☎ 044.89.07.22. *6 ch.* très rudimentaires mais propres. Prévoyez un sac de couchage. Cuisine berbère. Excursions.

■ Vallée des Aït-Bouguemez

Hôtel-restaurant

▲▲ **Auberge Dar Itrane**, Douar Imelghas ☎ 044.45.93.12 ou à Marrakech auprès d'Atlas Sahara Trek ☎ 044.31.39.01/03. *11 ch.* Pas d'électricité. Hammam chauffé au bois. Près de la nature dans une maison de terre authentique.

Randonnées

Association des guides de montagne de la région de Tadla-Azilal, BP 32, av. Hassan-II, 22000 Azilal ☎ 023.45.94.80 ou ☎ mobile 068.56.18.23.

■ Vallée de l'Ourika

🛈 **Bureau des guides de la vallée de l'Ourika**, à Setti-Fatma ☎/fax 044.42.61.13, ☎ mobile 068.56.23.40. À 200 m de l'hôtel-restaurant *Asgaour*. Guides compétents et agréés.

Hôtels-restaurants

▲▲ **Auberge Le Maquis**, à 45 km de Marrakech, au carrefour de l'Oukaïmeden, prenez à g. pendant 1 km ☎/fax 044.48.45.31. *6 ch.* Simple, excellent accueil. Petit hammam. Location de VTT. Très bonne adresse.

▲▲ **Auberge Ramuntcho**, après Arhbalou, à 50 km au S-E de Marrakech ☎ 044.48.52.21, fax 044.48.45.22. *14 ch.* Décor agréable, excellent service, bonne cuisine.

▲▲ **Ourika**, à Ourika, à 42 km au S-E de Marrakech ☎ 044.48.45.62. *24 ch.* Belle situation, beau jardin, piscine.

▲ **Dar Piano**, à Arhbalou, à 52 km au S-E de Marrakech ☎ 044.48.48.42 et ☎ mobile 061.34.28.84. *F. de juin à août. 4 ch.* Maison d'hôtes agréable, cuisine sur commande. ■

C'est à **Ouarzazate** que se croisent les chemins du Grand Sud. Au nord-est, la **route des kasbahs** suit la vallée du Dadès jusqu'au **Tafilalt** (ou Tafilalt) dans des paysages présahariens et montagneux entrecoupés de gorges profondes. Au sud-est, la route s'étend dans la **vallée du Drâa** jusqu'à Mhamid, aux portes du désert de sable.

Si les limites septentrionales de la région sont bien définies (le Grand Sud commence sur le versant sud de l'Atlas), il n'en est pas de même de ses limites méridionales, qui vont se perdre dans les sables du désert. Comme dans toute zone désertique, l'**eau** n'y est pas tou-

jours bienfaisante : il n'en tombe que 100 mm par an en moyenne, mais sous forme de pluies violentes et dévastatrices qui emportent tout sur leur passage. Ces pluies menacent les maisons en terre, gonflent les oueds et provoquent des glissements de terrain. Inversement, des années consécutives de sécheresse favorisent l'avancée du désert.

La présence de l'homme dans cet environnement ne peut donc être que saisonnière. Les **nomades** aux maigres troupeaux habitent des villages temporaires où lorsqu'une maison de terre disparaît, vaincue par les intempéries, ils ne la reconstruisent pas, mais vont en bâtir une autre ailleurs… Tout devient

LE GRAND SUD

fugace dans le Sud. Cette terre déshéritée ne pouvait rester éternellement à l'écart de la vie moderne.

L'avenir du Sud réside dans le développement du tourisme de randonnée, à l'écart des grands axes et du circuit des villes impé-

riales. Il faut se dépêcher, car les barrages vont bientôt régulariser le cours des oueds et apporter l'électricité jusqu'aux confins du Sahara : des vallées seront inondées… Et, ici comme ailleurs, progrès et authenticité vont difficilement de pair.

Ouarzazate
et la vallée du Drâa★★

Le **Drâa** est formé des eaux mêlées des oueds Ouarzazate et Dadès, qui descendent du Haut Atlas. Il a creusé son lit à travers l'Anti-Atlas et progresse vers le sud-est jusqu'à Mhamid; puis il change brusquement de direction et l'on peut suivre son tracé jusqu'à l'Atlantique, qu'il rejoint aux environs de Tan-Tan. Ce serait un fleuve très long si ses eaux capricieuses atteignaient vraiment l'océan; mais cela n'arrive pratiquement jamais de nos jours, et sa vallée jadis fertile n'est plus, au-delà de Mhamid, qu'un souvenir, un pointillé sur une carte.

➤ *Carte p. 212.*

Ouarzazate
et ses environs

➤ *204 km au S-E de Marrakech par la P 31, 375 km au N-E d'Agadir par la P 32, 296 km au S-O d'Er-Rachidia par la P 32. Informations pratiques p. 234.*

Trois routes se rejoignent à Ouarzazate : la route de Marrakech, la plus fréquentée, par laquelle passent la majorité des circuits, la route d'Agadir, et la route d'Er-Rachidia, qui assure la liaison avec le nord du pays et le Tafilalt.

Ouarzazate, la «**porte du désert**», fut d'abord une ville de garnison. Sa position stratégique décida de sa création en 1928. Elle devait être un jalon important dans le vaste plan de pacification mis en place par le général Lyautey.

En arrivant de Marrakech, l'imagination aiguisée par le nom même de «Ouarzazate», on est déçu du manque de pittoresque de cette large avenue droite, bordée de maisons sans caractère, qui s'étire à l'infini comme une invitation à aller plus loin.

En fait, Ouarzazate, chef-lieu de province, est une étape commode et même indispensable pour le touriste qui désire explorer le Grand Sud. Grâce à son infrastructure hôtelière en constant dévelop-

Ouarzazate, ville du cinéma

Depuis *Lawrence d'Arabie*, le film de David Lean (1963), les environs de Ouarzazate n'ont cessé d'attirer des réalisateurs, dont Pier Paolo Pasolini (*Oedipe-Roi*, 1967), Claude Lelouch et Vera Belmont. Si bien qu'en 1984, des hommes d'affaires marocains y ont créé l'**Atlas Corporation Studios**, inaugurés par le tournage du *Vol du sphinx*, de Laurent Ferrier *(vis. possible hors période de tournage; entrée payante)*. Le tournage le plus mouvementé reste celui de *À la poursuite du diamant vert* avec Michael Douglas. Parmi les dernières productions internationales tournées à Ouarzazate, on citera : *Kundun*, de Martin Scorsese en 1997, *Astérix et Obélix, mission Cléopâtre* d'Alain Chabat en 2000 et *Les rois mages* de Didier Bourdon en 2001. Deux autres studios vont y voir le jour, développant ainsi les capacités de tournage de films qui seront projetés, un jour, sur nos écrans. ❖

Le décor du ksar d'Aït-Benhaddou a inspiré de nombreux cinéastes ; David Lean y tourna pour Lawrence d'Arabie *les scènes censées se dérouler à Aqaba (Jordanie).*

pement et à son ensoleillement quasi permanent, elle est même en voie de devenir un lieu de séjour.

La kasbah de Taourirt*

➤ *1,5 km à l'E du centre. Sur la route de Tinerhir (P 32).*

Cet ensemble impressionnant de bâtiments en pisé ocre roux, aux tours crénelées, est une **ancienne résidence du Glaoui** *(p. 200)*, aujourd'hui propriété de la municipalité de Ouarzazate. Ses appartements, abandonnés depuis sa mort en 1956, se visitent *(8h-12h et 14h-18h; entrée payante).* L'ensemble a été merveilleusement restauré. Vous y voyez, entre autres, deux pièces ayant conservé leur décoration de stuc et leur plafond en bois de cèdre peint. On peut aussi se promener dans le village situé à l'intérieur de l'enceinte, qui est encore habité. En face, de l'autre côté de la route, se trouve un **centre artisanal** où l'on fabrique des tapis, mais aussi des objets en albâtre, en cuivre, en bois et en

onyx, des bijoux et différents articles brodés.

♥ La kasbah de Tiffoultoute*

➤ *À 8 km à l'O. Prenez la route de Marrakech, puis tournez à g. en direction de Zagora. On y accède aussi par la route directe de Zagora, en tournant ensuite sur la dr. à la station-service.*

C'est encore une kasbah appartenant à la famille du Glaoui, située sur un piton, au-dessus d'un ksar, entre un oued et une palmeraie. Des cigognes ont élu domicile sur le toit. La kasbah, aménagée en restaurant, sert de décor à des soirées folkloriques *(entrée payante pour l'intérieur si l'on ne mange pas au restaurant).* De la terrasse, **vue** splendide sur toute la région.

♥ Le ksar d'Aït-Benhaddou**

➤ *32 km au N-O. Prenez la P 31 vers Marrakech et, au km 20, bifurquez à dr.* **Hébergement** *p. 232.*

Ce ksar, l'un des plus fameux du Sud marocain, est désormais classé **patrimoine de l'humanité** par l'Unesco. Il a beaucoup souffert des intempéries ces dernières années et n'est plus habité que par sept familles. Il est encore plus intéressant quand on le découvre dans son environnement de verdure, depuis le nouveau village d'Issiwid. Pour y accéder en période de crue, il faut traverser l'oued à dos de dromadaire ou grâce à un passage à gué. Un pont est à l'étude depuis 1987. Le **vieux ksar** a bénéficié d'un programme de restauration qui a permis, entre 1990 et 1995, de relever quelques maisons selon des procédés anciens. Mais depuis, le programme est stoppé. Il est malheureusement envahi de boutiques d'artisanat qui le dénaturent complètement.

Tamdaght*

➤ *6 km au N d'Aït-Benhaddou.*

Cette autre kasbah du Glaoui, en très mauvais état, est construite dans un site magnifique. À partir de Tamdaght, une très mauvaise piste de 30 km permet de rejoindre **Telouèt** *(p. 200)*, en dehors de la saison des pluies et à condition de disposer impérativement d'un véhicule tout-terrain.

La vallée du Drâa**

La route de la vallée de Ouarzazate à Zagora *(330 km A/R sur une route sinueuse et en mauvais état par endroits)* est une longue excursion si vous voulez faire l'aller-retour dans la journée. En revanche, si vous prévoyez une étape à Zagora, vous aurez le loisir de vous aventurer dans le désert. Cette traversée en largeur de l'**Anti-Atlas** vous permettra de contempler des paysages d'une aridité incroyable : à perte de vue s'étend un chaos de roches éclatées, tantôt claires et comme décolorées par le soleil, tantôt semblant noircies par la chaleur intense.

La route de la vallée

➤ *Itinéraire de 165 km. Quittez Ouarzazate en direction de Zagora ; vous rejoignez la P 31 en provenance de Marrakech.* **Informations pratiques à Agdz p. 232.**

➤ **JUSQU'À AGDZ.** La route fait l'ascension du **Tizi-n-Tinififft** (1 660 m) dans un paysage sombre et dénudé aux formations rocheuses étranges, aux couleurs contrastées. Puis elle redescend et suit la vallée du Drâa. 17 km avant Agdz, une mauvaise piste sur la g. conduit à une **cascade** et sept petits lacs *(suivez le panneau «cascades de Tizgui». Un véhicule tout-terrain est préférable)*. Omar veille sur la propreté du lieu et peut même vous servir un thé à la menthe.

Agdz *(68 km au S-E de Ouarzazate ; souk le jeu.)* n'offre aucun intérêt, mais on peut y faire étape pour visiter le **barrage** du Drâa, près du camping de la palmeraie à une dizaine de kilomètres, à condition d'avoir obtenu une autorisation de la Wilaya (préfecture) de Ouarzazate. La ville (27 000 hab.) est au pied du **jbel Kissane** (1 531 m).

➤ **LES KSOUR* DE LA VALLÉE.** À partir d'Agdz, la vallée commence vraiment à dérouler ses richesses naturelles. Le long de l'oued, une **palmeraie** très dense et presque ininterrompue projette son ombre bienfaisante sur de minuscules champs disséminés parmi les arbres et séparés par un enchevêtrement de petits murs en pisé. De nombreux **ksour** de part et d'autre de la route, souvent perchés sur un étroit piton, ont l'air d'avoir littéralement fondu au soleil tant leurs tours crénelées sont érodées ; plusieurs ont été abandonnés et retournent lentement à l'état de glaise.

C'est le cas de **Tamnougalt*** *(6 km à l'E d'Agdz)*, une ancienne citadelle de la tribu des Mezguita. Il est très facile d'y accéder depuis la construction d'un pont. On y trouve même une auberge très accueillante, *Chez Yacob*, chez qui l'on peut bénéficier de l'hospitalité berbère et grâce auquel on peut visiter le Ksar, en s'aidant d'une torche. Parfois, vous verrez un curieux petit bâtiment carré en pisé brun surmonté d'un cône blanchi à la chaux, d'une grande simplicité : c'est une **koubba** – tombeau d'un marabout, saint homme vénéré par la population locale.

Sur des kilomètres, la crête de l'Anti-Atlas se profile au loin, bordant cette étendue désertique où la vie se cache à l'ombre des palmiers. À **Tansikht**, la route 6956 *(p. 227)* part à g. en direction du Tafilalt, *via* Tazzarine *(63 km)* et Alnif *(130 km)*. Sur cette route se détache à dr. une mauvaise piste qui traverse la palmeraie jusqu'à Zagora (comptez 3 à 4 h en véhicule tout-terrain, au lieu de 1 h 30 par la route). Il est, malgré tout, déconseillé de la prendre.

Si vous poursuivez sur la P 31, vous arriverez à **Tinezouline***, beau village de terre au km 133 *(souk le lun.)*. Au-delà du défilé de l'Azlag, la vallée s'élargit et l'on pénètre dans la **palmeraie de Tarnata**, avant d'atteindre Zagora. Pour profiter davantage de la beauté du site, essayez de faire ce parcours en fin de journée, au moment où le soleil se couche : vous serez ravi par la qualité de la lumière qui donne aux paysages des couleurs incomparables.

Les 200 km de la vallée du Drâa sont bordés d'oasis ponctuées par des ksour et des kasbahs en pisé.

Zagora

➤ *165 km au S-E de Ouarzazate; souk le mer. et le dim.* **Informations pratiques** *p. 237.*

Bien que la route continue jusqu'à Mhamid, Zagora est l'ultime étape touristique avant le désert. Cette situation lui confère un rôle ambigu : dernier havre de fraîcheur avant la solitude cuisante des hamadas, on hésite entre l'envie de s'y arrêter et celle de répondre à l'appel du rêve et de l'exotisme, comme cela ne manque pas d'arriver lorsqu'on découvre le célèbre panneau indiquant : « Tombouctou, 52 jours de chameau » ! Hormis les jours de souk, il n'y a pas grand-chose à voir ici : les premières dunes ne commencent qu'à 25 km au sud de Zagora.

La seule excursion intéressante consiste à remonter vers Agdz par la route et à emprunter, après 14 km, le **circuit fléché** qui permet de revenir par la palmeraie sur l'autre rive et d'aboutir au pied du jbel Zagora. À faire de préférence en fin d'après-midi pour profiter du coucher du soleil sur le Drâa.

Il est possible aussi de monter tôt le matin au **jbel Zagora** pour assister au lever du soleil. Un véhicule tout-terrain permet d'atteindre le milieu du parcours qu'il faut continuer à pied pendant 1 h. Vous trouverez un accompagnateur près de l'hôtel *Kasbah Asmaa* (p. 237).

En route vers Mhamid

➤ *Demandez un guide à votre hôtel et faites la route en 4 x 4 si vous souhaitez dépasser Mhamid.* **Informations pratiques à Amazraou** *p. 237,* **Tamegroute** *p. 237,* **Mahmid** *p. 234.*

Cette excursion, que vous pouvez faire en une demi-journée, vous permettra d'aller de Zagora jusqu'aux confins du désert, à la rencontre des nomades.

➤ **AMAZRAOU**. *Au S de Zagora.* Traversez le pont sur le Drâa et suivez la route de Mhamid. À Amazraou, laissez votre véhicule près de l'ancienne kasbah des juifs et laissez-vous conduire par les enfants dans les **vergers** où l'on vous servira un thé au pied d'un champ de dunes.

➤ **TAMEGROUTE**. *22 km au S-E de Zagora.* Dans la **bibliothèque de l'école coranique** créée au XVIIe s. par le sage Bou Naceur, fondateur de l'ordre des Nassirya, sont conservés 4 000 manuscrits, dont des **corans enluminés**, écrits sur peau de gazelle, et des ouvrages d'histoire et de médecine entre autres dont certains remontent au XIIIe s. Si vous avez du temps, un guide local ou un enfant vous montrera le **tombeau** du fondateur et les fabriques de **poteries** (vernissées vertes). On y cuit suivant des méthodes archaïques des pièces vendues à la coopérative artisanale.

➤ **DUNES ET OASIS**. À 7 km de Tamegroute vers le sud, sur la g., les **dunes de Tinfou**, posées comme des tas de sable sur la plaine caillouteuse, donnent un avant-goût du désert. Elles ont été en grande partie emportées par les vents de l'hiver 1999-2000. On traverse à nouveau le Drâa, puis la barrière du jbel Bani, avant d'arriver à **Tagounite**, importante oasis regroupant plusieurs ksour *(souk le dim. et le jeu.).* Sur la g., une mauvaise piste conduit aux belles **dunes de Nestrate** ; faites-vous accompagner.

Le désert à partir de Mhamid

Dans le désert de Mhamid.

Pour vous aventurer dans le désert, un guide est obligatoire. Vous pourrez en trouver un à Zagora ou à Mhamid, sur la place de l'Oasis sacrée. Une **excursion** d'une journée ou de plusieurs jours avec bivouac dans les dunes en 4 x 4 vous permettra de découvrir la **vie du désert** et, sans doute, de rencontrer des nomades qui se feront un plaisir de vous offrir l'hospitalité. L'excursion vers le **lac Iriki** où s'étiolent les eaux du Drâa est particulièrement intéressante. ❖

➤ **LA PALMERAIE D'OULAD-DRISS.** La route s'élève une dernière fois pour franchir le **Tizi-Beni-Selmane** (747 m) dans un chaos de roches noires, puis redescend vers la **palmeraie d'Oulad-Driss** dont la végétation vigoureuse fait, un instant, oublier la sécheresse alentour.

Ne manquez pas de visiter la **Maison traditionnelle** (☎ 044.84.86.71. *Pas d'horaires fixes ni de droit d'entrée. Pourboire conseillé. Possibilité de passer la nuit sur place*), musée ethnographique privé installé dans une magnifique construction en pisé, dont les pièces sont disposées autour du patio central. Un grand nombre d'objets usuels sont présentés.

Juste avant Mhamid, sur la g., quelques dunes molles: les habitants essayent en vain de les empêcher d'avancer grâce à un système de murets faits de roseaux tressés.

➤ **MHAMID.** *78 km au S de Tamegroute.* Ce village ne s'anime que le jour du **souk** (*le lun.*), où les hommes bleus, nomades du désert, viennent s'y approvisionner. Mhamid est le dernier centre administratif du Drâa et la frontière algérienne est à une trentaine de kilomètres. À l'entrée du village, une piste à dr., en contrebas de la gendarmerie royale, s'enfonce dans le désert (*encadré ci-dessus*).

En retournant vers Ouarzazate, une piste à g., à l'entrée d'Amazraou, vous permet d'aller sur les **rives du Drâa** voir le soleil se coucher sur la palmeraie et les dunes. ■

L'habitat de terre

*C*et art rural trouve ses plus belles expressions dans le Sud marocain. Malgré la conquête arabe et le développement de l'art hispano-mauresque, essentiellement citadin, l'architecture berbère n'a cessé de se renouveler sans jamais se laisser influencer.

À l'origine, les villages de terre (les **ksour**, sing. *ksar*) furent édifiés par des **familles nomades** ayant décidé de se sédentariser. Habitués à des tentes mobiles et peu vulnérables, ces nomades s'efforcèrent de trouver la situation idéale et la construction la plus solide pour faire face aux intempéries, aux ennemis et aux voleurs de poules. Voilà pourquoi les ksour sont souvent établis sur des **pitons rocheux**, des **tertres naturels** ou des **escarpements de falaises**, et sont construits en **pisé**, une terre crue plus ou moins argileuse commune dans ces régions de déserts.

Le cri du *maalem*

Le **maître maçon** *(maalem)* dirige une équipe de trois ou quatre ouvriers. Ils tirent la terre du site même de la construction, la mettent dans des paniers en fibres de palmier nain *(chouaris)*, la hissent grâce à des échelles branlantes et la jettent dans les coffrages. Au fur et à mesure, le pisé est tassé avec un pilon en bois. Le mur peut ainsi atteindre **20 m de haut** sans problème de stabilité. Les pièces sont ensuite couvertes par des planchers de petite portée, reposant sur des poutres, souvent un tronc de palmier mal équarri. Pour réaliser le **toit terrasse**, un lit de branchages est disposé sur le plancher du dernier étage; par-dessus, on dame de la terre avec une petite dénivellation pour le ruissellement des eaux de pluie, qui glissent

L'absence d'entretien, l'érosion due aux vents de sable ou aux grosses pluies pourraient faire retourner ces merveilleux édifices à leur terre d'origine (kasbah à Zagora).

Les villages prennent la couleur de la terre, ce qui les rend tous différents : celui d'Aït-Ourir (à g.) dans la vallée de l'Ourika est ocre, celui d'Aïtiborgh (à dr.), sur la route du Tizi-n-Tichka, est rouge.

Les ksour sont entourés d'une enceinte avec une ou deux portes d'entrée et comprennent une série de greniers fortifiés (*ighrem* ou *agadir*).

vers une gargouille sculptée. **À l'intérieur**, les murs restent bruts de décoffrage, sauf dans de riches demeures où les plafonds sont peints et les pièces plâtrées et chaulées.

Ksour et *agadirs*

Dans les ksour, les maisons sont **mono-familiales**. Elles se composent de pièces rectangulaires à usage précis (conjugal, patriarcal…) et d'un **patio**, servant de puits de lumière. Les fenêtres extérieures se réduisent souvent à de simples fentes d'aération.

L'*agadir* permet de stocker les récoltes de céréales. C'est un **grenier collectif** où chaque famille dispose d'une pièce particulière fermée. Un espace est prévu au rez-de-chaussée pour les biens de la communauté. Parfois, les murs en pisé sont ornés de chaînage en bois apparent ou décorés de pierres sèches, sans que l'on sache s'il s'agit là d'une simple décoration ou d'un moyen de renforcer la construction.

Sauvegarder l'architecture de terre

Les Berbères du Sud marocain ont bâti des maisons qui répondaient à leurs besoins du moment; ils n'avaient pas l'intention d'œuvrer pour la postérité. Le choc de la culture occidentale et industrielle a bouleversé ces traditions et a peu à peu conduit les *maalems* à se reconvertir dans le béton armé. Le pisé est fragile et de merveilleux ksour peuvent se dégrader, sinon disparaître. Des architectes de Marrakech, comme **Elie Mouyal** et **Philippe Qoehler**, ont pris le problème à bras-le-corps. Ils ont recensé environ un millier de ksour: «Nous savons maintenant protéger les villages de terre, en faisant des murs de pierre sur le côté exposé aux intempéries, en enduisant les façades ou en isolant les murs du sol avec du feutre bitumé. L'ennemie véritable qui fera disparaître ces villages, c'est l'ignorance, le refus de considérer qu'ils font partie du patrimoine du Maroc. Regardez ces écoles préfabriquées qui poussent au bord des routes. Les enfants y gèlent l'hiver et transpirent en été. Elles sont en béton, pourquoi pas en terre qui climatise naturellement les locaux?» ∎

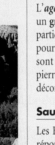

Une kasbah en pisé dans les gorges du Dadès, l'une des plus belles vallées du Haut Atlas. Le pisé, mélange d'argile et de cailloux, isole de la chaleur et du froid.

La route des kasbahs***

C'est l'une des routes les plus pittoresques et les plus variées du Maroc, où les paysages présahariens s'intègrent dans un cadre montagneux toujours présent. La route (la P 32) relie la vallée du Drâa au Tafilalt et se prolonge au-delà par une percée vers le nord, en suivant une faille située entre le Haut Atlas et l'Anti-Atlas où l'**oued Dadès** a creusé son lit. Peuplé depuis des temps très anciens, ce couloir a toujours été une voie de communication importante, ce qui explique la concentration de kasbahs le long du trajet.

Comptez une journée minimum pour voir l'essentiel et remonter les gorges du Dadès et du Todra. Vous pourrez faire étape à Boumalne ou à Tinerhir avant de revenir sur Ouarzazate ou de continuer vers Erfoud. Si vous en avez le temps, consacrez deux ou trois jours à cette excursion en faisant étape à El-Kelaâ-des-M'Gouna et à Tinerhir. Vous aurez ainsi le temps de vous engager plus avant dans les **gorges du Dadès** et du **Todra** et peut-être de réaliser la boucle qui les relie. Dans ce cas, louez un 4 x 4 à Ouarzazate, car les pistes ne sont pas recommandées aux voitures de tourisme. La présence d'un guide est fortement conseillée. Un véhicule tout-terrain vous sera aussi utile si vous visitez le Tafilalt et si vous revenez à Ouarzazate par les pistes!

➤ *Carte p. 212.*

La vallée du Dadès**

➤ *Quittez Ouarzazate par la P 32 en direction de Tinerhir. Après la kasbah de Taourirt, à 1,5 km du centre, la route longe de loin le lac* de retenue du barrage El-Mansour-Eddahbi pour remonter la vallée du Dadès. **Informations pratiques à Skoura** *p. 236,* **El-Kelaâ-des-M'Gouna** *p. 232,* **Boulmane-du-Dadès** *p. 232.*

Cette vaste plaine fluviale s'étend jusqu'aux formations géologiques tabulaires qui en ferment l'horizon ; les cimes enneigées du Haut Atlas à g. et celles dénudées de l'Anti-Atlas à dr. se dessinent au-delà. C'est dans ce site grandiose et désertique que furent tournées certaines séquences de *Lawrence d'Arabie*.

➤ **AUTOUR DE SKOURA.** *42 km N-E de Ouarzazate.* À partir de la Kasbah del Moro *(transformée en maison d'hôtes)*, une marche de 15 minutes au cœur de la luxuriante palmeraie de Skoura vous conduira à la **kasbah d'Amerhidil** *(en cours de restauration)*. Si vous désirez poursuivre votre balade, vous arriverez au bout d'une demi-heure, à la **kasbah de Dar-Aït-Sidi-el-Mati**. Il vous faudra

Les pistes depuis Skoura

Deux voies partent vers le nord : une piste (la 6829), à g., conduit au village d'**Assermo**** *(52 km)* et ensuite à une succession de kasbahs et de **ksour**** dans un site grandiose ; la seconde (la 6831), goudronnée, à dr., mène aux kasbahs de **Toundout*** *(25 km)* et au grenier marabout de **Sidi Mbarek**, coiffé d'une coupole blanche. ❖

Randonnée à dromadaire dans la vallée des Roses.

ensuite rebrousser chemin pour regagner votre véhicule.

Cette marche d'une heure et demie dans la palmeraie est des plus agréables. Vous y croiserez des femmes travaillant dans les champs et entendrez toutes sortes de chants d'oiseaux. Un conseil : faites-la en fin de journée pour profiter d'une très belle lumière.

En poursuivant la route principale (P32) en direction de El-Kelaâ-des-M'Gouna, on traverse une étendue quasi désertique avant d'atteindre un groupe imposant de kasbahs en ruine, dont on peut encore voir quelques pans de murs richement décorés lançant leur dernier défi au temps et à l'érosion. Au km 58, sur la dr., se dresse l'imposant village d'**Imassine** avec plusieurs kasbahs.

➤ **EL-KELAÂ-DES-M'GOUNA**. *50 km au N-E de Skoura.* Ce gros village fortifié étalé des deux côtés de la route poussiéreuse, à 1 467 m d'altitude, n'offre pas d'intérêt, malgré son nom poétique de « **Pays des roses** ». La culture des

roses semble insolite sous un climat aussi sec. Chaque année, en avril, femmes et enfants récoltent environ 7 000 tonnes de fleurs dans des paniers tressés. Deux distilleries de la région fabriquent l'eau et l'essence de rose, très largement utilisées en parfumerie. Pour 1 litre d'essence, il faut 7 tonnes de pétales ! Une partie seulement de la production locale est traitée sur place, le reste est vendu dans les marchés après avoir été séché. En mai, un grand *moussem* clôture la récolte *(p. 232).*

À la sortie de El-Kelaâ-des-M'Gouna, vous pourrez vous rendre à la **coopérative du poignard**, sur la dr. en direction de Boumalne-du-Dadès. Ces armes purement décoratives sont réalisées sur place ou dans le village voisin d'Azlague.

El-Kelaâ-des-M'Gouna est le point de départ de belles excursions. Pour faire des **randonnées** ou du **trekking** dans les environs, s'adresser au bureau des guides des hôtels où vous descendrez *(p. 232).*

➤ ♥ **LA VALLÉE DES ROSES****. *Randonnée à partir de El-Kelaâ-des-M'Gouna.* Cet itinéraire offre l'occasion d'une superbe balade dans de véritables jardins d'éden. Ceux qui disposent de peu de temps se contenteront de monter à l'ancienne **kasbah du Glaoui** qui domine l'oasis *(1 km d'El-Kelaâ-des-M'Gouna)*. On a une **vue*** splendide depuis ses ruines sur un piton rocheux. En remontant l'oued M'Goun, une piste conduit à Tourbist et à un col d'où l'on découvre le **ksar de Bou-Thra-rar*****. On peut suivre à pied le lit de l'oued pour rejoindre, après 10 km de marche, Boumalne-du-Dadès. Vous pouvez aussi atteindre, par une piste de 12 km *(accessible avec vigilance aux véhicules de tourisme hors saison des pluies)*, les **gorges du Dadès** à la hauteur d'une autre ancienne kasbah du Glaoui. *La présence d'un accompagnateur est souhaitable.*

➤ **BOUMALNE-DU-DADÈS**. *24 km au N-E de El-Kelaâ-des-M'Gouna. Souk le mer.* Les villages qui se succèdent entre El-Kelaâ-des-M'Gouna et Boumalne-du-Dadès parsèment une région où la vie est intense et variée comme les costumes bigarrés des femmes qui vaquent à leurs occupations en groupes animés et joyeux.

Étagé sur les rives en pente raide de l'oued, Boulmane est un bourg au marché important, mais sans attrait touristique. C'est surtout le point de départ des excursions dans les **gorges du Dadès**, au nord, et dans la **vallée des Oiseaux**, au sud-est, autour du village de Tagdilt, où vous pourrez observer des alouettes, des lagopèdes des sables et des hiboux-aigles *(un guide est indispensable)*.

Les gorges du Dadès***

➤ *À l'entrée de Boumalne, juste avant le pont, une route se détache à g. vers les gorges. L'entrée des gorges est située après Aït-Oudinar, à 20 km de Boumalne-du-Dadès.* **Hébergement p. 233.**

La route s'enfonce dans le Haut Atlas. De part et d'autre de l'oued, le site semble littéralement ravagé; les éboulements de terre et de roches rouges, parfois violacées, créent un décor grandiose que les nombreuses kasbahs en ruine, perchées sur des pitons rocheux, rendent encore plus spectaculaire. Çà et là, bravant les roches menaçantes, des villages se blottissent dans un creux verdoyant. Au km 6, passez devant une ancienne kasbah du Glaoui qu'il est possible de visiter. La terrasse du café *Miguirne,* au km 13, offre une **vue** sur toute la vallée et est le point de départ d'une excursion pédestre d'1 h 30 dans la gorge de Sidi-Bouktar. Au km 15, découvrez la falaise de **Tamnalt**, célèbre pour ses doigts de singe. Monter jusqu'au **point de vue**, d'où l'on découvre les gorges, demande moins d'une heure depuis **Aït-Oudinar**. La route goudronnée s'arrête à **Msemrir** *(64 km de Boulmane)* et laisse la place à une piste qui permet notamment de rejoindre les gorges du Todra *(encadré ci-contre).*

Imilchil et les lacs**

➤ *Env. 150 km au N de Boumalne-du-Dadès. Remontez les gorges jusqu'à Msemrir (renseignez-vous sur l'état des pistes), d'où une piste rejoint Agoudal, puis Imilchil. Accès possible en 4 x 4 depuis Midelt et le cirque de Jaffar (attention: piste souvent en très mauvais état). La route de 138 km qui part de*

♥ La boucle complète Dadès-Todra★★★

Dans la partie la plus spectaculaire des gorges, les falaises à pic sont séparées d'un couloir d'une vingtaine de mètres seulement.

Avant de poursuivre dans les gorges du Dadès pour faire la boucle complète, renseignez-vous auprès de la gendarmerie royale sur l'état des pistes, **impracticables d'oc-tobre à fin avril** en raison des pluies. Il est possible d'utiliser certains véhicules de tourisme, mais un 4 x 4 est de loin préférable. Nous vous conseillons de vous faire accompagner par un guide qui proposera de prendre le volant. Il connaît tous les pièges de cette piste particulièrement difficile.

Il faut compter une journée avec un véhicule tout-terrain. Après le défilé d'Imdiazen, on grimpe jusqu'à **Msemrir** (grand souk le sam. ; 64 km de Boumalne). La piste monte ensuite au col d'Ouguerd-Zegzouane, à 2 800 m, puis redescend vers **Tamtat-touchte** (à 60 km de Msemrir), lieu de passage vers **Imilchil** et ses **deux lacs**★★ (lacs de **Tislit** et de **Iseli**). Pour ceux qui ont entrepris la boucle, il reste 17 km pour redescendre vers les gorges du Todra (p. 226). ❖

Rich, dans la vallée du Ziz (p. 227), et passe par Tizi-n-Ali, est la meilleure. Jolie vue mais attention aux virages. Souk le sam. **Informations pratiques** p. 234.

Imilchil, modeste village du Haut Atlas (2 600 m), doit sa célébrité à la **fête des Fiancés**★★★ (encadré p. 235) qui se déroule à **Aït-Had-dou-Ameur** à environ 20 km au sud. À partir d'Imilchil, en remontant la piste vers Kasbah-Tadla, ne manquez pas les **lacs de Tislit**★★ (à env. 3 km) et d'**Iseli**★★ (à 3 km du précédent). Dans les creux d'un

plateau aride de roches mauves et rouges se nichent ces deux étendues d'eau salée auxquelles est attachée une belle légende (encadré p. 235). De retour à Agoudal, vous pouvez prendre une piste à g. vers les impressionnantes **gorges du Todra**★★★ (p. 226).

Tinerhir★

➤ 53 km au N-E de Boumalne-du-Dadès ; souk le lun. **Hébergement** p. 237.

Entre Boumalne et Tinerhir, s'étend un plateau caillouteux

Petite ville active et prospère, Tinerhir est célèbre pour sa palmeraie.

quasi désertique, sillonné par les lits d'oueds à sec. Remarquez, en passant, la belle **kasbah d'Imiter**.

Tinerhir est célèbre pour sa **palmeraie****, l'une des plus vastes et des plus luxuriantes su Sud marocain. 40 000 habitants y vivent de la culture. Construite en terrasses au débouché des gorges du Todra, elle est dominée par une butte sur laquelle se dressent les ruines d'une ancienne kasbah du Glaoui. Les nuits sont fraîches à cette altitude (1 350 m), même en plein été. Lorsque le désert tout proche exhale sa touffeur, les matinées sont particulièrement agréables.

On peut se promener dans la palmeraie en se faisant accompagner. Vous découvrirez une vue d'ensemble de la palmeraie en vous rendant aux gorges, depuis le promontoire de la route.

Les gorges du Todra***

➤ *À Tinerhir prenez la direction d'Er-Rachidia, puis tournez à g. juste avant le radier sur le Todra.*

*L'accès aux gorges est payant. Attention à la foule les week-ends et en pleine saison! **Hébergement** p. 233.*

La route 6902 n'est revêtue que sur 14 km, ce qui suffit pour voir le rétrécissement spectaculaire du lit de l'oued. Elle suit la rive dr. de l'oued et, après 2 km, domine une très belle **palmeraie**** qui borde le lit du Todra. Elle longe l'étroite vallée, qui se resserre de plus en plus jusqu'au niveau de l'hôtel *El-Mansour*, où elle cesse d'être goudronnée. Vous pouvez continuer à pied et, 100 m plus loin, passer l'oued à gué. Attention! le niveau de l'eau peut être élevé au moment des crues; quelqu'un se chargera de vous renseigner. C'est le passage le plus étroit de ces gorges qui n'ont guère plus de 30 m de largeur et dont les falaises verticales atteignent 250 m de hauteur!

Ce paysage impressionnant a servi de décor à de nombreuses productions cinématographiques. On peut y faire des **randonnées** à pied; les rochers à pic sont le terrain favori des amateurs d'**escalade**. ∎

Le Tafilalt

Toute la province paraît empreinte de nostalgie: regret des temps glorieux où la région, bien irriguée, jouait un rôle économique et politique important. Seule l'**irrigation intensive** permettra à cette région de retrouver son opulence avec ses oasis de palmiers-dattiers. Durant plus d'un millénaire, la capitale du Tafilalt fut **Sijilmassa**, fondée, selon Léon l'Africain, par la légion romaine.

➤ *Carte p. 212.*

De Tinerhir à Er-Rachidia

➤ *Itinéraire de 137 km.*

Entre Tinerhir et Er-Rachidia s'étire un plateau désertique et monotone. La route P 32 est rapide et, si vous avez le temps, arrêtez-vous à **Goulmima** (*souk le jeu.*) où une petite route à dr., à 2 km de la sortie du village, mène à l'ancien **ksar***, très pittoresque avec son dédale d'artères et de passages couverts (*rens. sur place*).

Er-Rachidia

➤ *Souk le dim., le mar. et le jeu.* **Hébergement** *p. 233.*

Er-Rachidia est le chef-lieu de la province. Créée sous le protectorat, sans attrait touristique, elle doit son activité à son rôle administratif et militaire ainsi qu'à sa situation géographique au carrefour de voies de communication importantes: la route de Fès au nord, celle de Ouarzazate à l'ouest, celle d'Erfoud au sud et celle de Figuig et du Maroc oriental à l'est. À 500 m du centre, le **ksar de Targa**, toujours habité, montre une architecture caractéristique de la vallée du Ziz.

La vallée du Ziz*

➤ *Depuis Er-Rachidia, remontez au N la P 21 vers Midelt.*

Er-Rachidia borde le Ziz (la «gazelle» en berbère). L'oued descend du Haut Atlas et s'est creusé un lit assez large à travers la montagne stratifiée, fortement érodée. Dans ce lit, dont il n'occupe qu'une partie, poussent palmiers et cultures, dominés par des villages en pisé beige clair.

Pour découvrir les **gorges du Ziz**** depuis Er-Rachidia, on longe les eaux vertes du lac de retenue de l'impressionnant **barrage Hassan-Addakhil**, inauguré en 1971. Sa digue de terre retenant 360 millions de m^3 d'eau permet d'irriguer plus de 15 000 ha et de produire 15 millions de kW par an. Après le tunnel du Légionnaire, édifié vers 1930 dans un site grandiose, la vallée s'évase à hauteur de Rich. Le parcours en sens inverse en partant de Midelt (*p. 164*) est plus beau encore.

Erfoud

➤ *83 km au S-E d'Er-Rachidia par la P 21. Souk quotidien, particulièrement animé le sam.* **Informations pratiques** *p. 233.*

Située aux portes du Tafilalt, l'ancienne ville de garnison française au crépi rose est devenue une étape touristique grâce à la proximité des dunes de l'erg Chebbi. De belles **excursions** sont possibles à partir d'Erfoud. En l'absence de panneaux d'indication, attention aux routes revêtues qui se transforment soudain en pistes impraticables! Ne prenez pas n'importe quel guide (il y en a beaucoup de

Soleil levant sur les dunes

Vous avez décidé de vous rendre seul à **Merzouga** pour assister au lever du soleil sur les dunes (plus spectaculaire que le coucher). Partez la veille et passez la nuit au pied des dunes. Route et piste sont carrossables avec n'importe quel type de véhicule. Sortez d'Erfoud par l'avenue du Prince-Moullay-el-Hassan jusqu'à l'oued, traversez-le en laissant sur la g. le borj. Après 17 km de route goudronnée, prenez à g. vers la piste encadrée de pierres blanchies jusqu'à Kasbah Derkaoua, à mi-chemin entre Erfoud et Merzouga. Contournez la Kasbah par la dr. et rejoignez l'ancienne ligne de poteaux téléphoniques dont les soubassements ont été peints. La piste file parallèlement aux dunes jusqu'à Merzouga. ❖

des centaines de flamants roses de novembre à mars. Le reste de l'année, ce sont des milliers de touristes qui montent à l'assaut des monticules, quand ce n'est pas des rallyes de motocyclistes qui viennent rompre le silence !

Tous les hôtels d'Erfoud *(p. 233)* organisent des excursions pour voir le soleil se lever sur l'erg Chebbi *(59 km; départ vers 4h du matin)*. L'idéal est de dormir au pied des dunes pour profiter de la lumière du soir et du matin, avant l'arrivée des excursionnistes. Éloignez-vous des premières dunes en allant vers **Merzouga**, près du lac, pour trouver un peu de calme.

Rissani*

➤ *22 km au S d'Erfoud. Souk mar. et jeu., marché aux ânes dim. matin.*

➤ **D'ERFOUD À RISSANI.** La P 21 traverse une zone dénudée et austère, où court un réseau compliqué et curieux de canaux d'irrigation anciens, les *feggaguirs*, qui remontent à l'époque phénicienne. Ce système destiné à drainer les eaux des nappes phréatiques prouve que cette région était autrefois cultivée. La vaste **palmeraie*** ne commence aujourd'hui que 10 km après Erfoud. Elle est parsemée de nombreux ksour, tous habités.

Un peu avant d'arriver à Rissani, prenez à dr. une petite route signalée par « **circuit touristique** ». Longue de 21 km, cette piste est parfois assez tourmentée, mais la beauté des lieux vaut bien un peu d'inconfort. Elle franchit le lit de plusieurs oueds creusés dans une sorte de pierre sablonneuse à laquelle s'agrippent les palmiers. Elle croise le **ksar d'Oulad-Abdelhalim****, l'un des plus beaux du Tafilalt avec ses hautes tours aux motifs d'adobe en relief. 2 km plus

faux), vous pourriez vous retrouver dans un tout autre endroit que celui de votre choix ! Utilisez les services de votre hôtel *(p. 233)*, ou logez sur la piste vers Merzouga *(p. 234)*.

Les dunes de Merzouga**

➤ *50 km entre Erfoud et Merzouga, dont 33 km de piste. Accès détaillé, encadré ci-dessus. La présence d'un guide (env. 100 DH) est conseillée. Hébergement à Merzouga p. 234.*

Elles constituent la grande attraction du Tafilalt avec le décor grandiose des **dunes de l'erg Chebbi**, le plus vaste de tout le Sud marocain (plus de 40 km de long et jusqu'à 150 m de haut). En hiver, les dunes abritent le lac **Dayet Srji** qui attire au nord se dresse la **koubba de Moulay Ali-Chérif***, père de Moulay er-Rachid, fondateur de la dynastie alaouite qui règne toujours sur le Maroc. Elle a été reconstruite en 1955 après la crue du Ziz.

➤ **Rissani***. Juste avant Rissani, la piste redevient une route goudronnée en mauvais état. Ancien port caravanier, Rissani est un **marché artisanal** important (nombreuses boutiques de tapis et de bijoux berbères), où l'on respire déjà une atmosphère d'Afrique noire. Les ruines au nord-ouest de Rissani seraient celles de **Sijilmassa**, ancienne capitale du Tafilalt pendant huit siècles. Fondée avant Fès, elle aurait été la seconde ville musulmane d'Afrique du Nord après Kairouan en Tunisie.

Rissani-Zagora par la piste goudronnée

➤ *L'ancienne piste 3454, longue de 245 km, est goudronnée sur tout le parcours. Comptez 4h de trajet sans arrêt.* **Informations pratiques à Alnif p. 232, hébergement à Nekob p. 234.**

Vous pouvez agrémenter le trajet en vous arrêtant à **Alnif** *(à 70 km)* pour découvrir la boutique d'un passionné de trilobites et autres pierres naturelles et même y passer la nuit, si le besoin s'en fait sentir. 67 km plus loin, vous arrivez à **Tazzarine**, jolie palmeraie où il est possible de faire étape, à moins que vous ne souhaitiez poursuivre jusqu'à **Nekob** et profiter d'un très agréable gîte d'étape. De Nekob, il

ne reste qu'une trentaine de kilomètres pour rejoindre **Tansikht** puis une trentaine pour Zagora *(p. 218)*, sur la P 31 qui dessert aussi Ouarzazate. Évitez d'emprunter la piste directe de Tazzarine à Zagora qui est en mauvais état et ne comporte pas de signalisation!

La vallée du Rheris, d'Erfoud à Tinerhir

➤ *Itinéraire de 145 km.*

Autre source de vie du Tafilalt, le Rheris coule en direction d'Erfoud, où il se rapproche du Ziz. Le trajet d'Erfoud à Tinerhir par la 3451 permet d'observer un ancien système d'irrigation par canaux souterrains.

➤ **La palmeraie de Jorf**. Peu après le gué sur le Rheris, vous apercevez la palmeraie et, bientôt, des deux côtés de la route, vous remarquez d'innombrables monticules percés d'un trou. Appelés *khettaras* ou *foggaras*, ce sont les puits d'entretien des canaux souterrains *(feggaguirs)* qui irriguaient autrefois la palmeraie. Négligés au profit de méthodes plus modernes, ils s'effondrent et se comblent peu à peu.

➤ **Vers Tinerhir**. **Touroug** et **Tinejdad** sont entourés de belles palmeraies. Un détour par la P 32 vous mènera à **Goulmima** et à son ancien **ksar*** *(p. 227)*. Au-delà de Tinejdad, vous traversez un plateau désertique dont l'horizon est limité d'un côté par une barrière horizontale de montagnes roses et de l'autre par un chaos de roches foncées, souvent noires. ■

Le Sud atlantique

Cet itinéraire vers Agadir traverse d'abord une contrée désertique dominée par la masse volcanique du **jbel Siroua** d'où proviennent les **cobras** que les montreurs de serpents exhibent place Jemaa-el-Fna à Marrakech. On dit que les bergers ne se séparent jamais d'un antidote à base de plantes dont ils ont le secret. Plus loin, des vallons plus accueillants, recouverts d'arganiers, annoncent la plaine du Souss et le Sud atlantique. La route est longue et assez mauvaise, surtout jusqu'à Taliouine.

➤ *Quittez Ouarzazate par la P 31 en direction de Marrakech et prenez à g. la P 32 vers Agadir.*

Taliouine

➤ *181 km à l'O de Ouarzazate. Carte p. 212. Hébergement p. 236.*

Sur la route, arrêtez-vous à **Tazenakht**, où l'on fabrique des **tapis berbères** très réputés pour leur qualité et l'originalité de leurs couleurs. Une coopérative artisanale en propose un large choix à des prix raisonnables.

Après avoir franchi le Tizi-n-Taghatine (1 886 m), on parvient à **Taliouine**, tranquille village entouré de vergers d'amandiers dans un **site vallonné*** à 930 m d'altitude. Vous y admirez les vestiges impressionnants d'une ancienne **kasbah** du Glaoui *(encadré*

L'arganier

L'arganier, arbre trapu à feuilles persistantes et au tronc noueux, est un **oléagineux** qui n'existe qu'au Maroc, dans un triangle allant du sud d'Essaouira à l'est de Taroudannt au nord de Guelmim. Arbre multiusage, c'est un véritable don du ciel ! Son bois très dur est utilisé en menuiserie et constitue un excellent **bois de chauffage**. Les dromadaires se nourrissent de son feuillage et les chèvres, de la pulpe de ses fruits, quitte à grimper sur l'arbre pour atteindre ceux qui y sont encore accrochés (ils ont la taille d'une grosse olive). On casse le noyau de ce fruit pour en retirer une sorte d'amande qui est grillée puis pressée et d'où l'on extrait l'**huile d'argan**, de couleur rouge, dont le goût rappelle celui de l'huile de noisette. Cette huile d'excellente qualité a de grandes propriétés nutritives et diététiques, grâce à sa concentration en acides gras.

Sur le plan alimentaire, elle est consommée telle quelle ou dans un mélange revigorant à tartiner à base de miel et d'amandes grillées : l'**amlou**. Elle est également utilisée dans des huiles essentielles et des savons. Il existe des coopératives féminines de production d'huile d'argan et de produits de beauté, dont la **coopérative d'huile d'argan Amal**, à Tamanar *(p. 128)*. ❖

Les vertus du safran

Cette épice très onéreuse doit être récoltée délicatement en oct.-nov. et avant le lever du jour pour conserver ses propriétés curatives destinées à soulager les rhumatisants. Elle est utilisée aussi comme colorant et aphrodisiaque. C'est un vrai « **safran pistil** » issu de fleurs de crocus qui ne poussent que dans cette région du Maroc, à ne pas confondre avec le faux safran (carthame) vendu parfois dans les souks. ❖

p. 200). Le lundi, jour du souk, procurez-vous le **safran** produit dans la région (encadré ci-dessus).

Taliouine est le point de départ de **randonnées pédestres dans le jbel Siroua** ou de randonnées en véhicule tout-terrain dans le massif du Toubkal. Renseignez-vous dans les agences de Marrakech (randonnées de l'Atlas à Taroudannt) ou à l'auberge Souktana de Taliouine (p. 236).

De Taliouine à Taroudannt

➤ Itinéraire de 119 km. **Carte p. 244. Hébergement à Oulad-Berhil** p. 236.

28 km après Taliouine, une nouvelle route (7027) part à g. en direction d'Agadir et raccourcit considérablement le trajet. Si vous préférez emprunter l'ancienne route P 32, vous verrez un spectacle curieux: des chèvres juchées sur les branches des arganiers, dont elles apprécient beaucoup les fruits ! Deux étapes de charme vous attendent à **Aoulouz** (28 km de Taliouine) et **Oulad-Berhil** (76 km de Taliouine): on découvre dans ces bourgs tranquilles l'ambiance d'un Maroc d'avant l'invasion touristique. Aux environs de **Taroudannt** (p. 243), le paysage devient plus plat et l'on aborde la plaine du Souss. ■

Le Grand Sud, pratique

Poterie berbère du Sud marocain.

Carte Le Grand Sud p. 212.

■ Agdz

Hôtel

▲ **Kissane**, à l'entrée de la ville en arrivant de Ouarzazate ☎ 044.84.30.44, fax 044.84.32.58. *40 ch.*, *certaines avec air cond.* Piscine et bar. Restaurant sans alcool. Cuisine médiocre et le lieu n'est pas toujours bien entretenu.

Shopping

➤ **ARTISANAT**. La Maison berbère Toudra, près de l'hôtel Kissane ☎044. 84.35.04. Tapis, poteries, bijoux…

■ Aït-Benhaddou

Hôtel-restaurant

▲ **La Kasbah** ♥ ☎ 044.89.03.02, fax 044. 88.37.87. *20 ch.* simples. Piscine dans le jardin. Pour une étape hors des sentiers battus. Restaurant avec terrasse ombragée et vue sur le ksar. Pas d'alcool.

■ Alnif

Hôtels-restaurants

Deux établissements simples. Organisent des bivouacs sous la tente.

▲ **Bougafer Alnif** ☎ 055.78.38.09, fax 055.88.42.89. *8 ch.*

▲ **La Gazelle du Sud** ☎/fax 055.78. 38.13. *6 ch.*

Shopping

➤ **FOSSILES**. Mohammad Bouyiri, en face de la poste, près de l'hôtel Bougafer ☎055.88.40.91. Aucun fossile ou trilobite n'a de secret pour lui! Organise des visites sur sites (bivouacs).

■ Boumalne-du-Dadès

Hôtels

▲▲ **Kasbah Tizzarouine** ♥, sur le plateau qui domine la ville ☎ 044.83. 06.90, fax 044.83.06.91. *26 ch. (13 troglodytiques)* avec tout le confort. Bel ensemble d'architecture traditionnelle. Vue panoramique. Accueil chaleureux mais beaucoup de groupes. Les prestations s'en ressentent parfois. Excursions et bivouacs.

▲ **Chems** ☎ 044.83.00.41, fax 044.83. 13.08. *45 ch.* simples mais propres avec balcon sur la vallée. Terrasse et salon marocain. Bon restaurant. Pas d'alcool. Accueil chaleureux.

■ El-Kelaâ-des-M'Gouna

Hôtels

▲▲ **Les Roses du Dadès** ☎ 044.83.60. 07, fax 044.83.60.07. *102 ch.* Dans le style d'une kasbah. Belle vue sur la vallée et l'oasis.

▲ **Rosa Damaskina**, à 6 km en direction de Ouarzazate ☎ 044.88.69.13, fax 044.83.69.69. *10 petites ch.* Propre. Eau chaude et chauffage. Emplacement exceptionnel sur l'oued. Bon restaurant avec vue panoramique.

Restaurant

♦ **Le restaurant du Pont**, lieu-dit Iberhane, pont d'Almou, près de l'hôtel *Rosa Damaskina*. Accueil aimable. Cuisine marocaine simple mais correcte. Prix très raisonnables.

Fête

➤ **LA FÊTE DES ROSES**. Le 1er week-end de mai, pour clôturer la récolte. Trois jours de manifestations folkloriques et d'expositions. La fête bat son plein le dimanche.

Adresses utiles

➤ GUIDES DE MONTAGNE. **Bureaux des guides et accompagnateurs de montagne**, à 1 km de El-Kelaâ ☎ 044. 83.63.11. À **Souk-el-Khémis** (à 13 km d'El-Kelaâ en direction de Boumalne) ☎ 044.85.03.02. **Mohammed Lamnaouar** (guide diplômé), douar Amednagh 1, Khmis-Dadès ☎ mobile 067.68.92.86.

■ Erfoud

Hôtels-restaurants

▲▲▲▲ **Kenzi Bélère Erfoud**, rue Moulay-Ali-Cherif, route de Rissani ☎055. 57.81.90/95, fax 055.57.81.92. *150 ch. avec s.d.b., air cond. et TV satellite.* Près du centre, dans un cadre agréable, tout le confort moderne. Piscine, discothèque. 3 restaurants, bar. Parking.

▲▲▲ **Salam**, route de Rissani ☎055. 57.66.65, fax 044.57.64.26. *160 ch.* Dans le style kasbah, avec des murs en pisé. Piscine. Sauna et jardin oasis.

▲▲ **Kasbah Asmaa**, à 16 km sur la route de Rissani ☎ 055.77.40.83, fax 055.57.54.94. Agréable accueil. Piscine. Bon restaurant marocain.

▲▲ **Kasbah Tizimi** ♥, à 600 m sur la route de Jorf ☎ 055.57.61.79/73.74, fax 055.57.73.75. *34 ch.* très confortables autour de patios. Architecture en pisé. Piscine, bonne table.

Restaurant

♦ **Restaurant du Sud**, 19, av. Mohammed-V ☎ 055.57.71.54. Bonne cuisine marocaine. Lieu très agréable.

Fête

➤ LA FÊTE DES DATTES. **Fin octobre**. 3 jours de rassemblement des tribus berbères, avec concours de dattes, danses, course de chameaux et élection de la « princesse des dattes ».

Adresse utile

➤ AGENCE DE VOYAGE. **Tafilalt Aventure et Découverte Merzouga Car**, av. Moulay-Ismaïl ☎ 055.57.65.35, fax 055.57.60.36. Programmes pour découvrir la région.

■ Er-Rachidia

ℹ Av. Moulay-Ali-Chérif ☎ 055.57. 09.44, fax 055.34.47.89.

Hôtel

▲▲▲ **Kenzi Rissani**, av. Moulay-Ali-Chérif ☎ 055.57.25.84, fax 055.57. 25.85. *60 ch. avec air cond.* dans un jardin calme avec piscine. Restaurant et cafétéria.

■ Gorges du Dadès

Hôtels

▲▲ **Chez Pierre** ♥, au km 25 sur la dr. ☎ 044.83.02.67. *5 ch.* confortables dans une belle maison en pisé. Jardins en terrasses, piscine. Cuisine raffinée. Une étape de charme. La meilleure adresse de la région.

▲ **Le Vieux Château du Dadès**, Aït-Oudinar, après le pont ☎ 044.83.17. 19, fax 044.83.02.21. *23 ch.* avec eau chaude. Camping, restaurant. Hôtel simple et bien tenu. Excursions. Bon accueil.

▲ **Auberge Atlas-Berbère**, au km 28 ☎ 044.83.17.42. *10 ch.* Une adresse de charme dans une kasbah. Propreté et amabilité.

▲ **La Gazelle du Dadès**, au km 27 ☎ 044.83.17.53. *16 ch.* Adresse simple, très bien tenue. Terrasse panoramique.

■ Gorges du Todra

Hôtels

Attention, ces deux établissements, simples mais dotés d'une situation exceptionnelle (dans les gorges), reçoivent des groupes de plusieurs centaines de touristes au déjeuner.

▲ **Les Roches** ☎ 044.89.51.34. *34 ch. simples avec s.d.b.* et eau chaude. Restaurant (sous des tentes). Organisation de randonnées avec des guides.

▲ **Yasmina**, à côté de l'hôtel *Les Roches* ☎ 044.89.51.18, fax 044.83.30.13. *42 ch.* simples, toutes avec s.d.b. Légèrement plus confortable que le précédent.

■ Imilchil et les lacs

Gîte

▲ **Auberge Tislit**, au bord du lac Tislit. ☎ 055.52.48.74, fax 055.52.70.39. Gîte et couvert sans prétention mais chaleureux. Excursions et randonnées.

Adresse utile

Association provinciale des guides de montagne d'Er-Rachidia (APAME), Hôtel Islane ☎ 023.44.28.06. Possibilité d'y dormir dans des ch. très simples.

■ Merzouga et l'erg Chebbi

Hôtels

▲▲ **Kasbah Hôtel Saïd** ♥, à 19 km d'Erfoud et 14 km de Merzouga ☎ 055.57.71.54. *16 ch. avec s.d.b.*, parking pour le caravaning. Cuisine biologique. Excursions à dromadaire.

▲ **Ksar Sania**, à 1,5 km sur la piste de Taouz ☎ 055.57.74.14, fax 055. 57.72.30. *26 ch.* Tenu par un couple de Français. Bon rapport qualité/prix. Restaurant. Organisation d'excursions.

■ Mhamid

Camping

▲ **Ouled Driss**, près du musée de la Maison traditionnelle (même famille) ☎ 044.84.86.91. *6 ch.* avec s.d.b., 8 tentes berbères, parking pour le caravaning. Restaurant. Excursions vers les dunes de Cheggaga.

■ Nekob

Hôtel

▲▲ **Baha Baha** ♥ ☎ 044.83.84.63, fax 044.83.84.64. *10 ch.* Gîte d'étape propre et agréable dans une kasbah. Organisation de bivouacs et d'excursions. Piscine, restaurant.

■ Ouarzazate

ⓘ Av. Mohammed-V, près de la municipalité ☎ 044.88.24.85, fax 044.88.52.90. *Ouv. lun-ven 8 h 30-12 h et 14 h 30-18 h 30.* Dans les mêmes locaux : **Association des guides et accompagnateurs en montagne** de la province de Ouarzazate et **Association provinciale des propriétaires de gîtes**.

Arrivée

➤ **EN AVION. Aéroport Taourirt**, à 3 km au N-E ☎ 044.88.23.48. Pas de navettes mais des petits taxis.

➤ **EN CAR. CTM**, av. Mohammed-V, en face de la municipalité, près de la Poste.

Hôtels

▲▲▲▲ **Méridien Berbère Palace**, quartier El-Mansour-Eddahbi ☎ 044.88.31.05/29.67, fax 044.88.30.71. *211 ch. avec air cond.*, patio ou terrasse. Le bâtiment principal, au centre d'un village de bungalows, abrite restaurants, salons et bar. Grande piscine, solarium, hammam, fitness-club. Architecture originale et décoration de style mauresque assez sobre.

▲▲▲ **Hôtel-Club Hanane**, av. Erraha (zone hôtelière) ☎ 044.88.25.55, fax 044.88.57.37. *118 ch.* Toutes commodités : ch. avec air cond. et TV, solarium, hammam, restaurant, 2 bars, cybercafé, location de VTT.

DANS LES ENVIRONS

▲ **La Vallée**, à 2 km sur la route de Zagora ☎ 044.85.40.34, fax 044.85.40.43. *20 ch. avec s.d.b.* Piscine. Bar, restaurant. Bon accueil.

Villages de vacances

▲▲▲ **Kenzi Azghor**, av. Prince-Moulay-Rachid ☎ 044.88.65.01/05, fax 044.88.63.53. *91 ch. petites avec air cond.* Piscine, hammam, jacuzzi, terrain de sports. Restaurant. Magnifique terrasse-solarium avec vue sur la vallée. Belle décoration.

▲▲ **La Palmeraie**, Charia Al-Maghrib-al-Arabi (zone hôtelière) ☎ 044.88.57.70, fax 044.88.57.49. *132 ch. avec s.d.b.*

Le moussem des Fiancés

Pour le moussem des Fiancés, les filles se parent de leurs bijoux et se maquillent, tandis que les hommes portent leurs plus beaux vêtements.

Cette fête, qui se déroule près d'Imilchil *(p. 224)*, est l'occasion d'un grand rassemblement annuel de **Berbères du Haut Atlas**, généralement en août ou septembre *(renseignez-vous à l'❶ de Marrakech, p. 203 ou de Ouarzazate, p. 234)*. Il s'agit d'abord d'une **foire** d'une ampleur exceptionnelle à laquelle viennent se ravitailler pour un an des centaines de familles. Des milliers de bêtes changent de propriétaire au cours de ces quelques jours. Il n'y a pas de foire sans fête. Celle-ci s'organise autour du marabout d'un saint homme. Les festivités, qui durent trois jours et trois nuits, sont présidées par des officiels et ponctuées par des danses folkloriques. L'ampleur de la fête n'est pas la seule raison de la renommée d'Imilchil. Une tradition, dont les origines tiennent de la légende, raconte qu'il y a très longtemps un jeune homme et une jeune fille de la **tribu des Aït-Haddidou** s'aimaient et voulaient se marier, mais ils appartenaient à des groupes rivaux et leurs parents s'opposèrent au mariage. Séparés, les amoureux versèrent tant de larmes qu'elles donnèrent naissance à deux lacs voisins, **Tislit** et **Iseli**. Depuis, les jeunes de la tribu ont le droit de se choisir librement, et des mariages collectifs ont lieu durant le moussem.

En réalité, même si de nombreux mariages sont célébrés à Imilchil, la décision est le plus souvent prise longtemps à l'avance par les familles, qui négocient lors de la fête la valeur de la dot en dromadaires, arpents de terre ou brebis, et les jeunes gens n'ont pas toujours leur mot à dire. ❖

et air cond. donnant sur le jardin, les patios, la piscine. 2 restaurants, activités sportives.

Restaurants

♦♦♦ **Fint**, av. Mohammed-V ☎ 044. 88.48.86. En face de la Kasbah de Taourirt. Excellente cuisine marocaine, en salle ou en terrasse. Cadre agréable.

♦♦♦ **Le Ouarzazate**, complexe touristique, à la sortie de la ville vers Tinerhir ☎ 044.88.31.10. Une belle architecture. Cuisine marocaine servie dans de magnifiques salons ou sous des tentes. Beaucoup de groupes.

♦♦♦ **Obélix** ♥, av. Moulay-Rachid ☎/fax 044.88.28.29. Ce restaurant doit son nom au film d'Alain Chabat *Astérix et Obélix, mission Cléopâtre*. Dans un décor de pyramides, spécialités marocaines et internationales.

♦ **Chez Nabil**, rue de la Poste, près du supermarché du Dadès ☎ 044.88. 45.45. Excellentes brochettes et spécialités marocaines sur commande.

♦ **La Datte d'or**, rue Moulay-Rachid ☎ 044.88.71.17. Sympathique. Cuisine marocaine très correcte. Excellent rapport qualité/ prix. Pas d'alcool.

Shopping

➤ **ARTISANAT. Centre artisanal**, face à la kasbah de Taourirt ☎ 044.88. 24.92. Divers artisans travaillent et vendent leurs produits sur place. **Coopérative artisanale du tapis**, av. Mohammed-V, en face de la poste ☎ 044.88.71.91. *Ouv. 8h-19h.* Spécialité : les Ouzguita de la région du Siroua. **Foire artisanale** en mai. **Horizon Artisanal**, av. de la Victoire ☎ 044.88.69.38. *Ouv. lun.-ven. 9h-19h.* Les bénéfices des ventes sont destinés à des enfants handicapés. **Atelier de la pierre fossilisée**, av. Mohammed-V (Tassoumaate : à l'entrée de la ville, sur la g., en venant de Marrakech) ☎ 044.88.68.31. Expédition vers tous les pays.

➤ **SOUK.** Le mar. à Sidi-Daoub et le sam. à Tabounte.

Sports et loisirs

➤ **EXCURSIONS À QUADS. Quad Aventure** (près des studios de l'Atlas, à l'entrée de la ville, en venant de Marrakech) ☎/fax 044.88.40.24.

➤ **GOLF. Royal Golf**, à 20 km sur la route de Boumalne-du-Dadès ☎ 044. 88.26.53. 9-trous. Prévoir de l'eau.

➤ **LOCATION DE VTT.** Au restaurant *La Datte d'or.*

Adresses utiles

➤ **AGENCES DE VOYAGES. Crème solaire voyages**, 8, bd Mansour-Eddhabi ☎ 044. 88.66.54, fax 044.88.66.55. **Berbère Évasion** ☎/fax 044.88.35.24. www.berbere-evasion.com. Circuits et excursions.

➤ **BANQUES.** Dans l'av. Mohammed-V. Distributeur à côté de la Royal Air Maroc. Change dans les hôtels.

➤ **COMPAGNIE AÉRIENNE. Royal Air Maroc**, av. Mohammed-V ☎ 044. 88.50.80/51.02. Correspondant d'Air France.

➤ **CYBERCAFÉS.** À l'**Hôtel Hanane** et **Ouarzazate Web**, 51, av. Mohammed-V ☎ 044.89.02.97 .

➤ **POSTE.** Av. Mohammed-V.

➤ **URGENCES. Pharmacie de nuit.** À la municipalité, en face de la poste. *Ouv. de 22h30 à 8h30.* **Pharmacie de garde.** *Ouv. de 8h30 à 22h30, à tour de rôle.*

■ Oulad-Berhil

Hôtel

▲▲ **Riad Hida** ♥, à 40 km au N-E de Taroudannt ☎ 048.53.10.44. Palais de pacha du XIXe s. Jardin luxuriant habité de paons. Demi-pension.

■ Skoura

Hôtel

▲▲▲ **Ben Moro**, 3 km avant Skoura sur la g. ☎/fax 044.85.21.16. *17 ch.* Splendide kasbah du XVIIe s. Très confortable. Beau jardin et terrasse panoramique. Maison d'hôtes de charme.

Café-restaurant

♦ **La Kasbah, Chez Jebrane**, sur la route principale ☎/fax 044.85.20.78. Très simple, cuisine saine. Excellentes brochettes et bon fromage.

■ Taliouine

Hôtels

▲▲▲ **Ibn Toumert**, près de la kasbah du Glaoui ☎ 048.53.41.25. Hôtel bien situé. Rapport qualité/prix médiocre.

▲ **Auberge Souktana**, à 2 km sur la route de Ouarzazate ☎ 048.53.40.75. *4 ch. avec s.d.b.* et 4 tentes aménagées dans le jardin. Cuisine marocaine. Étape sommaire, mais agréable. Départ pour l'ascension du Siroua.

■ Tamegroute

Hôtels

▲▲ **Porte au Sahara**, au km 25 au pied de la dune de Tinfou ☎ 044.84.85.62, fax 044.84.70.02. Belle architecture. *10 ch.* confortables et tentes berbères. Restaurant et bar. Excursions et bivouacs.

▲ **Jnane-Diafa**, en face de la bibliothèque coranique ☎ 044.84.86.22. *7 ch.* simples mais très propres. Dans un beau jardin. Restaurant. Excellent accueil. Adresse de charme.

Shopping

➤ **POTERIES. Coopérative de potiers.** Aït Mahjoub ☎ 067.59.82.97. Sept familles y fabriquent, à partir de la terre glaise de la palmeraie, des poteries vernissées, spécialité du lieu.

■ Tinerhir

Hôtels

▲▲▲ **Kenzi Bougafer**, à l'entrée de la ville ☎ 044.83.32.00/60, fax 044.83. 32.82. *116 ch. Air cond.* Piscine. Excellent accueil. Restaurant et bar. Groupes uniquement. Guides officiels.

▲▲ **Kenzi Saghro**, bd des F.A.R., zone touristique ☎ 044.83.41.81, fax 044. 3.43.52. *70 ch. avec s.d.b., air cond.,* TV, piscine, solarium, terrasse panoramique, restaurants, bar. Organisation de bivouacs et excursions. Accueil chaleureux.

▲▲ **Tombctu** ♥, av. Bir-Anzarane. En arrivant de Ouarzazate, rue sur la dr. ☎ 044.83.46.04, fax 044.83.35.05. *14 ch.* Du charme. Kasbah restaurée. Piscine, galerie d'exposition. Excursions en VTT et à dromadaire.

■ Zagora

Hôtels-restaurants

▲▲ **La Fibule du Drâa**, à 2 km du centre sur la route de Mhamid, 300 m après le pont Oued Drâa ☎ 044.84. 73.18, fax 044.84.72.71. *24 ch. avec air cond. et tél. direct.* Petite piscine. Jardin agréable. Restaurant et bar.

▲▲ **Kasbah Asmaa**, en face du précédent ☎ 044.84.72.41/75.99, fax 044.84. 75.27. *40 ch. avec air cond. et s.d.b.* Magnifique kasbah en pisé dotée d'un jardin de rêve. Bonne cuisine servie dans des salons marocains, sous les tentes caïdales ou autour de la piscine. Aurait besoin d'être rénové, en particulier les s.d.b.

▲▲ **La Perle du Drâa**, sur la route de Mhamid, à 4 km ☎ 044.84.62.10/12, fax 044.84.62.09. *40 ch. avec air cond.* Piscine.

▲▲ **Ksar Tinezouline**, en arrivant à Zagora depuis Ouarzazate, à g. juste après la porte ☎ 044.84.72.52/55, fax 044.84.70.42. *83 ch. (3 suites)* avec air cond. et s.d.b. divisées en 2 catégories : chambres petites refaites, pour des groupes ; chambres individuelles plus grandes dans la partie ancienne. Vaste jardin et piscine. Bar, 2 restaurants.

▲ **La Palmeraie**, av. Mohammed-V, face au panneau pour Tombouctou ☎ 044.84.70.08. *60 ch. dont 30 avec air cond.* Simple mais propre. Piscine, restaurant et bar.

▲ **Sirocco**, à Amazraou ☎ 044.84.61. 25, fax 044.84.61.26. *20 ch. avec air cond. et s.d.b.* Piscine, restaurant et bar. Tenu par des Français. Organisation d'excursions et de bivouacs.

Adresses utiles

➤ **BANQUES. Banque populaire et BMCE**, av. Mohammed-V ; change dans tous les hôtels.

➤ **EXCURSIONS DANS LE DÉSERT.** Avec bivouacs et spectacles folkloriques. Rens. à la **réception des hôtels**, à **La Caravane du Sud** (près des hôtels *Kasbah Asmaa* et *Fibule du Drâa*, ☎ 044.84.75.69, fax 044.84.74.97 ; comparez les prix, élevés), chez **Tombouctour** (79, av. Mohammed-V ☎ 044.84.82.07, fax 044.84.75.33 ; trekking, bivouacs, 4x4, VTT). ■

AGADIR ET L'ANTI-ATLAS

« L'autre » Sud marocain joue sur des contrastes forts : la plaine du Souss, la chaîne de l'Anti-Atlas et les basses terres qui longent la côte jusqu'à la limite du désert sont autant de terrains auxquels les hommes ont dû adapter leurs activités. Si bien que, après s'être prélassé sur la longue plage d'Agadir, on peut aller à la rencontre des tribus berbères des montagnes (Guelmim, Asrir, Tata...), admirer les villages agricoles de la plaine du Souss, avant de se perdre dans les vastes solitudes du Sahara. L'unité de la région est assurée par des limites bien définies : le Haut Atlas au nord, l'océan Atlantique à l'ouest, le volcan du Siroua à l'est et le Sahara au sud.

Encore plus méridionale que le Grand Sud, la région aurait, en raison de sa latitude, un climat de type saharien s'il n'était atténué par les **vents d'ouest** porteurs d'humidité ; même si cette influence maritime ne se fait sentir qu'au nord de l'Anti-Atlas, créant un contraste sensible entre les deux versants de la chaîne : paysages riants du versant nord, arides du versant sud. En outre, la présence de l'**oued Souss**, grâce à une irrigation améliorée, assure la fertilité de la plaine qu'il traverse.

C'est pourquoi cette région, dont Agadir est la capitale, bénéficie d'une relative **prospérité économique** par rapport aux zones semi-désertiques du Grand Sud : les primeurs et les agrumes de la vallée du Souss sont largement exportés, les ressources minières de l'Anti-Atlas et du Sahara occidental sont exploitées, tandis que l'abondance de poisson le long des côtes fait de la pêche et des industries dérivées un facteur important de richesse.

Tout au long de leur histoire, Agadir et son arrière-pays ont été soumis à des influences multiples : tribus remontant du sud pour conquérir le pays, tels les Almoravides, Portugais décidés à s'établir sur la côte. La région ne fut donc jamais isolée et s'ouvrit au com-merce européen tout en jouant le rôle de trait d'union entre l'Afrique noire et le Maroc du nord. Cette vocation multiple est encore sensible : **Agadir**, ville neuve dont les points forts sont le soleil, la mer et les sports, est le symbole même du tourisme moderne ; en revanche, à 80 km de distance, **Taroudannt** est à l'image du Maroc millénaire, tandis que, plus au sud, **Tafraoute** et ses environs évoquent plutôt une terre intemporelle et secrète.

➤ *Carte p. 244.*

Agadir et ses environs

Cette villégiature offre sa baie magnifique entourée de collines, sa plage de rêve, son climat enchanteur tempéré par la brise atlantique, un ensoleillement maximal et un savoir-faire hôtelier qui attire de nombreux vacanciers.

L'HISTOIRE ARRÊTÉE

Certains pensent qu'il y eut un comptoir phénicien ou carthaginois à l'emplacement qu'occupe aujourd'hui Agadir. Mais cette hypothèse n'est fondée que sur l'étymologie de son nom. En réalité, les origines de la ville sont inconnues et elle ne fait son entrée dans l'histoire qu'au début du XVIe s., lorsque les Portugais y établissent un modeste comptoir, **Santa Cruz de Cap de Gué**. Ils en sont chassés dès 1541 par le fondateur de la dynastie saadienne, **Mohammed ech-Cheikh**. Pour consolider leur occupation, les **Saadiens** construisent une kasbah. La ville connaît sous leur règne une

Programme

Une demi-journée suffit à la visite de la ville. En effet, Agadir est une station balnéaire. On y vient donc pour séjourner. Elle est aussi le point de départ de belles **excursions** le long de l'Atlantique et dans l'Anti-Atlas. ❖

réelle prospérité et une certaine indépendance dans ses échanges commerciaux avec l'Europe. Une telle attitude ne pouvait que déplaire, un jour ou l'autre, au sultan : en 1760, Sidi Mohammed ben Abdellah ferme le port au commerce européen et fonde le port concurrent d'Essaouira.

La ville décline et sombre dans l'oubli jusqu'à ce qu'elle se trouve par hasard au centre d'un conflit franco-allemand : en 1911, un vaisseau de guerre allemand, le *Panther*, mouille devant son port

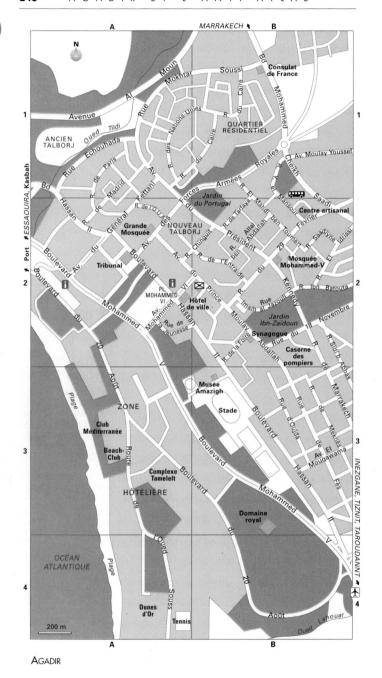

AGADIR

dans un but d'intimidation. Des négociations évitent la guerre et, en échange de concessions territoriales au Congo, les Allemands acceptent de se désintéresser du Maroc. Sous le protectorat, Agadir connaît un nouvel essor et commence à s'ouvrir au tourisme.

Mais l'histoire s'arrête brutalement le 29 février 1960, à 23 h 47. Un terrible **tremblement de terre** détruit 80 % de la ville, tuant 15 000 personnes. Aujourd'hui, Agadir est une ville neuve et moderne ; seuls quelques pans de murs discrets rappellent qu'elle a un passé.

➤ *Informations pratiques p. 252.*

Visite de la ville

Pour avoir une vue d'ensemble de la ville et du port, suivez la route en corniche jusqu'à la kasbah.

La kasbah

Hors pl. par A2 Elle domine l'océan de 236 m. Autrefois la partie la plus peuplée d'Agadir, c'est aujourd'hui une ruine où flottent les fantômes des milliers de victimes ensevelies sous ses gravats. Du haut des remparts reconstruits après le séisme, la vue embrasse le port de pêche et, au-delà d'un immense terrain vague, cimetière de l'ancienne ville, la ville nouvelle, toute blanche sous le soleil. À l'intérieur de l'enceinte, il ne reste rien de la forteresse bâtie en 1540 par le sultan Mohammed ech-Cheikh et occupée au XVIIIe s. par les Hollandais.

Le port

Hors pl. par A2 Agadir est le **premier port de pêche marocain** et le premier port sardinier du monde avec son unité industrielle de traitement du poisson. La visite du port est intéressante : vous passez devant les chantiers navals, où sont construits des bateaux de pêche en eucalyptus, puis le long des quais, au milieu de l'animation suscitée par la vente du poisson ; dans la rade se dressent les mâts des petits bateaux, à l'ombre des gros chalutiers un peu à l'écart.

La ville nouvelle

AB2 Depuis le port, le boulevard Mohammed-V mène à la ville nouvelle. Le centre s'ordonne autour du boulevard Hassan-II : les principales artères se croisent à angle droit, bordées d'édifices publics, de jardins, d'hôtels, de restaurants, de cafés, de boutiques et d'un marché couvert. Le **quartier touristique**, entre la mer et le boulevard Mohammed-V, s'agrandit constamment vers le sud, accueillant de nouveaux complexes hôteliers.

➤ **LA PLAGE A3-4.** Avec ses 9 km de sable fin et blond, la plage constitue le principal attrait d'Agadir. Vous pourrez y pratiquer de nombreux sports nautiques.

➤ **LE MUSÉE AMAZIGH** OU MUSÉE BERBÈRE B3.** *Passage Aït-Souss* ☎ *048.84.38.38. Ouv. 10 h-19 h sf dim. et fêtes.* Dans ce lieu à l'architecture contemporaine et à la scénographie dépouillée, est présentée une très riche collection de bijoux traditionnels et d'objets de la vie quotidienne (poteries, vaisselle) qui témoignent de la richesse de la **culture berbère** régionale.

➤ **LA VALLÉE DES OISEAUX A2.** *Entre le bd du 20-Août et le bd Hassan-II. Ouv. 9 h 30-12 h 30 et 14 h 30-18 h 30.* Ce jardin zoologique héberge des oiseaux provenant de la réserve du Souss-Massa.

La médina d'Agadir

➤ **Hors pl. par B4** *À 4 km du centre sur la route d'Inezgane* ☎ *048.28.02.53. Ouv. t.l.j. 8 h-18 h. Entrée payante.*

Cette reconstitution fidèle d'une médina est l'œuvre d'un Italien passionné de culture berbère. Elle abrite des ateliers d'artisans, un riad, des cafés et des restaurants.

Les environs d'Agadir

➤ *Quittez Agadir par la route côtière P 8 en direction d'Essaouira, dans le prolongement du bd Mohammed-V. Comptez une demi-journée. Si vous en avez le temps, poursuivez la route panoramique qui longe la côte jusqu'à Essaouira (p. 125). Dans ce cas, comptez une journée (350 km A/R).* **Hébergement à Imouzzèr-des-Ida-Outanane** *p. 255.*

➤ *Carte p. 244.*

À quelques kilomètres au nord d'Agadir, le Haut Atlas vient se précipiter dans l'océan. L'excursion que nous vous proposons vous permettra d'explorer une région tourmentée et sauvage aux vallées encaissées, occupée par des tribus berbères longtemps indépendantes du pouvoir central.

➤ ♥ **IMOUZZÈR-DES-IDA-OUTANANE***. *61 km au N-E d'Agadir; au bout de 12 km sur la P 8, prenez à dr. la 7002 vers Oulma et Imouzzèr-des-Ida-Outanane. Souk le jeu.* La route est étroite et sinueuse, mais goudronnée. Elle passe à **Tifrit** *(31 km d'Agadir)*, où l'on peut faire une agréable promenade dans la «**vallée du Paradis**». La montagne apparaît, striée de plissements. La route suit les gorges d'un affluent de l'Asif Tamrhakht, bordé de palmeraies, que dominent des villages en pisé.

Le village d'**Imouzzèr-des-Ida-Outanane**, aux maisons blanches, s'accroche sur une hauteur. En contrebas se trouvent une petite palmeraie et des cascades alimentées de janvier à mars, accessibles par une piste goudronnée de 4 km environ. La région, très touristique, est célèbre pour son **miel**.

➤ **TAGHAZOUTE ET SA PLAGE.** *19 km au N d'Agadir par la P 8.* La route traverse **Tamrhakht** *(13 km au N d'Agadir)*, centre important de production de bananes. Au km 19, le village de pêcheurs de **Taghazoute** domine la plage, peu entretenue. Elle est fréquentée par des champions de surf qui viennent affronter les déferlantes de Killer Point. On peut pratiquer la pêche sous-marine à proximité. ■

La plaine du Souss et l'Anti-Atlas

Dans cette région, deux paysages se côtoient et s'opposent : une plaine fertile et accueillante arrosée par le Souss, et une montagne aride, chaotique, qui offre certains des paysages les plus fascinants du Maroc.

➤ *Carte p. 244.*

Taroudannt** et Igherm

➤ *Itinéraire de 174 km à l'E d'Agadir.*

Plus que toute autre ville, Taroudannt vous fera découvrir le Maroc historique, fier, défenseur farouche de son intimité, comme en témoignent les femmes voilées de bleu foncé. En poursuivant jusqu'à Igherm, vous pénétrerez au cœur de l'Anti-Atlas.

Taroudannt**

➤ *80 km à l'E d'Agadir. Quittez Agadir par la P 32 en direction de Marrakech et Ouarzazate. Attention ! la sortie d'Agadir est difficile : circulation intense et dangereuse à travers des faubourgs qui n'en finissent pas de s'étendre. Plus loin, la vallée du Souss où embaument les orangers respire l'opulence.* **Hébergement p. 255.**

Si ce n'était la masse imposante des murailles qui l'entourent, nul ne se douterait en arrivant à Taroudannt de l'important passé de cette petite ville tranquille (36 000 habitants), dont la découverte est un régal.

Occupant une position stratégique entre le Haut Atlas au nord et l'Anti-Atlas au sud, Taroudannt se devait d'avoir un destin glorieux.

Construits en pisé de couleur ocre et remarquablement entretenus, les remparts de Taroudannt semblent presque trop grandioses pour cette petite ville paisible.

Après sa conquête par les Almoravides en 1056, son histoire se confond définitivement avec celle du Maroc. En 1520, les **Saadiens**, qui se sont donné pour mission de chasser les Portugais installés à Agadir, en font leur quartier général. Plus tard, lorsqu'ils adoptent Marrakech comme capitale, ils n'abandonnent pas pour autant Taroudannt, qui connaît sous leur dynastie son apogée économique et culturelle. Mais, en 1687, Moulay Ismaïl lui porte un coup fatal en faisant massacrer une partie de sa population pour la punir d'avoir pris le parti de l'un de ses rivaux ; la fermeture du port d'Agadir assure son lent déclin. Taroudannt conteste encore plusieurs fois le pouvoir central, notamment lorsqu'elle abrite **El-Hiba**, le « sultan bleu », qui, n'ayant pas accepté la signature du traité de protectorat, prendra les armes contre la France jusqu'à sa mort en 1919.

➤ **LES SOUKS.** La place Assarag ou el-Alayouine est le cœur de la ville. Une ruelle permet d'accéder aux **souks**. Peu étendus, mais très animés, ils offrent un spectacle coloré et original. Ne manquez pas le **souk des bijoutiers** : vous trouverez des pièces vendues au poids et toute la production artisanale dont on regrette la récente baisse de qualité. Cette constatation s'applique d'ailleurs à toutes les régions autrefois réputées pour leurs bijoux berbères. Vous trouverez aussi de nombreux objets usuels et des figurines en pierre sculptée, matériau extrait des montagnes voisines.

➤ **LES REMPARTS.** Longs de 7 km, ils sont percés de cinq portes et flanqués de tours carrées datant du XVIIIe s. À l'extérieur, des jardins soulignent leur beauté et leur

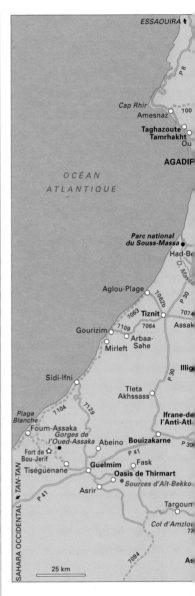

L'ANTI-ATLAS

monumentalité. Faites le tour en voiture *(30 mn env.)* ou en calèche, le soir de préférence, afin de profiter de l'embrasement de la

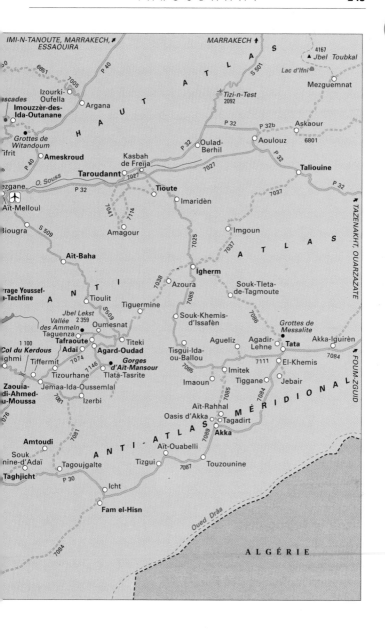

muraille au coucher du soleil. De Taroudannt, vous pouvez rejoindre Ouarzazate à l'E par la P 32 (*292 km*), qui passe par Taliouine (*p. 230*). En bifurquant vers le N, on atteint Marrakech par la S 501 (*223 km*), qui franchit le Tizi-n-Test (*p. 193*).

Tioute et Igherm

➤ *Après Taroudannt, empruntez la route 7025 pour Igherm ; après quelques kilomètres, tourner à dr. sur la 7023 vers Tioute.*

➤ TIOUTE. *29 km au S-E de Taroudannt. Souk le mer.* Tioute est dominé par une ancienne kasbah dont la terrasse offre un panorama sur sa belle palmeraie, la vallée du Souss et le Haut Atlas dans le lointain. La kasbah a été malheureusement défigurée par un restaurant en béton construit dans les ruines en pisé. Vous pouvez louer un âne pour vous promener dans la **palmeraie**.

➤ IGHERM. *94 km au S-E de Taroudannt. Souk le ven.* Revenez sur la 7025, qui s'élève progressivement à travers l'Anti-Atlas jusqu'à Igherm, perché à 1 800 m. Ce village fortifié est le centre administratif de la tribu des Ida Oukensous, réputés pour leurs poignards en argent finement ciselé et leurs fusils incrustés de marqueterie.
De là, vous pouvez rejoindre Tafraoute par la piste 7038 (en tout-terrain seulement).

Tiznit et Tafraoute***

D'Agadir, on rejoint Tiznit par l'unique grande voie d'accès au Sahara occidental. De Tiznit à Tafraoute, la route devient étroite et assez fréquentée, surtout le jeudi, jour du souk de Tiznit. Quant à la section Tafraoute-Aït-Baha, c'est une route de montagne très sinueuse et mal entretenue, où il faut être extrêmement prudent. Il est donc essentiel de consacrer une journée entière à la réalisation de ce circuit, en partant de préférence tôt le matin.

Le parc national du Souss-Massa*

➤ *65 km au S d'Agadir. Quittez Agadir par la P 30 en direction de Tiznit ; à Had-Belfa, une petite route à dr. rejoint l'embouchure de l'oued Massa. 7 km plus loin, laissez à dr. le panneau indiquant M'Rbat et continuer sur la même route. La route goudronnée s'interrompt lorsqu'on arrive à la réserve (accès interdit aux véhicules).*

La zone a été déclarée en 1991 « Parc national » pour protéger sa réserve naturelle d'oiseaux. La rencontre des eaux douces de l'oued Massa et salées de l'océan et la douceur du climat attirent les **oiseaux migrateurs**.

Le foulque macroule, au corps noir et au bec blanc, le flamant rose de Camargue, le canard fuligule milouin, rouge, blanc et noir, y passent l'hiver. Le balbuzard pêcheur au plumage noir et blanc, les hérons et les cormorans y font halte de mars à septembre. L'**ibis chauve**, au crâne rose coiffé d'une couronne de plumes couleur bronze, y joue la vedette car, espèce très menacée, il ne se montre pratiquement qu'ici, où il a élu domicile en permanence.

La meilleure saison pour les observer se situe de décembre à mars (munissez-vous de jumelles). Roselières, tamaris, mimosas, acacias, euphorbes cachent une faune terrienne ou amphibie très variée.

Tiznit

➤ *91 km au S d'Agadir par la P 30. Souk le jeu.* **Hébergement** *p. 255.*

Cette ville de 25 000 habitants se situe au cœur d'une région à l'économie active.

Sa fondation ne remonte qu'en 1882, alors que le sultan Moulay

Hassan essayait de soumettre la région à l'autorité du pouvoir central. En 1912, un rebelle, le « **sultan bleu** » **El-Hiba**, originaire de Mauritanie, se fit proclamer sultan dans la mosquée, entraînant avec lui les hommes bleus jusqu'à Marrakech où il se heurta aux troupes françaises.

En arrivant au grand carrefour, prenez à dr. en suivant le panneau « médina ». En longeant les remparts, vous parviendrez sur une grande place, le **méchouar,** qui est le centre de la ville. Les innombrables boutiques qui la bordent indiquent la proximité des souks. Après avoir garé la voiture, engagez-vous dans une des ruelles propres et animées qui conduisent au **souk des bijoutiers***. La fabrication des bijoux en argent est l'une des spécialités de l'artisanat de Tiznit, mais la facture en est devenue assez grossière et seules les pièces anciennes sont de nos jours recherchées. Les armes incrustées

Tiznit s'abrite derrière une belle muraille crénelée de couleur ocre rose, longue de 6 km.

sont plus finement travaillées. Le **minaret** de la mosquée, au cœur de la médina, est surmonté de perches qui doivent permettre aux âmes des morts de reposer en paix.

En sortant de Tiznit, vous repasserez par le grand carrefour ; prenez la route de Tafraoute (7074). Un peu plus loin à dr., vous remarquerez une vaste enclave de terre battue : c'est là que se tient le **souk** du jeudi, auquel se rend une foule auréolée d'un véritable nuage de poussière !

Le col du Kerdous** et Adaï**

➤ *Continuez sur la 7074 vers Tafraoute.* **Hébergement au col du Kerdous** *p. 254.*

La route se dirige d'abord vers les contreforts de l'Anti-Atlas à travers une étendue plate recouverte de maigres cultures. Après **Assaka**, elle suit la vallée d'un oued bordé d'une palmeraie et s'élève en corniche vers le **col du Kerdous**** (1 100 m). Cultures en terrasses et arganiers alternent dans un paysage riant, constellé de villages roses. Au fur et à mesure que l'on pénètre plus avant dans la montagne, les cultures disparaissent et les arganiers *(encadré p. 230)* restent seuls maîtres du terrain aride.

Peu après le col, la route bifurque à g. vers **Tizourhane** et redescend bientôt dans la vallée encaissée de Tafraoute. Le trajet s'effectue au travers d'un chaos de gigantesques blocs de granit rose, amoncelés en un équilibre précaire. Juste avant d'arriver à Tafraoute, on traverse le pittoresque village d'**Adaï****, dont les maisons se blottissent au creux des roches. Seul un minaret rose émerge franchement de cette confusion.

Tafraoute***

➤ *107 km à l'E de Tiznit. Souk le mer.; fête des Amandiers en fév.* **Hébergement p. 255.**

Ce petit bourg tranquille dispose d'un site exceptionnel: un **cirque montagneux** dont les **roches de granit rose**, souvent énormes, se profilent sur le ciel en formes étranges. La douceur de la végétation tempère cet aspect sévère pour former un paysage des plus attachants, surtout lors de la floraison des amandiers. Il faut passer au moins une soirée à Tafraoute et dans ses environs pour voir les jeux de lumière sur la roche qui s'embrase dans des lueurs d'incendie, après avoir épuisé toutes les nuances du rose, de l'ocre, du rouge et du mauve.

Les environs de Tafraoute

➤ ♥ **LA VALLÉE DES AMMELN****. *Sortez au N de Tafraoute par la route d'Aït-Baha et d'Agadir; continuez sur 4 km.* La vallée s'étend sur près de 20 km jusqu'au **jbel Lekst** (2 359 m) qui surplombe les villages en pisé accrochés à ses flancs.

La route traverse des **plantations** d'amandiers, de palmiers, de dattiers et d'oliviers, témoins de la richesse de la région. En prenant à g. vers Taguenza, on suit la courbe de la vallée.

➤ **OUMESNAT***. *Sur la route d'Agadir, au-delà de la déviation de Taguenza, prenez une piste à g. vers le village.* Dans ce village figé dans le temps, vous pouvez visiter une **maison traditionnelle** reconstituée, qui domine une série de petits jardins.

➤ **AGARD-OUDAD*** **ET LES ROCHERS PEINTS**. *3 km au S de Tafraoute, sur la 7075.* Au-dessus du petit village d'Agard-Oudad pointe un énorme rocher appelé le « doigt » ou le « **Chapeau de Napoléon** ». En continuant la route et en empruntant ensuite une mauvaise piste de 3 km, on parvient dans un magnifique paysage désertique qui a servi de décor à de nombreux westerns. En 1985, l'artiste belge **Jean Vérame** a peint une partie des rochers en bleu et en rouge. Ils ont inspiré Nabil Ayouch pour son premier court-métrage *Les Pierres*

Les Ammeln

La tribu des Ammeln est réputée pour son **goût du commerce**. Ses membres sont **épiciers** à Casablanca, à Rabat ou en Europe. À moins qu'il ne soit Tunisien de Djerba, l'« Arabe » du quartier, ouvert jusqu'à 10 h du soir à Paris, a toutes les chances de venir de la région. De retour au pays, les Ammeln réinvestissent leurs économies au village.

Les villages sont donc essentiellement aux mains des **femmes**. Vêtues d'un *haïk* bleu nuit ou noir (pour les femmes mariées), souligné d'un galon de couleur, vous les croiserez sans doute, revenant en procession des champs, leur lourd panier tressé posé sur la tête. Mais vous ne verrez pas leurs traits : elles rabattent leur voile sur le visage à la vue de l'étranger.

L'**habitat traditionnel** est en pierres sèches, le plus souvent badigeonnées d'un enduit épais, ocre, bordeaux ou fraise écrasée. Les fenêtres étroites et parfois le pourtour des murs sont soulignés à la chaux. L'*agadir* (« grenier collectif » encore parfois utilisé) dépasse comme une tour de guet ces maisons cubiques de deux ou trois étages. ❖

Les rochers bleus, de Jean Vérame.

bleues du désert, avec, en vedette, le tout jeune Jamel Debbouzze.

➤ **LES GORGES D'AÏT-MANSOUR****. *Après Agard-Oudad, prenez la route à g. en direction de Tlata-Tasrite.* L'itinéraire s'élève parmi les arganiers, offrant une vue aérienne sur la vallée de Tafraoute. À Tlata-Tasrite, suivez la direction d'**Aït-Mansour**. La route s'engage dans une très belle gorge creusée par un oued bordé de lauriers-roses et flanqué de merveilleux petits jardins. La route goudronnée prend fin à l'entrée de la **palmeraie** nichée au fond des gorges, où l'on peut se promener à pied.

♥ **La vallée du Aït-Baha***

➤ *Itinéraire de 130 km entre Tafraoute et Agadir. Cette route (S 509) est l'une des plus belles, mais aussi l'une des plus dangereuses de la région.*

La vallée est très peuplée et de nombreux villages s'accrochent aux pentes de la montagne rose. Les maisons, d'un rose plus soutenu, sont en parfaite harmonie avec les couleurs du sol. La route grimpe vers le col d'Aït-Baha et offre de **magnifiques vues**; au-delà, le paysage reverdit et la route s'agrippe aux flancs de la montagne, contournant massif après massif pour redescendre enfin dans la vallée et la plaine du Souss.

Guelmim et les confins de l'Anti-Atlas

Deux excursions pour atteindre la limite du désert: plateaux arides et rocailleux de l'Anti-Atlas ponctués d'oasis étonnamment luxuriantes.

Guelmim

➤ *108 km au S-O de Tiznit. Comptez une journée, avec un arrêt prolongé à Guelmim. L'excursion doit se faire le sam., jour du souk. Partez tôt, car le marché bat son plein en début de matinée.* **Hébergement** *p. 255.*

L'habitat des nomades

La **tente nomade** ou **khaïma** est un assemblage d'une dizaine de bandes de laine brune de chèvre ou de chameau, larges de 50 cm et longues de 6 à 10 m en moyenne, cousues par les hommes. Elle s'appuie sur une barre de faîtage soutenue par deux poteaux de 2 m de haut ancrés à des piquets par des cordes. Ce portique intérieur divise l'**espace en deux parties** : celle des femmes, où se trouve le foyer, souvent cachée par une tenture, celle des hommes, ouverte aux visiteurs. En hiver, d'épais tapis et des buissons couvrant le rabat protègent du froid. ❖

Deux itinéraires sont envisageables. Le plus direct suit la P 30, qui franchit les derniers contreforts de l'Anti-Atlas au Tizi-Mighert avant d'atteindre Bouizakarne. De là, la P 41 se dirige vers Guelmim à travers une région plate et aride.

Le second itinéraire suit la pittoresque **route côtière** entre Gourizim et Sidi-Ifni, aux belles plages désertes. À **Sidi-Ifni***, ancien bourg espagnol endormi dans sa blanche nostalgie, on quitte la côte par la 7129 en direction de Guelmim, en traversant les dernières montagnes de l'Anti-Atlas.

➤ **GUELMIM**. L'image des **hommes bleus**, ces nomades du désert vêtus de bleu et montant leur dromadaire avec tant de noblesse, a contribué à empreindre de poésie le nom de Guelmim. La ville fut de tout temps le lieu de rassemblement des caravanes qui rapportaient les richesses de l'Afrique noire. Aujourd'hui, l'effervescence commerciale n'est plus qu'un souvenir, bien que le souk du samedi attire encore quelques nomades qui viennent vendre ou acheter leurs précieuses montures.

À cette occasion sont organisées des démonstrations de *guedra*, danse exécutée par une femme sur un rythme qui s'accélère jusqu'à l'épuisement de la danseuse *(p. 70)*.

➤ **ASRIR**. *10 km au S-E de Guelmim*. Près de ce village a lieu en juin un célèbre **moussem** dont l'attraction principale est la foire aux dromadaires, d'une ampleur exceptionnelle. Un peu après Asrir, à 18 km de Guelmim, surgit l'**oasis d'Aït-Bekkou**, à proximité d'un village saharien.

Oasis et gravures rupestres

➤ *De Tiznit, suivez la P 30 vers le S. De Guelmim, prenez la P 41 vers le N-E jusqu'à Bouizakarne, puis la P 30 à dr.* **Hébergement à Tata** *p. 255.*

➤ **Ifrane-de-l'Anti-Atlas.** Environ 20 km après Bouizakarne, une route sur la g. mène à Ifrane-de-l'Anti-Atlas, un ensemble de ksour répartis dans une luxuriante oasis.

➤ **Amtoudi***. Revenu sur la P 30, après 23 km, tournez sur la g. à Taghjicht pour rejoindre Amtoudi *(à 33 km)*, après avoir traversé **Souk-Tnine-d'Adaï**. La kasbah avec son *agadir*, juchée sur un piton, mérite le détour. L'oasis, la source et les gorges complètent la visite.

➤ **Gravures rupestres***. La P 30 passe ensuite à **Icht** *(65 km de Taghjicht)*, village fortifié. Les amateurs pourront se faire conduire à **Fam-el-Hisn** (ou Foum-el-Hassan), célèbre pour son ensemble de **gravures*** préhistoriques. En continuant sur la P 30, puis la 7087 vers le N-E, on parvient à **Akka** *(81 km)*, site également riche en gravures rupestres. Les alentours de Fam-el-Hisn et d'Akka abritent plusieurs sites où sont gravés dans le grès des milliers de figures d'antilopes, d'éléphants, de bœufs ainsi que des chars à deux roues. Elles remontent à environ 5 000 ans, à la charnière entre la civilisation des chasseurs et celle des pasteurs. Elles témoignent de la fertilité du Sahara à cette époque.

52 km plus loin au N-E surgit la très belle oasis de **Tata** *(62 km de Akka)*, regroupant de nombreux ksour aux maisons en pisé rose.

De Tata, vous pourrez rejoindre Taroudannt par Igherm *(p. 243)*. Des pistes conduisent à Foum-Zguid et à Zagora *(rens. sur place)*. ∎

Carte de l'Anti-Atlas p. 244.

■ Agadir

Plan p. 238.

ⓘ **ONMT**, place Mohammed-VI **A2** ☎ 048.84.63.77. *Ouv. lun.-ven. 8 h 30-12 h et 14 h 30-18 h.* **Groupement régional d'intérêt touristique (G.R.I.T.)**, bd Mohammed-V (près de la wilaya) **A2** ☎ 048.84.03.07. *Ouv. 9 h-12 h et 15 h-18 h 30.*

Arrivée

➤ **EN AVION.** Aéroport Agadir-Massira, à 22 km au S-E **hors pl. par B4** ☎ 048.83.91.52/91.22. Les grands taxis bleus (☎ 048.82.20.17) assurent la liaison avec la ville. Office du tourisme, change, distributeur, location de voitures.

➤ **EN CAR.** Gare routière dans le Nouveau Talborj, rue Yacoub-el-Mansour **B1** ☎ 048.84.24.70.

Hôtels

▲▲▲▲ **Kenzi Farah Europa**, bd du 20-Août, à 100 m de la plage **A3** ☎ 048.82.12.12, fax 048.82.34.35. *238 ch. et suites* avec balcon. Pianobar. Piscine chauffée de 400 m², 3 courts de tennis, sauna et club de gym. 4 restaurants. L'un des meilleurs hôtels d'Agadir.

▲▲▲▲ **Sheraton**, bd Mohammed-V **B3** ☎ 048.84.32.32, fax 048.84.43.79. *198 ch.* dotées de tout le confort qui a fait la réputation de cette chaîne. Restaurant, boutiques, piscine, tennis, casino.

▲▲▲ **Adrar**, bd Mohammed-V **B3** ☎ 048.84.04.17/08.73, fax 048.84.05.45. À 300 m de la plage. *170 ch. Air. cond.* Piscine chauffée, solarium, tennis. Bonne cuisine.

▲▲▲ **Jacaranda**, route d'Inezgane à 4 km **hors pl. par B3** ☎ 048.23.27.17, fax 048.23.27.16. *30 ch.* très confortables dans une belle architecture marocaine. Piscine couverte avec sauna et hammam. Terrasse. Agréable jardin. Calme. Bon restaurant avec chef suisse.

▲▲▲ **Omayades**, bd du 20-Août, à 400 m de la plage **A3** ☎ 048.84.00.05/03.69, fax 048.84.22.01. *144 ch.* réparties dans 15 bâtiments décorés dans le style local. Piscine. Patios avec fontaine. Plusieurs restaurants. Direction espagnole.

▲▲▲ **Tagadirt**, bd du 20-Août, à 150 m de la plage dans le centre **A3** ☎ 048.84.06.30, fax 048.84.71.22. *247 ch.* Architecture mauresque. Grande piscine. Restaurant panoramique.

▲▲ **Aladin**, rue de la Jeunesse, à 10 mn de la plage et du centre **B2** ☎/fax 048.84.32.28. *60 ch.* avec balcon. Piscine dans un petit jardin. Bien tenu et accueillant.

▲▲ **Ibis Moussafir,** sur la route de Marrakech, à 1 km du centre **hors pl. par B1** ☎ 048.23.28.42 à 47, fax 048.23.28.49. *112 ch. et 12 suites.* Architecture réussie, mais établissement bruyant. Petit jardin, piscine. Bar. Restaurant très quelconque. Navette gratuite pour la plage.

▲▲ **Kamal**, bd Hassan-II, au centre et à 800 m de la plage **B2-3** ☎ 048.84.28.17, fax 048.84.39.40. *132 ch.* spacieuses. Piscine avec toboggan. 2 restaurants.

▲▲ **Sud Bahia**, rue des Administrations-Publiques, à 500 m de la plage

Le marathon des sables

Une semaine de course au printemps dans le **désert du Sud marocain** à travers les dunes, les gorges et les palmeraies, dont une étape de nuit.

En 1986, son fondateur, **Patrick Bauer**, réunit 23 coureurs. Dix ans plus tard, le chiffre est multiplié par trente, et près de 700 concurrents étaient présents à l'édition 2000 ! Les concurrents viennent de tous les horizons par amour de la nature, goût de l'effort ou esprit de compétition. Le prochain marathon aura lieu du 4 au 14 avril 2003.

Rens. : Atlantide Organisation International, BP 98, 10003 Troyes Cedex ☎ 03.25.76.57.77. www.darbaroud.com. ❖

B2 ☎ 048.84.63.87, fax 048.84.63.86. *250 ch.* avec petit balcon dans un bâtiment de 4 étages. Jardin avec piscine. Patio mauresque. Restaurant.

▲ **Miramar** ♥, bd Mohammed-V **hors pl. par A1** ☎ 048.84.07.70. *12 ch.* très correctes face à la plage. Atmosphère pension de famille.

Villages de vacances

▲▲▲▲ **Beach Club**, secteur balnéaire **A3** ☎ 048.84.43.43, fax 048.84.08.63. *330 ch., 12 suites et 50 app.*, 7 restaurants. Accès direct à la plage. Piscine, bar, night-club, snack-glacier. Volleyball et 3 courts de tennis. Dîner-spectacle *(t.l.j. sf lun.).*

▲▲▲▲ **Club Méditerranée**, route de l'Oued-Souss, au bord de l'Atlantique **A3** ☎ 048.84.05.42, fax 048.84.07.40. *361 ch.* dans des bungalows blanc et bleu répartis sur 115 ha. Tennis, ranch, golf (27-trous). Très bonne table.

▲▲▲▲ **Dunes d'or**, directement sur la plage **B4** ☎ 048.82.99.00, fax 048. 82.85.13. *440 ch. et suites junior*, joliment décorées, réparties dans 4 pavillons dans un beau domaine de 6 ha. Plusieurs restaurants à thème. Piscine chauffée. Solarium et plage aménagée. Centre sportif. Hammam, jacuzzi et sauna. Accès au golf du Soleil (27-trous).

Résidences touristiques

Cette formule très intéressante de location de studios ou d'appartements permet d'être indépendant, de faire sa cuisine ou de choisir ses restaurants. Les résidences citées offrent divers services, dont le ménage, et possèdent une piscine.

▲▲▲ **Igoudar**, bd du 20-Août **A3** ☎ 048.84.03.99, fax 048.84.03.28. *167 appart.* avec jardins fleuris. Solarium, salon, bar.

▲▲▲ **Yasmina**, rue de la Jeunesse **A2** ☎ 048.84.25.65, fax 048.84.56.57. *77 studios* bien équipés dans un bâtiment moderne. Terrasse panoramique, jardin. Notre meilleure adresse.

▲ **Sacha**, rue de la Jeunesse **A2** ☎ 048.82.55.68, fax 048.84.19.82. *50 studios* simples. Direction française. Piscine. Accueillant.

Restaurants

◆◆◆ **Le Jazz**, bd du 20-Août, à côté de la résidence *Igoudar* **B3** ☎ 048.84. 02.08. Cuisine internationale et bon tajine de saint-pierre. Piano-bar. Décor agréable.

◆◆◆ **Le Miramar** ♥, bd Mohammed-V **hors pl. par A1** ☎ 048.84.07.70. Restaurant spécialisé dans les poissons et les fruits de mer. Table réputée.

◆◆◆ **La Pergola**, à Inezgane, à 8 km du centre, sur la g. après l'Hacienda **hors pl. par B3** ☎ 048.83.31.00. Fait partie de la chaîne des Rôtisseurs. Décor rustique. Menus et carte de cuisine française.

◆◆◆ **Le Jean Cocteau** ♥, restaurant du *Shem's Casino*, bd Mohammed-V ☎ 048.82.11.11. Excellente table et cuisine internationale. Chef français.

♦♦♦ **La Scala**, complexe Tamlelt, secteur balnéaire **A3** ☎ 048.82.75.01. Décor agréable et bonne table de cuisine internationale.

♦♦ **Le Chalet**, av. Mohammed-VI **A2** ☎ 048.82.34.74. *F. le dim.* Menus et carte avec de bonnes grillades de viande et de poisson.

♦♦ **La Fiesta**, complexe Tamlelt, secteur balnéaire **A3** ☎ 048.84.09.52. Poissons frais, cuisine marocaine ou internationale. Terrasse. Bon accueil.

♦♦ **Le Palm Beach** *Chez Roger*, sur la plage, à côté du *Club Méditerranée* **A3** ☎ 048.84.66.66. *Ouv. à midi.* Belle carte de grillades. Le chef est français.

♦♦ **Restaurant du Port**, dans le port, franchir la douane. **hors pl. par A2** ☎ 048.84.37.08. Pour ses poissons et ses fruits de mer. Décor rétro avec vue sur les yachts, et les cris des mouettes en prime. Accueil et service de qualité moyenne.

♦ **Jour et nuit**, sur le front de mer **A2** ☎ 048.84.06.10. Terrasse couverte. Cuisine marocaine (excellent couscous le *ven. midi*) et occidentale.

♦ **Pizzeria La Siciliana**, bd Hassan-II **B2** ☎ 048.82.09.73. Bon choix de pizzas. Pas d'alcool.

Sports

Tous les grands hôtels possèdent des **piscines** et des courts de **tennis**. Vous pourrez pratiquer tous les **sports nautiques** : voile, planche à voile, surf, catamaran, ski nautique, etc. Sur la plage : volley-ball, basket-ball, équitation et balades en chameau. Les amateurs de golf s'entraîneront au **Royal Golf** (9-trous), à 12 km de la ville, sur la route d'Aït-Melloul **hors pl. par B4** ☎ 048.24.85.51, près de l'Hacienda. Le port d'Agadir a son **yacht-club**.

Vie nocturne

La plupart des hôtels organisent des soirées-spectacles, et plusieurs ont des night-clubs ; nous vous recommandons le **Jimmy's** dans le complexe *Melia El-Madina Salam* **B3**. Il y a aussi l'**Alkazar** de l'hôtel *Amadil* **A3** et le **Shem's Casino**, bd Mohammed-V ☎ 048.82.11.11.

Adresses utiles

➤ **BANQUES. BMCE et BMCI**, avec distributeur, av. du Général-Ketani **A2**. Même chose à **Wafabank**.

➤ **COMPAGNIE AÉRIENNE. Royal Air Maroc**, av. du Général-Ketani **A2** ☎ 048.84.07.97

➤ **CONSULAT DE FRANCE**, bd Mohammed-Cheikh-Saadi, dans le quartier résidentiel **B1** ☎ 048.84.08.26, fax 048.84.23.80.

➤ **LOCATION DE VÉHICULES.** En plus des loueurs internationaux, on trouve de **petites agences** qui ont toujours des prix intéressants. Leur parc étant souvent restreint, ils sous-louent parfois des véhicules aux grands loueurs. On peut trouver aussi des 4 x 4 sans chauffeur. Dans le secteur balnéaire, de nombreux loueurs proposent des bicyclettes, des scooters et des motos. **Dynamic Loisirs**, à Tamrhakht, à 12 km ☎ 048.31.46.55, loue des **planches de surf.** Excursions à quads, à VTT ou à cheval.

➤ **POSTE ET TÉLÉPHONE.** Av. du Prince-Moulay-Abdellah **B2**. Retraits avec des chèques postaux internationaux.

➤ **TAXIS.** Les petits taxis orange ne peuvent pas sortir de la ville. Ils sont équipés de compteurs ; exigez leur mise en marche.

➤ **URGENCES.** Hôpital Hassan-II ☎ 048.84.14.77. **SOS médecins** ☎ 048.82.88.88. **Pompiers** ☎ 15. **Pharmacies** : dans la Municipalité, à côté de la poste **B2** ☎ 048.82.03.49. *Ouv. toute la nuit.*

■ Col du Kerdous

Hôtel

▲▲▲ **Kenzi Kerdous**, à 54 km au S-E de Tiznit, proche du col de Kerdous ☎ 048.86.20.63, fax 048.60.03.15. *39 ch.* Au cœur de l'Anti-Atlas, dans un site exceptionnel. Restaurant, bar. Une étape dépaysante en pleine nature. Beaucoup de groupes.

■ Guelmim

Hôtel

▲▲ **Fort Bou Jérif**, BP 504, 81000 Guelmim, fax 048.87.30.39. À 30 km de Guelmim. Passez par Laksabi, Tilouine et Targawasan. Il reste 7 km de piste après avoir quitté le goudron. *Motel de 10 ch.* Possibilité de dormir sous de grandes tentes nomades et de faire du caravaning.

■ Imouzzèr-des-Ida-Outanane

Hôtel

▲▲▲ **Les Cascades** ♥ ☎ 048.82. 60.16/23, fax 048.82.60.24. Bel établissement admirablement situé à 1 160 m d'alt. Jardin, piscine, tennis. Environnement fleuri exceptionnel.

■ Tafraoute

Hôtels

▲▲▲ **Les Amandiers** ☎ 048.80.00.08, fax 048.80.03.43. *58 ch.* Domine la vallée, très belle vue. Piscine. Un établissement agréable. Bonne table.

▲ **Salama**, place du Souk ☎ 048.80. 00.26, fax 048.80.04.48. Un vieil hôtel restauré. *28 ch. avec s.d.b.* propres. Petit déjeuner seulement.

■ Taroudannt

Hôtels

▲▲▲▲ **La Gazelle d'or** ♥ ☎ 048.85. 20.39/48, fax 048.85.27.37. *30 ch. F. de mi-juil. à début sept.* Plusieurs pavillons disséminés dans un parc de 10 ha, à 2 km de Taroudannt. Décoration raffinée. Piscine olympique chauffée, équitation, etc. Grand luxe.

▲▲▲ **Palais Salam** ♥ ☎ 048.85.25.01/ 21.30, fax 048.85.26.54. *143 ch.* Ancien palais de pacha blotti au pied des remparts. Les suites junior ou senior de la nouvelle aile sont particulièrement

réussies. Deux piscines dans un cadre enchanteur.

▲▲ **Saadien**, Borj-Oumansour, dans la médina ☎ 048.85.25.89/24.73, fax 048.85.21.18. *56 ch.* (demander côté piscine, plus calme). Bon restaurant en terrasse sur le toit.

▲▲ **Tiout**, av. Mohammed VI ☎ 048.85.03.41/44.78/79, fax 048.85. 44.80. *38 ch.* propres et confortables. Restaurant. Terrasse avec solarium. Bonne adresse dans cette catégorie.

▲ **Hôtel du Soleil**, route d'Agadir, Bab Targhount ☎ 048.55.17.07. *9 ch.* Établissement très simple mais correct.

Restaurant

♦♦ **Jnane Soussia**, hors Bab Zorgane, entre l'oliveraie et la muraille de Taroudannt ☎ 048.85.49.80, fax 048.85.42.80. Possibilité de manger au bord de la piscine, sous tente caïdale ou dans un salon marocain une cuisine marocaine de qualité.

■ Tata

Hôtel

▲▲ **Le Relais des sables**, sur la route d'Akka à 1 km du centre ☎ 048.80. 23.01/02, fax 048.80.23.00. *55 ch.* Certaines avec avec air cond. Piscine, bar et restaurant : le lieu et la cuisine sont simples mais on est aux portes du désert.

■ Tiznit

Hôtels

▲▲ **Tiznit Hôtel**, rue Bir-Inzaran, au centre-ville ☎ 048.86.24.11 et 048.86. 21.19. *40 ch.* correctes. Piscine avec solarium. Bon restaurant.

▲ **Hôtel de Paris**, av. Hassan-II, sur le rond-point à l'entrée de la ville ☎ 048.86.28.65. *20 ch.* simples, mais correctes. Un peu bruyant. Table copieuse. ■

EN SAVOIR PLUS

Ci-contre : le Maroc des campagnes
a conservé le parfum du passé.
Sobriété des lieux, ritualité
des gestes donnent une solennité
à la vie quotidienne.

Ci-dessus : la sévérité
de l'architecture campagnarde
est adoucie par un remarquable
talent décoratif dans les détails.

Petit dictionnaire

Agadir : grenier collectif fortifié de l'Atlas.

Agdal (**ou aguedal**) : grands jardins avec bassins.

Aguelmane : nom berbère désignant un lac naturel.

Ahl : famille ou gens.

Aïd : fête.

Ali : cousin et gendre du fondateur de l'islam, Mohammed. Il est à l'origine du schisme qui oppose *chiites* (partisans d'Ali) et *sunnites* (majoritaires au Maroc).

Bab : porte.

Baraka : bénédiction, protection divine obtenue en se rendant dans un lieu saint ; par extension, chance. Don attribué aux marabouts et aux *chorfas*.

Bisara : plat à base de fèves.

Bled : la campagne, le village.

Borj : bastion, poste militaire.

Caïd : chef de district, représentant le pouvoir royal.

Calife : de *El-Khalifa*, « le successeur » de Mohammed, chef de la communauté musulmane.

Cheikh : maître, guide spirituel, chef de confrérie, de fraction, de village.

Cheikhat : musiciennes et danseuses qui animent les fêtes populaires.

Chergui : vent chaud du Sud-Est.

Chleuh : tribu berbère du Sud-Ouest, surtout de l'Atlas et de l'Anti-Atlas.

Dar : maison.

Dayet (sing. *daya*) : dépressions où l'eau s'accumule, formant des lacs.

Derb : rue, ruelle.

Derdeba : rite de possession pratiqué par les Gnaoua.

Djinn (plur. *djennoun*) : génie.

Elma : eau.

Émir : haut personnage, détenteur des pouvoirs militaires qui lui sont délégués par le chérif.

Erg : région de dunes de sable.

Fallah : agriculteur.

Faqih (plur. *fouqaha*) : lettré traditionnel, maître de l'école coranique.

Fatima : fille chérie de Mohammed, femme d'Ali. Un culte dans l'islam.

Flous : argent.

Fondouk : auberge servant de caravansérail et d'entrepôt.

Foul : fève.

Guenbri : luth à trois cordes.

Habous : biens appartenant à une fondation religieuse.

Hamada : plateau désertique et caillouteux du Sahara.

Harira : soupe *(p. 32)*.

Hijab : voile.

Horm : endroit interdit.

Imam : guide suprême de la communauté musulmane, guide de la prière.

Iman : foi.

Istiqlal : indépendance, nom du parti nationaliste marocain.

Jbel : la montagne, le mont.

Jdib : transe.

Jdid : neuf, nouveau.

Kasbah : quartier fortifié de la ville, citadelle.

Kesra : pain rond.

Kharidjisme : secte des partisans d'Ali. Tendance « dure » de l'islam.

Khettara : puits à balancier ; synonyme de *foggara*, canal souterrain d'irrigation.

Kissaria : quartier où les vendeurs sont regroupés par spécialité.

Koubba : coupole, mausolée surmonté d'une coupole.

Ksour (sing. *ksar*, vient de *Caesar*) : villages fortifiés du Sud.

Maalem : maître, artisan.

Maghreb : « le couchant », pays du nord-ouest de l'Afrique (Maroc, Algérie et Tunisie).

Makhzen : gouvernement du sultan.

Malik : roi.

Marabout : homme saint et, par extension, son tombeau, lieu de pèlerinage.

Méchouar : grande place à l'intérieur de l'enceinte d'un palais.

Médersa : école coranique.

Médina: ville traditionnelle arabe, comprenant la grande mosquée et les souks.

Mellah: le quartier juif.

Merga: lac temporaire d'eau douce.

Mihrab: dans les mosquées, niche indiquant la direction de La Mecque.

Minaret: tour d'une mosquée.

Minbar: chaire d'une mosquée.

Moucharabieh: panneau de bois ajouré placé aux balcons, fenêtres etc., permettant de voir sans être vu.

Mouloud: jour anniversaire de la naissance du Prophète.

Moussem: pèlerinage au tombeau d'un marabout, combiné avec des festivités et des échanges commerciaux *(p. 35)*.

Muezzin: musulman qui lance l'appel à la prière du haut du minaret.

Nasrani (plur. *nasara*): nom donné aux Européens.

Oued: fleuve, rivière ou cours d'eau temporaire.

Oulema (sing. *alim*): savant, docteur en théologie. Se considèrent comme seuls interprètes compétents des textes religieux et du Coran.

Pacha: gouverneur d'une ville impériale.

Pisé: matériau de construction (terre crue mise en coffrage, séchée au soleil).

Qadi: juge.

Qbila: tribu.

Qalb: cœur.

Reg: désert de cailloux.

Riad: jardin andalou à l'intérieur d'une maison ou d'un palais; par extension, le palais lui-même.

Ribat: monastère fortifié d'où les moines soldats partaient faire la guerre sainte.

Roumi: chrétien, occidental.

Saguia: canal d'irrigation en plein air.

Saqayya: fontaine.

Sidi: seigneur et, par extension, monsieur.

Taleb (plur. *tolba*): étudiant dans une médersa.

Tarbouch: bonnet pointu en laine.

Quelques mots d'arabe

Le **h** est toujours aspiré, **kh** se prononce comme la jota espagnole, **gh** comme un « r » grasseyé, le **r** est roulé.

Bonjour: *sabah el-kheir*

Bonsoir: *masa el-kheir*

Bonne nuit: *lila mebrouka*

Au revoir: *besslâma, Allah ihennikoum*

Attention, prenez garde: *rod balek* (ou *baleuk*)

Comment ça va ?: *ouâch khbâr-ek ?*

Ça va bien: *labes*

S'il vous plaît: *min fadlak*

Oui: *n'am*

C'est bien, d'accord: *ouakha*

Non: *la*

Il n'y a pas: *makaynch*

Combien ?: *ach-hal ?*

Merci: *choukrane, barak allahou fik*

Comment dit-on... en arabe?: *kif tkoulbal... Arbia ?*

Je ne sais pas: *ma na'rafch*

Je ne comprends pas: *ma f'hemtch* ❖

Tighremt: maison fortifiée de l'Atlas.

Tizi: col.

Wali (plur. *awliyya*): saint, maître.

Watan: patrie.

Wazir (plur. *wozara'*): ministre.

Za'im: leader, chef charismatique.

Zankat: rue.

Zaouïa: école religieuse et aussi sanctuaire où est enterré un marabout.

Zelliges: morceaux de céramique de formes géométriques variées, ornant la base des murs, les sols et les colonnes.

Zeriba: enclos à bétails. ■

Des livres, des disques et des films

■ Histoire, politique

Z. Daoud, *Féminisme et politique au Maghreb*, Éddif, 1997. Synthèse sur la place de la femme dans la société marocaine.

C. Daure-Serfaty, *Rencontres avec le Maroc*, La Découverte, 1989. Excellente introduction générale à la connaissance de ce pays.

B. Lugan, *Histoire du Maroc*, Perrin, 2000. Une monumentale monographie du plus marocain des historiens français.

A. Marzouki, *Tazmamart, cellule 10*, Paris-Méditerranée, coll. Documents, témoignages et divers, 2001. L'auteur qui occupait la cellule 10 du bagne dont on a toujours nié l'existence, témoigne au nom de tous, disparus et survivants.

D. Rivet, *Le Maroc de Lyautey à Mohammed V*, Denoël, 1999. Un beau travail d'historien.

A. Serfaty, *Dans les prisons du roi*, Messidor, 1994. Le témoignage du plus ancien prisonnier politique, libéré en 1991.

P. Vermeren, *L'Histoire du Maroc depuis l'indépendance*, La Découverte, coll. Repères, 2002. Toutes les étapes marquantes de 1956 à 2002. *Le Maroc en transition*, La Découverte, coll. Essais, 2002. Cet ouvrage fournit les clés indispensables au décryptage d'une actualité plus nourrie en contradictions depuis que Mohamed VI a accédé au trône.

■ Culture et civilisation

Maroc, les signes de l'invisible, revue Autrement, vol. 48, 1990. Quatre dossiers sur les lieux, les gens, les mystiques et le pouvoir.

A. Chlyeh, *Les Gnaoua du Maroc*, La Pensée sauvage, 1998. Tout sur cette confrérie religieuse du Sud.

F. Damgaard, *Essaouira. Histoire et création*, La Porte, 1999. Réflexions sur la vie culturelle de cette cité et ce qui provoque cette effervescence d'artistes.

M. A. Haddadou, *Le Guide de la culture berbère*, Paris-Méditerranée, 1999. Histoire, vie quotidienne, art et littérature.

B. Hell, *Le Tourbillon des génies : au Maroc avec les Gnaoua*, Flammarion, coll. Essais, 2002. Pour dialoguer avec l'invisible et s'allier aux génies, les Gnaoua entreprennent «le voyage» de la cérémonie de *la lila*.

J. et J.-M. G. Le Clezio, *Gens des nuages*, Stock, 1997. Un beau texte illustré par les photos de Bruno Barbey.

M. Reeber, *L'Islam*, Milan, coll. Les Essentiels, 1996. Repères, définitions et éclairages en vue d'une meilleure approche de la foi des musulmans.

J. Servier, *Les Berbères*, PUF, Que sais-je?, 1994. Simple et concis.

■ Arts et architecture

Le Maroc de Matisse, exposition de l'Institut du monde arabe, Gallimard, 1999-2000. Dessins et peintures réalisés en 1912-1913.

Marrakech derrière les portes, Autrement, 1985. Au-delà des clichés pour gens pressés, que se passe-t-il derrière les portes ? C'est le temps qui bascule.

Revue noire n° 33, 1999. Numéro consacré au Maroc : panorama complet de tous les arts établi en 1999, à l'occasion du Temps du Maroc.

M. Arama, *Le Maroc de Delacroix*, Jaguar, 1987. Peintures, croquis, lettres et journal de route du peintre.

A. et Y. Arthus-Bertrand, *Le Maroc vu d'en haut*, La Martinière, 1998. Photos aériennes.

T. Ben Jelloun et J.-M. Tingaud, *Médinas*, Assouline, 1998. Un beau livre sur les villes traditionnelles.

A. Boukobza, *La Poterie marocaine*, Taillandier, 1987. L'histoire et les techniques, bien illustrées.

Lisl et Landt Dennis, *Maroc. Un art de vivre*, Aubanel, 2001. Balade architecturale et artisanale, envoûtante et magique, de Casablanca à Marrakech.

G. Dumur, *Delacroix et le Maroc*, Herscher, coll. Lieux d'artistes, 1988. Dessins, carnets et correspondance retraçant le voyage du peintre.

M. Mezzine (sous la dir. de), *Fès médiévale*, Autrement, coll. Mémoires, 1992. Mille chroniques mêlent les images d'une cité royale à celles d'une ville de sueur, de commerce, haut lieu du sacré et du savoir.

K. Mourad et A. Gérard, *Marrakech et la Mamounia*, ACR, coll. Pochecouleur, 1994. Toute la magie d'un palace légendaire.

S. Naji, *Art et architectures berbères du Maroc : atlas et vallées présahariennes*, Édisud, 2001. Cet ouvrage présente les extraordinaires architectures de pisé, mémoires défigurées par l'érosion, et, à côté, les constructions récentes.

D. Rouach, *Bijoux berbères*, ACR, 1989. Intéressant et bien illustré

M. Sijelmassi, *Les Arts traditionnels marocains*, Aubanel, 2002. Inventaire d'un artisanat aussi riche que coloré.

H. Triki et A. Dovofa, *Médersa de Marrakech*, Édisud, 1999.

Q. Wilbaux et M. Lebrun, *Marrakech, le secret des maisons-jardins*, ACR, 1999. Les trésors cachés des maisons de Marrakech illustrés et commentés.

■ Cuisine

S. Danand et J. Denarnaud, *La Nouvelle Cuisine judéo-marocaine*, ACR, coll. Pochecouleur, 1994.

F. Hal, *Le Livre du couscous*, Stock, 2000. Plus de 100 recettes qui font voyager dans l'espace et dans le temps.

M. Seguin-Tsouli, *Saveurs marocaines*, Le Chêne, coll. Saveurs du monde, 2000. Un beau livre sur l'art culinaire marocain.

■ Littérature

ÉCRIVAINS MAROCAINS *voir p. 69.*

ÉCRIVAINS OCCIDENTAUX

P. Bowles, *Un thé au Sahara*, Gallimard, coll. L'Imaginaire, 1987. Le voyage de deux Américains au Maroc, leur amour et leurs déchirures. Adapté au cinéma par B. Bertolucci. Du même auteur, exilé volontaire à Tanger : *Journal d'un Tangérois, 1987-1989*, Plon, 1989.

Collectif, *Maroc, les villes impériales*, Omnibus 1996. Textes de H. Bordeaux, H. Bosco, R. Dorgelès, M. Jobert, P. Loti, H. de Montherlant et des frères Tharaud.

J. Kessel, *Au Grand Socco*, Gallimard, coll. Blanche, 1952. La société tangéroise, snob et cosmopolite, décrite par un adolescent.

P. Loti, *Au Maroc,* éd. Christian Pirot, 2000 et Laffont, coll. Bouquins, 1991. Récit fascinant d'un voyage dans le Maroc d'avant le protectorat.

D. Rondeau (sous la dir. de), *L'Appel du Maroc*, Flammarion, Institut du monde arabe, 1999. Les écrivains occidentaux fascinés par le Maroc.

■ Musique

Voir aussi p. 70.

Musique classique andalou-maghrébine, orchestre de Fès, Ocora, 1998.

Musique arabo-andalouse du Maroc : Gharnati, Auvidis, 1995.

Musique berbère du Haut Atlas et de l'Anti-Atlas, Chant du monde, 1994.

Hommage à Abdelkrim Raïs, IMA, Blue Silver, 1993. Musique andalouse.

Flûte de l'Atlas, Arion, 1992.

Anthologie de rwayes : chants et musiques des Berbères du Souss, Maison des cultures du monde, 1990.

Gnaoua Lila, Al Sur, 1990. Une nuit *(lila)* avec les musiciens-guérisseurs.

■ Films

Voir aussi p. 71.

A. Hitchcock, *L'homme qui en savait trop*, 1956. Marrakech sert de cadre à ce film d'espionnage.

D. Lean, *Lawrence d'Arabie*, 1962. Les sables d'Arabie sont ici ceux de Merzouga.

O. Welles, *Othello*, 1952. La tragédie de Shakespeare dans les remparts d'Essaouira et d'El-Jadida. ■

Table des encadrés

Index

Marrakech : nom de lieu
Ben Jelloun Tahar : nom de personnage
BERBÈRES : mot-clé
Les folios en **gras** renvoient aux textes les plus détaillés. Les folios en rouge renvoient aux cartes et aux plans. Les folios en bleu renvoient aux renseignements pratiques et aux bonnes adresses.

Destination Évasion

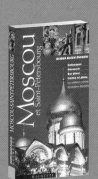

Les Guides Bleus Évasion :

- Afrique du Sud et chutes Victoria
- Amsterdam et la Hollande
- Andalousie
- Angleterre et Pays de Galles
- Australie
- Autriche
- Baléares
- Berlin
- Birmanie
- Brésil
- Bruges et le pays flamand
- Budapest et la Hongrie
- Californie
- Canaries
- Chypre
- Corée du Sud
- Crète et Rhodes
- Cuba
- Danemark
- Écosse
- Égypte, vallée du Nil
- Floride
- Grèce continentale
- Guadeloupe
- Îles grecques
- Irlande
- Israël
- Istanbul
- Jersey-Guernesey
- Kenya et Nord-Tanzanie
- Liban
- Londres
- Louisiane
- Madagascar
- Malte
- Maroc
- Marrakech et le Sud marocain
- Martinique
- Moscou et Saint-Pétersbourg
- New York
- Nouvelle-Calédonie
- Pékin et Shanghai
- Pologne
- Portugal
- Prague et la Bohême
- Québec
- Réunion et île Maurice
- Rome
- Sahara
- Sénégal
- Sicile
- Sri Lanka et Maldives
- Suède
- Syrie
- Tahiti et la Polynésie française
- Thaïlande
- Tokyo et Kyoto
- Toscane
- Tunisie
- Turquie de l'Ouest et mer Noire
- Venise
- Vietnam

BLEUS

Les Guides Bleus Évasion, chez votre libraire

ÉVASION

HACHETTE

Imprimé en France par I.M.E. - 25110 Baume-les-Dames

Dépôt légal n° 30898/février 2003 - Collection n° 25 - Édition n° 01

Impression n° 16183 - ISSN : 0762-2392 - ISBN : 201 243 8342

24/3834/9

À nos Lecteurs...

Ces pages vous appartiennent. Notez-y vos remarques, vos impressions de voyage, vos découvertes personnelles, vos bonnes adresses. Et ne manquez pas de nous en informer à votre retour. Nous accordons la plus grande attention au courrier de nos lecteurs.

Carnet de voyage

HACHETTE
Tourisme

Guides Bleus Évasion – Courrier des lecteurs
43, quai de Grenelle – 75905 PARIS Cedex 15